ein Ullstein B...

Alexander Enfield

(Herausgeber)

Kapitänsgarn

Mit einer Einleitung von Alexander Kent

ein Ullstein Buch

ein Ullstein Buch/maritim
Nr. 20961
Herausgegeben von J. Wannenmacher
im Verlag Ullstein GmbH,
Frankfurt/M – Berlin
Titel der Originalausgabe:
Sea Captains' Tales
Aus dem Englischen
von Eckhard Kiehl
und Joachim Wölfer

Deutsche Erstausgabe

Umschlagentwurf: Hansbernd Lindemann
Farbreproduktion nach dem Gemälde
»After the Storm« von Wilhelm Melbye,
aus der Sammlung Peter Tamm, Hamburg,
entnommen dem Buch »Maler der See«
von Prof. Dr. Jörgen Bracker, Dr. Michael
North und Peter Tamm, Koehlers
Verlagsgesellschaft mbH, Herford 1980
Alle Rechte vorbehalten
© Einführung: Douglas Reeman, 1986
© Anthologie: Alexander Enfield, 1986
© Übersetzung 1988
Verlag Ullstein GmbH,
Frankfurt/M – Berlin
Printed in Germany 1988
Gesamtherstellung:
Presse-Druck Augsburg
ISBN 3 548 20961 0

August 1988

Von Alexander Kent
in der Reihe der
Ullstein Bücher:

CIP-Titelaufnahme
der Deutschen Bibliothek

Kapitänsgarn / Alexander Enfield (Hrsg.).
[Aus d. Engl. von Eckhard Kiehl u.
Joachim Wölfer]. – Dt. Erstausg. –
Frankfurt/M ; Berlin : Ullstein, 1988
    (Ullstein-Buch ; Nr. 20961 : Maritim)
    Einheitssacht.: Sea captains' tales ‹dt.›
    ISBN 3-548-20961-0
NE: Enfield, Alexander [Hrsg.]; EST; GT

Inhalt

Vorwort

Während meines langen Lebens auf See ist kaum ein Tag vergangen, an dem ich nicht eine gute Stunde mit einem Buch über das Meer in meiner Kajüte verbracht hätte. Es störte mich nicht im geringsten, wenn ich die Stunden davor völlig von nautischen Problemen in Anspruch genommen war. Selbst heute kann ich mich am besten entspannen, wenn ich mich in ein Werk aus meiner großen Sammlung maritimer Literatur vertiefe. Ich muß auch zugeben, daß ich das gleiche Vergnügen empfinde, ob die Geschichte, die ich lese, nun im exotischen Chinesischen Meer oder in den eisigen Gewässern der Arktis spielt, ob es sich bei dem betreffenden Schiff um einen prächtigen alten Viermaster oder einen modernen Linienfrachter handelt – denn die Herausforderung, welche die Ozeane dieser Welt für alle Fahrensleute darstellen, bildet den Urstoff, aus dem sich dramatische Situationen und erregende Geschehnisse entwickeln. Auch fesseln mich Geschichten über einfache Matrosen nicht weniger als über berühmte Seefahrer. Wobei ich natürlich voraussetze, daß sie alle unterhaltend und *glaubwürdig* sind.

Im Lauf der Jahre sind eine Menge Sammlungen von Seemannsgeschichten entstanden, von denen verschiedene in meinen Regalen stehen. Ich kann jedoch keine darunter entdecken, in der ausschließlich Geschichten über Kapitäne zusammengestellt sind. Geschichten, in denen der Kapitän entweder selbst als Erzähler oder als zentraler Charakter auftritt. In denen von Männern berichtet wird, die Windjammer oder Trampdampfer, Piratenschiffe oder Zerstörer, kleine Yachten oder Unterseeboote befehligen. Und genau das habe ich in diesem Buch gesammelt, welches Sie jetzt in Händen halten.

Ich will nicht behaupten, daß Sie hier die besten aller Geschichten über Kapitäne finden oder daß es sich um die spannendsten handelt. Trotzdem glaube ich, eine sehr repräsentative Auswahl getroffen zu haben, die von einem der Väter dieses Genres, Captain Frederick Marryat, bis zu den modernen Meistern C. S. Forester und Nicholas

Monsarrat reicht. Auch schätze ich mich glücklich, daß mein Freund Alexander Kent, der vielleicht populärste Verfasser von Seemannsgeschichten der Gegenwart, nicht nur eine seiner Erzählungen, sondern auch eine sehr einfühlsame und interessante Einleitung über die Beziehung des Menschen zum Meer beigesteuert hat.

Zur See werde ich jetzt vermutlich nur noch in Gedanken fahren; ich freue mich jedoch darauf, wenn ich dann, im Lehnstuhl sitzend, zumindest einen Teil der Zeit mit solchen Männern verbringen kann, wie sie mir aus den Seiten dieses Buches entgegentreten. Ich hoffe, Sie werden dieses Vergnügen mit mir teilen.

Alexander Enfield
Walton-on-the Naze, Essex

Einleitung

von Alexander Kent

Das vielleicht Dauerhafteste am maritimen Erbe Englands – und es umfaßt einen Zeitraum von über tausend Jahren – ist die Seemannsgeschichte selbst.

Die Leute fragen mich oft, warum wohl Seeleute und Schiffe eine solche Faszination auf uns ausüben, wo sie ihren Ursprung hat und was sie bis heute lebendig hält. Als Inselvolk sagen wir oft, wir hätten eben Salzwasser im Blut, und das ist auch nicht weiter verwunderlich, wenn man bedenkt, daß es unmöglich ist, irgendwo auf dieser Insel weiter als neunzig Meilen von der See entfernt geboren zu werden.

Seit Jahrhunderten haben Seeleute aller Art aus Gründen, die so unterschiedlich waren wie ihre Schiffe, unsere Küsten hinter sich gelassen. Neugier weckte den Wunsch zu erkunden, was hinter dem Horizont lag – und hinter dem nächsten. In der Seefahrt paart sich für gewöhnlich Neugierde mit Kühnheit. Das ist nötig, um neue Länder zu entdecken und Handelsbeziehungen zu knüpfen, um Kriege zu führen oder den Frieden auf den Weltmeeren zu erhalten; um mit Nelson zum Nil zu segeln, oder, wie in zwei Weltkriegen, die vom Feind dezimierten Konvois nach Hause zu bringen, ohne die unser Land verloren gewesen wäre.

Der besondere Reiz, den die See und die Seemannsgeschichten auf uns ausüben, hat sich vielleicht deswegen erhalten, weil wir oft Mühe haben, uns mit dem komplizierten technischen Fortschritt der heutigen Zeit zu identifizieren. Die permanente Gefahr eines Krieges erinnert uns nur zu oft daran, daß die heutigen Waffen das geistige Vermögen derjenigen, die sie kontrollieren, fast über Gebühr beanspruchen. Auch die Raumfahrt scheint die Gemüter nicht besonders zu erregen; wohl hauptsächlich deswegen, weil wir wissen, daß wir selbst niemals daran teilhaben können. Aber wenn Sie einmal die Gesichter auf einer Bootsausstellung oder die Miene eines stolzen

Bootsbesitzers betrachten, können Sie herauslesen: *Eines Tages segle ich vielleicht in meinem eigenen Boot um die Welt.* Natürlich werden es die meisten nie tun, aber die Tatsache, daß wir diese Möglichkeit überhaupt erwägen können, ist sicherlich mitverantwortlich für unsere alte Affinität für die See.

Zur Zeit der großen Rahsegler – der schönsten und zugleich anspruchsvollsten Schiffe – war der Seemann für die Leute an Land immer eine romantische Figur. Die verbreitete Karikatur eines Janmaaten in seiner blauen Jacke, mit einem Papagei auf der Schulter, war von der Wahrheit gar nicht weit entfernt. Schließlich war ein Seemann damals der einzige Mensch, der so weit herumkam.

Bis in die Jahre zwischen den beiden Weltkriegen war das Reisen noch weitgehend ein Privileg der Reichen, des diplomatischen Corps und natürlich des Militärs, das Liverpool und Southampton wöchentlich in vollgepackten Truppentransportern verließ, um irgendwelche Probleme irgendwo im britischen Empire zu bereinigen. Trotzdem haben wahrscheinlich nur wenige eine Seereise zu jener Zeit als romantisch empfunden.

Als ich noch ein Junge war, las ich die klassischen Werke von Marryat, Conrad und Melville und später die Geschichten von Marineschriftstellern wie »Taffrail«. Obwohl die männlichen Mitglieder meiner Familie tradionell beim Heer gedient hatten, schien es mir nur natürlich, zur Royal Navy zu gehen, wo ich bald die brutale Realität des Seekrieges am eigenen Leibe kennenlernte. Dennoch – ob bei der Konvoisicherung oder bei Angriffen auf feindliche Schiffe und Küsteneinrichtungen – wäre es mir damals nie in den Sinn gekommen, daß ich mich eines Tages hinsetzen und darüber schreiben würde.

In den fünfziger Jahren, als ich meinen ersten Roman schrieb, legte ich ihm meine Kriegserlebnisse zugrunde und glaubte, damit hätte es sich. Aber mit einem Vertrag in der Tasche wurde mir schnell klar, daß die See und der Wunsch, darüber zu schreiben, wieder einmal mein ganzes Leben ändern sollten. Zehn Jahre, nachdem mein Erstlingswerk veröffentlicht worden war, beschloß ich, etwas Neues anzupacken, und zwar dachte ich an eine Romanserie über das Schicksal eines Seemannes, des Richard Bolitho aus Falmouth in Cornwall, in den bewegten Zeiten des 18. und 19. Jahrhunderts. Für diese Periode unserer Geschichte hatte ich immer am meisten übrig.

Wahrscheinlich erwachte dieses Interesse, als ich, knapp zehn Jahre alt, Nelsons altes Flaggschiff, die *Victory*, in Portsmouth besichtigen durfte. Ich bildete mir ein, diese Geschichtsperiode recht gut zu kennen, und so begann ich meine Arbeit an dieser inzwischen in vielen Ländern verbreiteten Serie. Zu meiner Überraschung entdeckte ich sehr schnell, daß ich noch einmal völlig von vorn angefangen und alles von Grund auf neu lernen mußte; das betraf sowohl den Helden meiner Geschichte als auch die Schiffe und die Manöver, die sie ausführten.

Im Lauf meiner Nachforschungen begann ich, mir den Standpunkt jener Zeit zu eigen zu machen: Zeitungen, Briefe und Tagebücher ließen mich die Szenen, die ich beschrieb, miterleben. Während bei der Beschreibung moderner Schiffe die einzelnen Charaktere oft auf ihre »stählernen Waben« verteilt sind – Stationen, von denen sie sich normalerweise nicht wegrühren dürfen –, sind an Deck eines Linienschiffes des 18. oder einer schnellen Fregatte des frühen 19. Jahrhunderts die meisten Offiziere und Mannschaften jederzeit sichtbar. Der Autor muß lernen, wo jeder steht, was er macht und wessen Zuruf oder Befehl er auf seinem Platz hören kann. Die Meilen von stehendem und laufendem Gut, die verschiedenen Größen und Verwendungen der Beiboote, die Bewaffnung und das tägliche Leben der Seeleute, all das mußte ich genau recherchieren und erlernen.

Diese Periode unserer Marinegeschichte ist faszinierend. Sie umfaßt die letzten Jahre wirklicher Unabhängigkeit des auf sich selbst gestellten Seemanns. Es war eine Welt großer Entfernungen, in der jedes Schiff aus eigener Kraft überleben mußte. Der Tod auf See war ein alltägliches Ereignis, und die Heilmethoden für Krankheiten und Verletzungen waren manchmal schrecklich. Unzählige Geschichten künden von Mut, Ausdauer und Niederlage. Die See in all ihren Stimmungen war der Feind, wie sie es auch heute noch für die Tollkühnen oder die Glücklosen sein kann.

Auf einem Schiff wird man fortwährend daran erinnert, wie sehr man auf seine Kameraden angewiesen ist. Denn wenn die See der Feind ist, dann ist das Schiff das Heim des Seemanns, und er muß es schützen, so gut er kann. In keinem anderen Beruf wird man Männer finden, die so von ihrer Umgebung und dem täglichen Leben geprägt sind.

Die Geschichten in diesem Buch gleichen in ihrer Vielfalt und Spannweite den Ozeanen, die ihre Schauplätze sind. Viele der Erzähler sind leider nicht mehr unter uns, aber ihre Schiffe und Häfen, ihre Mannschaften und Kapitäne erwachen auf den folgenden Seiten zum Leben, frisch wie die salzige Gischt der See. Dabei ist es schwer, ja nahezu unmöglich, irgendeine Wertung zu treffen, denn für fast jeden Geschmack ist eine Geschichte darunter.

Für mich war der verstorbene Alan Villiers, der hier mit der Geschichte »Der Windjammerfilm« vertreten ist, *der* Mann der See schlechthin. Selbst ein Seemann mit heroischen Zügen, kannte er die See und beschrieb seine Liebe zu ihr in Geschichten oder auch in seinen vielen Rundfunksendungen besser als irgend jemand anderer, den ich nennen könnte. Seine farbigen Beschreibungen der Schiffe unter den hohen Segelpyramiden, die präzise Wiedergabe des harten Lebens und der Stimmung der Leute an Bord waren unvergleichlich.

Nicholas Monsarrats »Nachtgefecht« las ich mit großer Anteilnahme. Ich kannte ihn sowohl als Seemann wie auch als Schriftsteller und bewunderte ihn in beiden Rollen. Er beschrieb den Krieg, den auch ich erlebt hatte, und hatte die gleichen Gefechte überstanden, die gleichen Eindrücke vom Schlachtfeld Atlantik mitgebracht.

Und dann »Ausgesegelt« von W. W. Jacobs, einer der ersten Schriftsteller, die mich verlockten, etwas über die See zu lesen. Ich frage mich, wie viele Geschichten er wohl geschrieben hat. Es müssen Hunderte gewesen sein. Seine lebendigen Schilderungen des Bordalltags und seine knorrigen alten Fahrensleute, die wir hier kennenlernen, machen sein Werk unvergänglich.

Auf den Seiten dieses Buches wird jeder etwas finden, der für Schiffe und das Leben der Seeleute etwas übrig hat.

Es erfüllt mich mit Stolz, mit so illustren Bordkameraden in einem Buch versammelt zu sein.

Alexander Kent

Captain Frederick Marryat

Die Legende vom Glockenfelsen

Der Engländer Captain Marryat, der in seiner Jugend zur See fuhr und seine Erfahrungen dann in einer ganzen Reihe von Seeromanen verwertete, ist in die Literaturgeschichte als »Vater der Seemannsgeschichte« eingegangen. Marryat (1792 – 1848) ging 1806 als Midshipman* zur Marine, wo er sich so gut bewährte, daß er 1820 das Kommando über eine Korvette erhielt, die im Patrouillendienst vor St. Helena eingesetzt wurde, um etwaige Fluchtversuche des verbannten Napoleon zu unterbinden. Später erlebte er einige aufregende Abenteuer beim Kampf gegen Gesetzesübertreter in burmesischen Gewässern und beim Versuch, Schmugglern im Ärmelkanal das Handwerk zu legen.

Als Belohnung für diese erfolgreichen Einsätze wurde ihm das Kommando über die HMS Ariadne *übertragen; doch 1830 entschloß er sich, seinen Abschied zu nehmen und Schriftsteller zu werden. Seinen reichen Erfahrungsschatz brachte er in so erfolgreiche Bücher ein wie* Peter Simple *(1834),* Mr. Midshipman Easy *(1836) und den klassischen Roman über das Thema des Fliegenden Holländers,* The Phantom Ship *(1839).*

Captain Marryat ist unerreicht, wenn es um die Beschreibung spannender Situationen auf See geht, und seine Romanfiguren sind durch und durch echte Seeleute. Seine ausgeprägte Vorliebe für genaue Charakterisierung und Detailbeschreibung bewirkte, daß er nur wenige Kurzgeschichten schrieb und meines Wissens nur eine, die einen Schiffskapitän als Hauptfigur hat. Andrew M'Clise, dem wir in der »Legende vom Glockenfelsen« begegnen, ist ein von seinen Leidenschaften getriebener Mann, der unsere Phantasie gefangennimmt, und Lesern, die The Phantom Ship *kennen, werden die vielen Parallelen entdecken zwischen seinem Schicksal und dem von Kapitän Vanderdecken, des zur Verdammnis verurteilten Holländers.*

---

* Offiziersanwärter, Kadett oder Fähnrich zur See

Eine große Prozession wand sich durch die Straßen der beiden Städte Perth und Dundee. Die würdigen Äbte in ihren Roben schritten feierlich unter vergoldeten Baldachinen einher, die Mönche sangen fromme Lieder, Räuchergefäße wurden geschwenkt, Seeleute trugen Fahnen und Banner, Büßer brennende Kerzen; ein Standbild des heiligen Antonius, des Schutzheiligen all derer, die sich dem stürmischen Meer anvertrauen, wurde mit großem Gepränge durch die Straßen getragen. Als die Prozession vorbeikam, regnete es Kupfer- und Silbermünzen aus den Fenstern; so schnell, wie sie die Zuschauer hinabwarfen, wurden sie von kleinen Jungen aufgelesen, die als Engel verkleidet waren und silberne Gefäße trugen, in denen sie die Gaben bargen. Den ganzen Tag lang dauerte die Prozession, und groß war der Schatz an Münzen, der in beiden Städten gesammelt wurde. Jeder spendete reichlich, denn es gab eigentlich niemanden, der nicht in seiner Familie oder unter seinen Bekannten den Verlust eines lieben Menschen zu beklagen gehabt hätte, dem der mörderische Felsen mitten in der Einfahrt zum Firth of Tay zum Schicksal geworden war.

Der Zweck dieser Prozessionen bestand darin, genug Geld für einen Plan zu sammeln, der von dem abenteuerlustigen und kühnen jungen Kapitän Andrew M'Clise vorgeschlagen worden war: nämlich eine Glocke auf dem besagten Felsen so anzubringen, daß ihr Klöppel schon beim leisesten Windhauch in Bewegung gesetzt wurde, damit sie durch ihr Läuten die Seeleute vor der Gefahr warnte.

Es erwies sich, daß mehr als genug Geld zusammengekommen war. Eine Versammlung wurde abgehalten, auf der man sich einhellig dafür aussprach, Andrew M'Clise nach Amsterdam zu schicken und einem dort ansässigen Kaufmann die in seinem Besitz befindliche Glocke abzukaufen, welche, wie Andrew versicherte, aufgrund ihres schönen Klangs und ihrer Größe genau dem Zweck entsprach, für den sie erworben werden sollte.

Andrew M'Clise schiffte sich mit dem Geld ein und hatte eine glückliche Reise. Er war schon oft in Amsterdam gewesen und hatte dort bei dem Kaufmann gewohnt, der Vandermaclin hieß; der Geschäftssinn, die Gewandtheit und Schnelligkeit von Andrew M'Clise hatten den guten Vandermaclin oft zu den wärmsten Lobreden veranlaßt. Viele Abende hatten sie zusammen verbracht, in Maßen ihren Lieblings-Scheedamer getrunken und besinnlich ihre Meerschaumpfeifen geraucht. Vandermaclin wünschte sich oft, daß er einen Sohn wie Andrew hätte, dem er seinen Besitz in der sicheren

Gewißheit hinterlassen könnte, daß sein Vermögen nicht verschwendet, sondern beträchtlich vermehrt werden würde.

Vandermaclin war Witwer. Er hatte nur eine einzige Tochter, die gerade aus dem Pensionat nach Hause zurückgekehrt war, um die Haushaltsführung zu übernehmen. M'Clise hatte die schöne Katerina noch nie zu Gesicht bekommen.

»Sie sind also gekommen, Mijnheer M'Clise«, sagte Vandermaclin, der im Warenlager im Erdgeschoß seines Hauses saß, »um die berühmte Glocke von Utrecht zu erwerben. Sie soll wohl auf dem berüchtigten Felsen läuten, über dessen Gefährlichkeit wir uns schon oft unterhalten haben. Auch mir hat dieser Felsbrocken Schaden gebracht, wie Sie wohl wissen, aber ich habe noch Glück gehabt. Der Preis wird nicht niedrig sein, und das ist nur recht so, denn die Glocke selbst ist ein prachtvolles Stück.«

»Wir sind bereit zu zahlen, Mijnheer Vandermaclin.«

»Trotzdem sollen Sie, da es sich um eine gute Sache handelt, nicht übervorteilt werden. Von der Schönheit der Glocke oder ihrer mühsamen Herstellung will ich gar nicht reden. Sie zahlen mir nur den reinen Metallwert, die gleiche Summe, für die sie mir der Jude Isaak vor vier Monaten abkaufen wollte. Ich verlange also nicht, was ein Jude verlangen würde, sondern was ein Jude geben würde, und das ist ein erheblicher Unterschied. Haben Sie zehntausend Gulden?«

»Ja – und mehr.«

»Das ist mein Preis, Mijnheer M'Clise, und mehr will ich nicht, denn auch ich möchte meinen Teil zu dem guten Werk beitragen. Sind Sie damit zufrieden und gilt der Handel?«

»Er gilt. Die frommen Äbte werden Ihnen für Ihre Großzügigkeit auf Pergament Dank sagen, Mijnheer Vandermaclin.«

»Ich ziehe den Dank tapferer Seeleute dem müßiger Kirchenmänner vor. Aber lassen wir das, der Handel ist abgemacht. Jetzt wollen wir nach oben gehen; es wird Zeit, die Türen zu schließen. Wir wollen gemütlich unsere Pfeifen rauchen, und Sie sollen meine schöne Tochter Katerina kennenlernen.«

Zu jener Zeit war M'Clise sechsundzwanzig Jahre alt; er war mittelgroß, elegant und hatte eine Offenheit, ja Vornehmheit in seinen Zügen, die jeden, der ihm begegnete, für ihn einnahm.

Seine Manieren verrieten wie bei den meisten Seeleuten eine gewisse fröhliche Unverschämtheit, die jedoch nichts Beleidigendes an sich hatte. Seine Augen blickten so durchdringend wie die eines Adlers, und manchmal schien seine ganze Seele aus ihnen zu sprechen. Als er und Vandermaclins Tochter sich zum ersten Mal begegneten, kam es ihnen so vor, als ob das Schicksal sie füreinander bestimmt hätte.

Ihre Liebe war von einer Intensität, die sich kaum beschreiben läßt, und doch wechselten sie kaum ein Wort miteinander.

Immer wieder begegneten sie sich; ihre Augen sprachen, aber das war alles. Die Glocke wurde an Bord gebracht, der Preis war entrichtet, und M'Clise konnte die Abfahrt nicht länger hinausschieben. Er dachte, ihm müsse das Herz brechen, als er sich von dem Ort losriß, der alles beherbergte, was er auf Erden begehrte. Und auch Katerina hatte das Gefühl, als würde mit seiner Abreise ihr ganzes Leben leer und inhaltslos. Als Andrews Schiff den Hafen verließ, wurde ihr Atem kürzer, und als sie nicht einmal mehr die Toppsegel ausmachen konnte, warf sie sich auf ihr Bett und weinte. M'Clise stand reglos, Stunde um Stunde, das Kinn in die Hand gestützt, während die Küste hinter ihm ins Meer versank, und sah das Bild der unvergleichlichen Katerina in allen Einzelheiten vor sich.

Zwei Monate vergingen, in denen M'Clise bei jeder Ebbtide damit beschäftigt war, den Fortgang der Arbeiten auf dem Felsen zu überwachen. Schließlich war alles getan, und wiederum konnte man eine prächtige Prozession bewundern; nur fand sie dieses Mal auf dem Wasser statt. Es war an einem windstillen, lieblichen Sommermorgen, als die Äbte und Mönche, begleitet von vielen Honoratioren und anderen Bürgern, die an diesem Unternehmen Anteil nahmen, von Aberbrothwick aus mit geschmückten Booten in See stachen.

Musik schwebte über dem Wasser, und der feierliche Gesang der Mönche war zu hören, wo er nie zuvor gehört worden war und niemals wieder gehört werden wird. M'Clise befand sich am Felsen in einem eigens für den Transport der Glocke konstruierten Boot; es war mit einem Heißgeschirr ausgerüstet, mit dem die Glocke an ihrem fest in den Fels eingebetteten Gerüst aufgehängt werden konnte. Schließlich hing sie an ihrem Platz, und der Abt segnete sie; Weihwasser wurde auf das Metall gespritzt, das in Zukunft der Gischt des anbrandenden Meeres ausgesetzt sein würde. Von neuem ertönten Musik und Gesang, doch dauerte es nicht lange, bis sich auch der Wind allmählich erhob; als er an Stärke zunahm, begann die Glocke mit vollem Ton zu läuten. Das war für alle ein Zeichen zur Rückkehr, eine Warnung, daß das Wetter im Begriff war, umzuschlagen. Und so ruderte die Prozession nach Aberbrothwick zurück und kam rechtzeitig an Land. Schon nach einer Stunde wurde die felsige Küste wieder von den Brechern gepeitscht. Aber die Glocke läutete laut und schnell, obwohl niemand in der Nähe war als die Seemöwen, die ob des seltsamen Geräusches ärgerlich kreischten, während sie über dem Felsen ihre Kreise zogen, wo sie bisher so oft gerastet hatten.

M'Clise hatte seine Aufgabe erledigt, die Glocke hing an ihrem Platz. Von neuem machte er sich mit seinem Schiff nach Amsterdam auf. Wieder war er Gast in Vandermaclins Haus, wieder genoß er die Gegenwart seines Idols. Dieses Mal sprachen sie miteinander – dieses Mal schworen sie sich, nie mehr voneinander zu lassen. Aber Vandermaclin sah nicht, wie es um ihre Herzen stand. Der junge Seemann schien ihm von zu geringem Stand und zu arm, um als Gemahl für seine Tochter in Frage zu kommen. Da er diese Möglichkeit nicht einmal in Gedanken erwog, kam es ihm auch nie in den Sinn, daß jener es gewagt haben könnte, die Augen zu ihr zu erheben.

Bald jedoch wurde er eines Besseren belehrt, denn M'Clise sagte ihm frei heraus, wie es um ihn stand, und bat ihn um die Hand Katerinas. Vandermaclins Gesicht rötete sich vor Zorn.

»Mijnheer M'Clise«, sagte er, nachdem er kurz geschwiegen hatte, um seine Gefühle unter Kontrolle zu bringen, »wenn ein Mann heiratet, muß er nachweisen, daß er die nötigen Mittel hat, um für eine Frau zu sorgen. Er muß ihr die Dinge bieten, die sie von zu Hause gewohnt war. Beweisen Sie mir, daß Sie dazu imstande sind, und ich werde Ihnen die Hand Katerinas nicht verweigern.«

»Noch besitze ich nicht soviel«, antwortete M'Clise, »aber ich bin jung und kann arbeiten; ich habe Geld und werde noch mehr verdienen. Sagen Sie mir, welche Summe müßte ich Ihrer Ansicht nach mein eigen nennen, um die Hand Ihrer Tochter zu erlangen?«

»Zeigen Sie mir zwölftausend Gulden, und Sie gehört Ihnen«, sagte der Kaufmann.

»Ich habe nur dreitausend«, erwiderte M'Clise.

»Dann denken Sie nicht mehr an Katerina. Es ist eine sinnlose Leidenschaft, und Sie müssen sie vergessen. Außerdem möchte ich nicht, daß mit den Gefühlen meiner Tochter gespielt wird. Sie muß Sie vergessen, und das läßt sich nur bewerkstelligen, wenn Sie sie nicht mehr sehen. Ich wünsche Ihnen nichts Arges, Mijnheer M'Clise, aber ich muß Sie bitten, mein Haus zu verlassen.«

M'Clise, auf dem Trauer und Enttäuschung schwer lasteten, ging seiner Wege. Es gelang ihm, Katerina einen Brief zuzuspielen, in dem er ihr das Ergebnis seines Antrags mitteilte. Aber Vandermaclin bekam Wind von der Sache und steckte Katerina ins Kloster, wo sie bis zur Abfahrt ihres Geliebten bleiben sollte. Auch schrieb er einen Brief an seinen Makler in Dundee, in dem er ihn ersuchte, künftige Lieferungen nicht mehr mit einem von M'Clise befehligten Schiff an ihn zu schicken.

Das kam unserem jungen Kapitän zu Ohren. Seine Hoffnung war nahezu geschwunden, und doch konnte er sich nicht losreißen und zögerte seine Abreise hinaus. Nichts an ihm erinnerte mehr an den aktiven, energischen Seemann, der er einst gewesen war; er vernachlässigte alles, sogar sein Äußeres.

M'Clise wußte, in welchem Konvent seine schöne Katerina eingesperrt war, und pflegte oft das Gelände zu umrunden in der Hoffnung, sie auch nur für einen Augenblick zu Gesicht zu bekommen; vergeblich.

Sein Schiff war jetzt voll beladen, und er konnte nicht länger warten. Das Auslaufen war für den nächsten Morgen festgelegt. Ein letztes Mal machte der junge Mann seinen üblichen Gang um jene Mauern, hinter denen alles, was ihm auf Erden etwas bedeutete, festgehalten wurde. Da wurde er in seinen Tagträumen durch einen Stein unterbrochen, der vor ihm auf den Weg fiel. Er hob ihn auf; mit einem Seidenfaden war ein kleiner Zettel daran festgebunden. Er entfaltete ihn; in der Handschrift Katerinas standen darauf nur die beiden Wörter: *die Glocke.*

Die Glocke! M'Clise fuhr zusammen, denn er erfaßte sofort, was damit gemeint war. Der ganze Plan fuhr wie ein Stromstoß durch sein Hirn, wie eine Verheißung des Glücks. Die Glocke war zehntausend Gulden wert; diese Summe war geboten worden und würde auch von Isaak, dem Juden, gezahlt werden. Dann konnte er mit seiner Katerina glücklich sein. Er pries ihren Einfallsreichtum, weil sie ihm den Weg gewiesen hatte. Ein oder zwei Minuten lang schwebte er wie auf Wolken, aber die Reaktion ließ nicht lange auf sich warten.

Was hatte er denn vor? Ein Sakrileg – eine schändliche Grausamkeit. Die Glocke war von der heiligen Kirche gesegnet worden; das Geld für ihren Kauf war durch geweihte und fromme Spenden zusammengekommen. Sie war auf dem Felsen angebracht worden, um Seeleute zu retten, die seine Kameraden waren; wenn er sie jetzt entfernte, war er dann nicht verantwortlich für jedes Leben, das verlorenging? Würden nicht die Klagen der Witwen und die Tränen der Waisen das Urteil der Verdammnis über ihn sprechen? Nein, niemals konnte er dies tun! Das Verbrechen war zu schrecklich. M'Clise stampfte das Papier in den Boden; sicher war es der

Leibhaftige, der ihn damit versuchen wollte. Aber gegen die Verlokkungen der Frau ist der Mann machtlos. Der Liebreiz Katerinas erstand vor seinem inneren Auge; der Abscheu, der ihn eben noch erfüllt hatte, war wie weggeblasen, und er beschloß, die Tat auszuführen und Katerina zu gewinnen, selbst wenn er dadurch seine Seele verlieren sollte.

Andrew M'Clise verließ mit seinem Schiff Amsterdam, und Katerina gewann ihre Freiheit zurück. Vandermaclin war bestrebt, sie unter die Haube zu bringen, und viele junge Männer bemühten sich um sie – aber vergeblich. Sie erinnerte ihren Vater daran, daß er sein Wort verpfändet habe, sie M'Clise zur Frau zu geben, wenn dieser ihm zwölftausend Gulden auf den Tisch zählte, und sie bestand darauf, daß er diese Abmachung einhielt.

Vandermaclin redete lange auf sie ein; zwölftausend Gulden seien eine so große Summe, daß M'Clise ein alter Mann sein würde, bis er sie beisammen hätte, selbst wenn es ihm an Glück nicht mangelte; als ehrlicher Mann wolle er jedoch von seinem Versprechen nicht abrükken, sofern M'Clise seinen Teil der Abmachung innerhalb zweier Jahre erfüllte; nach diesem Zeitpunkt würde er aber nicht zögern, sie so schnell wie möglich zu verheiraten.

Katerina hob den Blick zum Himmel und flüsterte, während sie die Hände faltete: »Die Glocke...« Ach, daß wir so oft den Himmel anrufen, wenn wir im Begriff sind, Unrecht zu tun! Aber die Sterblichen verschließen oft ihre Augen gegenüber dem Unrecht, und keiner tut es bereitwilliger als jene, die von einer Leidenschaft getrieben werden.

Im Sommer dieses Jahres führte M'Clise sein verruchtes Vorhaben aus; mit Hilfe einer Handvoll Gesetzloser, die er zu diesem Zweck angeheuert hatte, schaffte er die Glocke an einem ruhigen Tag bei Hochwasser auf sein Schiff. Das ging ohne Schwierigkeit vonstatten, da er ja mit der Art ihrer Befestigung wohlvertraut war. Er nahm Kurs auf Amsterdam, wo er – ohne daß die himmlischen Mächte eingriffen – mit seiner frevelhaften Fracht sicher ankam. Dieses Mal machte er jedoch nicht wie früher im Kanal gegenüber dem Hause Vandermaclins fest, sondern in dem Kanal, der hinter dem Hause Isaaks vorbeiführte. Als es dunkel war, ging er in das Haus und sagte dem Juden, was er zu verkaufen hatte; und die scharfblickenden grauen Augen leuchteten auf, denn er wußte, sein Profit würde groß sein. Um Mitternacht wurde die Glocke am Kran befestigt und sicher im Warenlager des Juden abgesetzt, der dem entzückten M'Clise, dessen

Gedanken ausschließlich um Katerina kreisten und keineswegs um sein Verbrechen, die zehntausend Gulden hinblätterte.

Aber um ein Verbrechen zu vertuschen, sind wir nur zu oft genötigt, uns noch schlimmer zu versündigen; so war es auch mit M'Clise. Seine Spießgesellen, denen er insgesamt tausend Gulden versprochen hatte, murrten jetzt über ihren Anteil, forderten die Hälfte vom Erlös der Beute und drohten, die abscheuliche Tat ruchbar zu machen.

M'Clise tobte und fluchte und raufte sich die Haare; er versprach, ihnen das Geld zu geben, sobald er Katerina geheiratet hätte, aber sie ließen sich auf nichts ein. Wieder kam ihm der Teufel zu Hilfe und flüsterte ihm zu, was er tun sollte; und er wehrte sich nicht dagegen. In der folgenden Nacht sollte die Verteilung des Geldes vonstatten gehen. Sie trafen sich in seiner Kajüte; er gab ihnen Wein, und sie tranken reichlich; aber der Wein war vergiftet, und als der Morgen graute, waren alle tot.

M'Clise befestigte Gewichte an ihren Leichen und versenkte sie im tiefen Kanal; danach brach er die Luken auf, um den Anschein zu erwecken, daß man sein Schiff geplündert hatte, und ging zur Polizei, wo er seine Mannschaft beschuldigte, ihn ausgeraubt und die Flucht ergriffen zu haben. Sofort wurde eine Suche eingeleitet, aber es fand sich nicht die geringste Spur. Man vermutete, daß sie sich in einem Boot davongemacht hätten.

Da endlich begab sich M'Clise, dessen Gewissen nun ganz abgestumpft war, zum Hause Vandermaclins, zählte ihm die zwölftausend Gulden auf den Tisch und forderte seine Braut; und Vandermaclin, der wußte, daß das Glück seiner Tochter auf dem Spiele stand, gab jetzt sein Einwilligung. Da M'Clise viel daran lag, nach England zurückzukehren, um sich mit den Kaufleuten zu arrangieren, deren Waren angeblich von seinem Schiff geraubt worden waren, fand die Hochzeit schon nach wenigen Tagen statt, und Katerina schloß den Mörder in ihre Arme.

Nach außen hin war alles eitel Freude. Aber Qual erfüllte Andrews Herz, denn jetzt, da er sein Ziel erreicht hatte, wurde ihm klar, daß er einen allzu hohen Preis dafür gezahlt hatte. Seine Seelenruhe war auf ewig dahin. Aber Katerina kümmerte das nicht. Alle anderen Gefühlsregungen wurden von ihrer Leidenschaft aufgewogen, und gerade die Schuld, die M'Clise auf sich geladen hatte, machte ihn für sie doppelt begehrenswert. Denn hatte er dies alles nicht ihretwegen getan?

M'Clise nahm ihre Mitgift und machte sich eilends zur Abreise bereit, denn die Leichen seiner Spießgesellen lagen noch im Kanal, und er zitterte bei dem Gedanken, daß sein Verbrechen ans Licht kommen könnte. Vandermaclin sagte seiner Tochter Lebewohl und hatte dabei das Gefühl, daß er sie nie wiedersehen würde.

»Nach unten! Unter Deck, Katerina! Das hier ist nichts für dich«, schrie M'Clise, der selbst am Ruder seines Schiffes stand. »Nach unten, Liebste, oder du wirst über Bord gespült. Jede überkommende See kann dich mitreißen. Zwei Männer haben wir schon verloren. Unter Deck mit dir, Katerina, unter Deck, sage ich!«

»Ich habe keine Angst. Laß mich bei dir bleiben.«

»Unter Deck, verdammt noch mal!« brüllte M'Clise zornig, und Katerina warf ihm einen vorwurfsvollen Blick zu. Aber sie gehorchte.

Der Sturm hatte seinen Höhepunkt erreicht. Die Sonne war untergegangen; schwarze gewaltige Wogen wälzten sich heran und trieben das Schiff näher an die Küste. Der Wind heulte und pfiff scharf durch jede Ritze im Schanzkleid. Drei Tage lang trotzten sie dem Sturm, aber vergeblich. Wenn er jetzt nicht nachließ, hatten sie keine Chance mehr, denn sie lagen auf Legerwall, und die Küste war nur noch wenige Meilen entfernt. Nichts konnte sie mehr retten, es sei denn, sie schafften es, die Mündung des Firth of Tay zu erreichen und Kurs auf Dundee zu nehmen. Die See kochte; kein Licht erhellte die Nacht, die Brecher drangen brüllend auf sie ein, und ihre Masten gingen über Bord. M'Clise stand am Ruder und hielt das Schiff mit dem Bug zur anstürmenden See. Sein Herz war voll Bitterkeit, und sein schlechtes Gewissen nagte an ihm. Der Tod schien ihm eine Erlösung, aber gleichzeitig fürchtete er ihn. Denn war er nicht ein gotteslästerlicher Mörder, und gab es über ihm etwa keinen rächenden Gott?

Wieder erschien Katerina an Deck und klammerte sich an ihn.

»Ich halte es unten nicht mehr aus. Sag, ist es nicht bald vorbei?«

»Ja«, antwortete M'Clise düster, »bald wird es mit uns vorbei sein.«

»Wie meinst du das? Du hast doch gesagt, es besteht keine Gefahr.«

»Ich habe dir nicht die Wahrheit gesagt. Der Tod ist nahe und die Verdammnis nicht weit. Für dich habe ich meine Seele verkauft!«

»Oh, sag das nicht!«

»So ist es aber. Weg mit dir, Weib, oder ich verfluche dich.«

»Mich verfluchen, Andrew? O nein! Küß mich, Andrew. Wenn wir schon sterben müssen, dann einer in den Armen des anderen.«

»Nein, du hast mich ins Verderben gestürzt. Laß mich allein, sag' ich, denn ich verfluche dich aus tiefster Seele.«

So verwandelte sich seine schuldbeladene Liebe in Haß, als ihm der Tod ins Gesicht starrte.

Katerina gab keine Antwort. Sie warf sich an Deck und überließ sich der bitteren Seelenqual, die sie erfaßt hatte. Aber noch während sie auf den Knien lag vor ihrem Mann, der nach wie vor das Ruder umklammerte, begann der Wind nachzulassen; das Schiff wurde nicht mehr wie zuvor auf die Küste zugetrieben, obwohl sich die Wellen immer noch haushoch türmten. Die Seeleute an Bord faßten wieder Mut; an den Maststümpfen wurden Notsegel angeschlagen, und es schien, als kämen sie noch einmal davon. M'Clise sagte kein Wort, sondern achtete nur auf das Ruder. Der Wind sprang um und kam jetzt aus einer für sie günstigen Richtung. Da regte sich Hoffnung in ihren Herzen. Der Firth of Tay lag nun offen vor ihnen, und das bedeutete ihre Rettung. M'Clise fühlte, wie eine Last von seiner Seele wich, als er in den Fjord steuerte und dann das Ruder dem Maat übergab. Er eilte zu Katerina, die sich noch nicht von der Stelle gerührt hatte, hob sie auf und flüsterte tröstende Worte voll neu erwachter Liebe in ihr Ohr. Aber sie wollte nichts hören, konnte seinen Fluch nicht vergessen und weinte bitterlich.

»Wir sind gerettet, liebste Katerina!«

»Besser wären wir untergegangen«, antwortete sie traurig.

»Nein, nein! Sag das nicht, wo dich doch dein Andrew gerade ans Herz drückt.«

»Und dein bitterer Fluch?«

»Das war schierer Wahnsinn – ohne Bedeutung –, ich wußte nicht mehr, was ich sagte.«

Aber wie tödlicher Stahl war das Wort in Katerinas Seele gedrungen. Ihr Herz war gebrochen.

»Es wäre besser, wenn Sie die Leute nach dem Glockenfelsen Ausschau halten ließen«, rief der Rudergänger, als Nebel aufkam.

Der Glockenfelsen! M'Clise schauderte es, er gab keine Antwort. Von See und Wind getrieben, nahmen sie ihren Weg durch das Wasser: einmal hochgehoben und wie über den Wogen schwebend, im nächsten Moment tief im Wellental eingeschlossen. M'Clise hielt immer noch Katerina im Arm, die auf seine Koseworte nicht reagierte, als ein fürchterlicher Stoß das Schiff traf und sie beide an Deck geworfen wurden. Das Splittern der Spanten, das Brechen der See übers Achterschiff, das Krängen und Wegsacken – es war das Werk weniger Sekunden. Dann kam ein weiterer schrecklicher Stoß, das

Schiff brach auseinander, legte sich auf die Seite, und die See tobte über das Deck.

M'Clise stieß Katerina, die er so wahnwitzig geliebt hatte, beiseite und stürzte sich in die Wellen. Katerina schrie auf, während sie ihm nachsprang.

Alles war vorüber.

Wenn ein Sturm sich erhebt, die kreischenden Seemöwen dem Lande zustreben und die Fischer sich bemühen, so schnell wie möglich den Hafen zu erreichen, dann sieht man aus den dunklen Wolken über dem Felsen die Gestalt von Andrew M'Clise wie einen Stein herabfallen, von der schweren Glocke, die an seinem Halse hängt, ins Verderben gezogen.

Doch wenn das Meer ruhig und glatt daliegt, wenn die Wellen den Glockenfelsen bei Ebbe nur sanft streicheln, dann sehen die Besatzungen der Schiffe, die im silbernen Licht des Mondes aus dem Firth of Tay heraussegeln, oft die Gestalt der schönen Katerina auf dem Felsen, wie sie mit ihrem weißen Halstuch winkt, damit man sie herunterholt. Gelegentlich streckt sie den Schiffern auch einen Brief für ihren Vater entgegen; und sie jammert und weint, wenn die Seeleute, die schweigend mit über der Brust gekreuzten Armen zu ihr hinstarren, von Grauen erfüllt vorbeifahren.

Originaltitel: The Legend of the Bell Rock

James Runciman

Der verschollene Kapitän

Als Verfasser von Seemannsgeschichten stand der Engländer James Runciman seinem Landsmann W. Clark Russell lange Zeit an Popularität wenig nach.

Wie bei Russell (der in dieser Sammlung mit der Geschichte »Der redende Leichnam« vertreten ist) weht einem auch aus seinen Büchern die Salzluft des Ozeans entgegen, denn auch sie beruhen auf mühsam gesammelten Erfahrungen. Runciman (1850–1918) kam in der alten Hafenstadt Liverpool zur Welt und ging schon als Junge mit Segelschiffen auf große Fahrt. Jedoch im Gegensatz zu Clark Russell begann er schon zu schreiben, als er noch zur See fuhr, und hatte sich bereits einen Namen gemacht, bevor er in den frühen achtziger Jahren des 19. Jahrhunderts für immer an Land blieb. Einer der ersten Bewunderer von Runcimans Arbeiten war Frank T. Bullen, aus dem selbst einmal ein berühmter Verfasser von Seemannsgeschichten werden sollte; im Jahre 1901 schrieb er: »Runcimans Seemannsgarn hält wirklich der Natur den Spiegel in einer Weise vor, die von keinem anderen Seeschriftsteller, sei er unter den Lebenden oder den Toten, übertroffen wird.«

Der Leser mag nun selbst entscheiden, wie weit diese Behauptung auf einen Mann zutrifft, dessen Werk meiner Ansicht nach zu Unrecht in Vergessenheit geraten ist. Ich freue mich sehr, daß ich die Geschichte »Der verschollene Kapitän« nach mehr als hundert Jahren wieder in Druck erscheinen lassen kann – und ich hoffe, daß Sie meiner Entscheidung zustimmen.

Die *Mariana* schwojte vor der Sandbank zum Kompensieren ihres Kompasses rund. Während sie sich langsam im Kreis drehte, stand Kapitän Thomas Hardy mit seiner Frau auf der Brücke und nahm die Anweisungen des Mannes entgegen, der seine neue Deviationstabelle erstellte.

Nach einer Stunde kam der Lotse längsseits. Tom Hardy sagte: »Du mußt jetzt von Bord gehen, Jenny, meine Liebe. Leb' wohl; wenn wir in Port Said sind, schicke ich dir einen Brief.«

Jenny Hardy legte ihm die Arme um den Nacken und sagte: »Bei deiner Rückkehr wirst du uns unverändert hier vorfinden. Aber denk daran, Tom, keinen einzigen Tropfen! Es würde mir das Herz brechen, wenn du wieder zu trinken anfingest.«

Mit leicht zitternder Stimme antwortete Hardy: »Ich kann dir nichts versprechen, meine Liebe. Aber ich werde gegen die Sucht kämpfen, so gut ich kann. Falls ich die erste Woche warmen Wetters überstehe, ohne zur Flasche zu greifen, dann komme ich auch zurück, ohne mein Versprechen gebrochen zu haben. Es ist immer die verdammte Hitze, die mich in Versuchung führt.«

Hardys Frau hatte gute Gründe für ihre mahnenden Worte.

Tom war einer der besten Seeleute des Landes und schon im Alter von elf Jahren mit einer schwerfälligen alten Kohlenbrigg an der Küste auf und ab gesegelt. Er war noch nicht zwölf Jahre alt, als er mit der *Galloper* strandete und an einem bitterkalten Wintertag, nur im nassen Hemd schlotternd, nach Hause gebracht wurde. Als Zweiter Offizier wurde er mit seinem Schiff im Sturm bis zum Polarkreis abgetrieben, wo zwei Leuten die Füße erfroren, so daß sie amputiert werden mußten. Es gab kaum ein Abenteuer, das Seeleuten der Handelsmarine zustoßen konnte, welches er nicht bestanden hätte. Und es gab in diesem Beruf nichts, was er nicht besser beherrschte als die meisten. Er war ein tatkräftiger Bursche von skandinavischem Typ, mit rötlichem Bart und hellblondem Haar, einem mächtigen Brustkasten und außergewöhnlichen Muskeln. Er konnte Hand über Hand an einem Backstag aufentern, fast ohne die Beine zu benützen, er konnte ins Kabelgatt springen und landete dabei mit einem leichten, elastischen Aufprall auf den Füßen: ein Beweis für die Elastizität seiner Glieder. Keine Gefahr schreckte ihn; auf einem Segelschiff konnten ihn weder Wind noch schlechtes Wetter zurückhalten, sobald die Ladung unter Deck war. Ängstliche Steuerleute fürchteten ihn wie den Leibhaftigen, weil er solange es nur ging mit vollem Zeug segelte. Für die Eigner einer schmucken Bark fuhr er auf diese Weise ein kleines Vermögen heraus, er segelte sie dabei fast zuschanden. Im Verlauf einer einzigen Reise verlor er einmal zwei Stell Segel und knüppelte die Bark mit einer Durchschnittsgeschwindigkeit von elf Knoten* von Lissa-

---

* 1 Knoten = 1 Seemeile (1,853 km) pro Stunde

bon bis nach den Downs*. Er hätte noch vor seinem vierzigsten Lebensjahr ein wohlhabender Mann sein können, denn sein Glück war phänomenal und sein Können stand dem nicht nach. Aber er hatte eine Schwäche.

Als Schiffsjunge war er von der Großrah gefallen und hatte eine schwere Kopfverletzung davongetragen. Über seiner rechten Schläfe sah man noch jetzt eine große, häßliche Einbeulung, und es war nicht daran zu zweifeln, daß sein Gehirn bis zu einem gewissen Grad in Mitleidenschaft gezogen worden war. Er hatte normalerweise kein Verlangen nach Alkohol, aber wenn er nur einmal einen kleinen Schluck trank, raubte ihm das schon den Verstand, und er war so lange nicht Herr seiner selbst, bis er ihn wieder ausgeschwitzt hatte. Das also war seine Schwäche. Unzählige Male hatte man ihm schon verziehen, denn er verfügte über die besondere Gabe, Zuneigung und Vertrauen zu wecken – selbst bei denen, die ihn in seinen wildesten Anfällen von Trunkenheit erlebt hatten. Aber niemand konnte sagen, wann und wo es wieder über ihn kommen würde.

Einmal segelte er eine hübsche kleine Brigg von Cardiff nach Malta, Venedig, Neapel und zurück; er lief mit acht Knoten die Adria hinauf, als ein Mannschaftsmitglied sein Mißfallen erregte. Hardy hatte ein, zwei Gläser Schnaps getrunken und erlag seinem unberechenbaren Temperament. Er packte den Mann und warf ihn über Bord. Mit unglaublicher Hartherzigkeit (die er bereute, sobald er wieder nüchtern war) segelte er weiter, ohne sich um den Ertrinkenden zu kümmern. Zufällig kreuzte jedoch ein Lotsenboot sein Kielwasser, und der Mann wurde aufgefischt. Das Boot brachte ihn nach Venedig, wo eine strafrechtliche Verfolgung eingeleitet wurde. Tom mußte eine Buß zahlen, was seinen Gewinn aus dieser Reise erheblich schmälerte.

In Cardiff warf er danach einen Mann vom Deck in den Laderaum und entkam nur knapp einer Anklage wegen Totschlags.

Schließlich hatte er in London die ganze Mannschaft gegen sich. Als er an einem dunklen Abend über Deck ging, hörte er, wie ein Matrose einen anderen fragte: »Hast du gesehen, wo das Schwein von Kapitän hin ist?«

»Ich weiß nicht, ob ihr mich sehen könnt, ihr Dreckskerle, aber ich werd' euch fühlen lassen, wo ich bin«, schrie Tom und verpaßte

---

* Reede an der Südostküste Englands zwischen Goodwin Sands und Kent (Anm. des Übers.)

dem um Gnade winselnden Sprecher eine solche Tracht Prügel, daß dieser ins Krankenhaus geschafft werden mußte.

Hierfür wurde Hardy wieder eine empfindliche Geldstrafe auferlegt, und als schließlich die Rechnung aufgemacht wurde, mußte er feststellen, daß er keinen Penny mehr zu bekommen hatte.

Das also war der Kapitän der *Mariana*, ein ungezügelter, undisziplinierter Mann, zärtlich und wild zugleich, eine Mischung aus Dummheit und Scharfsinn, Grausamkeit und Güte, Tapferkeit und Aberglauben, kurz, ein Mann, der sowohl zum Piraten als auch zum Geistlichen getaugt hätte, je nachdem, wohin ihn sein Geschick warf, denn seiner Grausamkeit hielt ein starkes religiöses Empfinden nahezu die Waage. Sicherlich wäre er der brutalste Bukanier in der ganzen Karibik geworden, aber genauso wäre er ein gütiger, hilfreicher Besucher der Armen gewesen, hätte ihm das Schicksal diese Aufgabe gegeben.

Die *Mariana* machte eine gute, schnelle Reise nach Port Said, und Tom schickte seiner Frau von dort folgenden Brief:

»Liebe Jenny, ich schreibe Dir schnell diese paar Zeilen in der Hoffnung, daß sie Dich bei guter Gesundheit erreichen, denn gleich geht die Post von Bord. Wir haben eine gute Reise gemacht, und die *Mariana* ist ein feines, schnelles Schiff. Vor dem Wind und wenn wir die Royals setzen können, macht sie ihre zwölf Knoten, sonst läuft sie leicht neun. Als wir Gibraltar passierten, war ich nahe daran, einen Drink zu nehmen, aber es wird Dich freuen zu hören, daß ich es bis jetzt geschafft habe, ohne einen einzigen Schluck auszukommen. Ich glaube, daß ich die Reise anständig hinter mich bringen werde. Sag' Nance, daß ich das Halstuch nicht tragen kann, denn es ist hier so warm, daß man an Deck schlafen könnte, wenn einem der Mond nicht dauernd ins Gesicht schiene. Ich gehe im Pyjama an Deck – im Hafen natürlich nicht – nur nachdem wir Malta passiert hatten und die Decks so heiß wurden wie eine Bratpfanne. Lieber Schatz, ich hoffe, daß bei dieser Reise ordentlich was rausspringt, denn ich möchte, daß Du genauso gute Garderobe hast wie die anderen. Wenn wir auf der Heimreise Marseille anlaufen, kaufe ich Dir einen ganzen Ballen Seide, dann kannst Du alle anderen ausstechen. Wir müssen hier einige arabische Heizer anheuern, aber wenn die Kerle aufmucken, hau' ich sie sofort zu Flundern, das kannst Du mir glauben. Das Seltsame mit den Arabern ist, daß sie sofort umfallen, wenn man sie schlägt. Trotzdem muß man sie ziemlich hart anfassen, wenn's was nützen soll. Herzliche Grüße, Dein getreuer Mann – Thomas Hardy.«

Nicht lange, nachdem sie diesen Brief erhalten hatte, bekam Jenny vom Schiffseigner ein Telegramm folgenden Inhalts: »*Mariana* in Bombay eingelaufen. Soll zwei Jahre lang zwischen Schanghai und Hongkong verkehren. Charter heute vereinbart.«

Jenny war darüber sehr froh, obwohl sie nur ungern daran dachte, daß ihr armer Tom dort drüben an dieser heißen Küste nahezu geröstet wurde; aber auf diese Weise kam in zwei Jahren eine ganz hübsche Summe zusammen, und dieser Gedanke erfreute ihr Herz.

Zunächst ging alles glatt, Mrs. Hardy wurde das halbe Gehalt ihres Mannes regelmäßig ausbezahlt. Einmal sagte der Eigner zu ihr: »Ich freue mich, daß Kapitän Hardy seine Sache so gut macht. Wir sind sehr zufrieden mit ihm und denken ernstlich darüber nach, den Chartervertrag zu verlängern.«

Tom hatte auch eine glückliche Hand bei gewissen privaten Spekulationen und verdiente dabei in vier Monaten viel zusätzliches Geld. Jeder seiner Briefe berichtete von Enthaltsamkeit und Erfolg, und seine Frau war über die Maßen glücklich, denn sie dachte: »Wenn er es schafft, nur fünf Jahre lang so weiterzumachen, kann er sich zur Ruhe setzen und braucht nie mehr bei jedem Wetter auf See hinaus.«

An einem herrlichen Sommermorgen fuhr sie mit einem Passagierdampfer den Fluß hinauf bis in die große Stadt, wo sich das Büro des Eigners befand. Alles schien voller Hoffnung, und selbst die verschmutzten Ufer wirkten durch die Sonne wie verklärt.

Als Mrs. Hardy sich im Vorzimmer niederließ, wurde sie gewahr, daß einer der Schreiber sie mit unheilverkündendem Blick musterte. Und dann kam auch schon ein Bote und sagte: »Mr. Brown möchte Sie gern in seinem Privatbüro sprechen.«

Bei diesen Worten wich jegliche Farbe aus Jennys Gesicht. Eine böse Ahnung beschlich sie und schien sich wie ein schwarzer Schleier über den sonnigen Tag zu legen.

Mr. Brown bat seine Besucherin, Platz zu nehmen. Obwohl es ihm offensichtlich nicht leichtfiel, kam er sofort zur Sache. »Mrs. Hardy, es tut mir leid, Ihnen sagen zu müssen, daß es diesen Monat kein Geld für Sie gibt. Ich glaubte, mit Ihrem Mann ginge alles glatt. Tatsächlich ist es jedoch so, daß wir gezwungen waren, ihm auf Grund gewisser Vorkommnisse, die Sie vermutlich nicht überraschen, sofort zu kündigen.«

Jenny hielt sich nur mit Mühe im Stuhl aufrecht. Der gutmütige

Eigner stotterte: »Aber, aber! Hier, nehmen Sie ein Glas Wasser. – In solchen Dingen müssen wir natürlich strikt sein, das werden Sie einsehen; wir können es uns einfach nicht leisten, einen Mann weiterzubeschäftigen, der jederzeit den Verlust unseres Schiffes verursachen könnte. Ich will jedoch nicht kleinlich sein und werde Ihnen noch ein Viertel seines Monatsgehalts auszahlen lassen; aber Sie müssen verstehen, daß wir unsere Interessen zu wahren haben. Guten Morgen, Madam. Tut mir leid, daß alles so enden mußte.«

Jenny hatte das Gefühl, als habe man ihr mit einer Eisenstange auf den Kopf geschlagen. Sie wankte benommen nach Hause. Die ganze Nacht lang saß sie wie betäubt in ihrem kleinen Wohnzimmer, umgeben von den Ziergegenständen und Kuriositäten, die Tom ihr aus allen Ecken der Welt mitgebracht hatte. Sie sah nichts, dachte nichts, und selbst das Geplapper ihrer kleinen Tochter stieß auf taube Ohren.

Der Eigner hatte völlig recht – Tom Hardy hatte sich hemmungslos gehenlassen. Als es einmal Ärger gab, hatte ihn ein freundlicher Agent bewogen, ein Glas Champagner zu trinken, »um den Zorn runterzuspülen.« Doch der schnell geleerten ersten Flasche folgte eine zweite, und noch vor Mitternacht war Tom Hardy sinnlos betrunken. Am nächsten Tag trieb er die seltsamsten Possen: Er mietete eine Kutsche mit vier Ponys und raste so lange mit ihnen im Galopp herum, bis die Tiere lahmten, was ihn zusätzlich eine hübsche Summe als Schadensersatz kostete. Dann kehrte er an Bord zurück und lud eine schon recht angeheiterte Runde von sieben Kapitänen ein, mit denen er bis zum nächsten Morgen durchzechte. Um diese Zeit war Hardy nicht mehr Herr seiner Sinne. Er hielt sich wohl noch auf den Beinen, aber sein Verstand war völlig ausgeschaltet, und er benahm sich wie ein Verrückter. Er begannn wieder auf seine Leute einzuschlagen, und ein armer Kerl, den er mit einer fürchterlichen Linken über Bord fegte, wäre fraglos ertrunken, wenn es die englische Wasserpolizei nicht geschafft hätte, ihn wieder aufzufischen.

Nach drei Tagen, in denen er keinerlei feste Nahrung zu sich nahm, war er nahe am Delirium tremens, und das Schiff mußte mit einem volltrunkenen Kapitän auf der Brücke in See gehen. Als er durch das schwierige Fahrwasser brauste, schlug er dem protestierenden Lotsen ins Gesicht, befahl ihm, das Maul zu halten, und verlangte volle Kraft voraus.

Eine elegante amerikanische Brigg wurde vor der *Mariana* hinausgeschleppt. Dabei scherte das Segelschiff leicht aus, und Hardy, der gerade zum Überholen ansetzte, erwischte es am Achterschiff, schrammte rumpelnd an seiner Backbordseite entlang und verursachte verheerenden Schaden an seinem stehenden Gut.

Als er von der Brigg endlich freikam, bedachte er sie mit einem höhnischen Zuruf und lief mit zwölf Knoten davon.

Natürlich wurde die *Mariana* aufgebracht und festgehalten, und da Hardy zu diesem Zeitpunkt kaum nüchtern war, klang seine Erklärung so wenig überzeugend, daß der Agent ein Telegramm nach England schickte. Die Antwort kam prompt: »Sofort entlassen.«

Die *Mariana* lag an der Pier, als der Agent morgens um acht Uhr steif und formell an Bord kam. Tom hatte einen fürchterlichen Brummschädel; seine Augen blickten trübe, seine Hände zitterten, und er warf so ängstliche Blicke über die linke Schulter, als ob er fürchtete, jemand schliche sich von hinten an ihn heran.

Der Agent sagte: »Ich muß Sie ersuchen, das Schiff zu verlassen, Mr. Hardy. Ich habe den Auftrag, Ihre Stelle sofort mit einem anderen Kapitän zu besetzen.«

Ein paar Stunden später stand Hardy mit seinen Habseligkeiten an Land.

Zwei Jahre vergingen, und Jenny Hardys Ersparnisse waren restlos aufgezehrt. Sie hatte ihrem Mann folgenden Brief geschrieben:

»Lieber Tom, mir ist ganz gleich, was du machst, Du wirst für uns immer derselbe bleiben. Ich schlage mich so gut durch, wie ich kann, bis Du zurückkommst. Niemand wird erfahren, daß etwas mit Dir nicht in Ordnung ist. Mit dem Essen wird es knapp, aber ich bin immer nett angezogen, wenn ich aus dem Haus gehe. Es ist ein hartes Leben, aber Klagen hilft auch nicht weiter, und ich will verhindern, daß die Leute hier von Deiner Schuld erfahren. Komm bloß wieder nach Hause, Liebster. Komm sobald Du kannst, Du wirst uns unverändert vorfinden, selbst wenn Du keinen Penny in der Tasche oder keine Jacke auf dem Leibe hast. Viele Grüße und Küsse von uns beiden. Deine getreue Frau, die in guten und schlechten Tagen zu Dir hält.«

Tag für Tag schrumpften ihre Ersparnisse dahin, und schließlich war der Topf leer. Eines Morgens sagte Nance: »Ich hab' solchen Hunger, Mutter. Als ich eben die Straße entlang ging, sah ich einen Kanten Brot im Rinnstein liegen und hätte ihn bestimmt aufgehoben, wenn niemand in der Nähe gewesen wäre. Ich könnte meine Schnürsenkel aufessen.«

Die Frau nahm ihr Kind in die Arme und sagte: »Mein tapferes kleines Mädchen, ich habe nichts, was ich dir geben könnte. Ich wage es auch nicht, meinen seidenen Schal zu verkaufen, weil sonst alle Leute sofort Bescheid wüßten. Wir wollen es noch einen Tag lang aushalten. Wenn wir heute nacht darum bitten, wird Gott uns vielleicht helfen.«

Während der Hunger in ihren Eingeweiden nagte, ging die tapfere Frau jeden Tag aus und zeigte den Nachbarn ein heiteres Gesicht. Einige Leute wußten zwar, wie es mit ihr stand, denn Gerüchte reisen schnell in einer kleinen Gemeinde, aber niemand erfuhr auch nur ein Wort von Mrs. Hardy.

Sie hatten zwei Tage nichts gegessen und waren schwach vor Hunger, als Jennys älterer Bruder, ein stämmiger Seemann, von langer Fahrt nach Hause zurückkehrte.

Sie kam ihm lächelnd entgegen und ging mit ihm in die Küche, wo er sich in einen Stuhl fallen ließ.

»Du hast ja gar kein Feuer gemacht, Jenny!« rief er verwundert. »Was ist denn los?«

»Ich fand es eigentlich nicht kalt genug für ein Feuer, Ralph.«

»Donnerwetter! Da mußt du aber ein dickeres Fell haben als ich. Mach uns wenigstens eine heiße Tasse Tee, altes Mädchen.«

Da warf sich Jenny dem starken Mann in die Arme und barg ihr Gesicht an seiner Brust. »Ach, Ralph«, schluchzte sie, »wir kommen fast um vor Hunger. Wir haben keinen Penny mehr, kein Stück Brot und nicht das kleinste Bröckchen Kohle.«

»Teufel noch mal, so ist es also um euch bestellt!« rief der Seemann erregt.

»Ach, der Alkohol ist an allem schuld, der elende Alkohol! Durch ihn hat Tom seinen Posten verloren, und jetzt hat er schon zwei Jahre nichts mehr von sich hören lassen. Ich wollte nicht darüber reden, sonst hätte ich dir nach Amerika geschrieben. Erzähl's bitte nicht weiter, Ralph, denn ich bete jeden Tag zu Gott und gehe jeden Sonntag in die Kirche. Ich weiß, daß mein Mann zu mir zurückkommen wird, obwohl er grausam genug war, uns so lange ohne ein Lebenszeichen zu lassen.«

Als sie geendet hatte, liefen dem Seemann die Tränen übers Gesicht.

»Oh, verdammt noch mal!« sagte er bewegt. »Gott, verzeih mir. Ich hab' meine Heuer für zwei Jahre Fahrenszeit in der Tasche. Jetzt paß mal auf, du mußt mich hier bei dir wohnen lassen und mein Geld nehmen, denn es soll genauso dir wie mir gehören. Ich hätte große Lust, dich übers Knie zu legen, du unvernünftiges Mädchen – läßt dein Kind aus purem Stolz hungern und verlierst kein einziges Wort darüber. Meine Kameraden würden mich für einen elenden Wicht halten, wenn sie wüßten, daß ich meine Schwester hungern lasse.«

Binnen einer Stunde fuhr der Kohlenwagen vor, ein großer Korb Lebensmittel stand auf dem Tisch, und die kleine Nance und ihre Mutter bekamen zum ersten Mal seit vielen langen Tagen wieder einen Bissen Fleisch zwischen die Zähne.

Als Tom Hardy nach seinem Rausschmiß begriff, in welche Situation er sich gebracht hatte, schien ihm Selbstmord der einzige Ausweg. Auf der Pier blickte er mit trüben Augen in das schleimige Hafenwasser und kämpfte mit dem Impuls, einen Sprung vorwärts zu tun und alles in diesen schwarzen Tiefen zu begraben. Sein Ruf war ruiniert; er befand sich in einem fremden Land, wo er keine Freunde besaß, und die wilde Sauftour hatte ihn sein gesamtes Geld gekostet.

Er wohnte in einer billigen Kaschemme, mitten unter lärmenden britischen Seeleuten, aber der Schock seiner Entlassung hatte ihn ernüchtert. Er biß die Zähne zusammen.

»Kein einziger Tropfen mehr, und wenn ich Staub fressen muß«, sagte er sich. »Auch werde ich nicht eher zu Weib und Kind zurückkehren, als bis ich mich wieder hochgerappelt habe.«

Um diese Zeit bemühte sich die chinesische Regierung gerade, eine Bande von Piraten zu zerschlagen, die auf den weitverzweigten Wasserläufen des sumpfigen Küstenstrichs ihr Unwesen trieben und die Handelsschiffahrt erbarmungslos schröpften.

Tom schlenderte ziellos im Hafen umher, als ihm ein aristokratisch aussehender Herr begegnete, der eine Marineuniform trug.

Dieser hob höflich einen Finger an den Hutrand, grüßte und fragte: »Entschuldigen Sie, Sir, Sie sind doch bei der Handelsmarine, nicht wahr?«

»Jawohl, Sir«, antwortete Tom, »ich bin der ehemalige Kapitän der *Mariana*.«

»Ah! Dann sind Sie also der Bursche, der uns diesen Ärger mit dem Amerikaner eingebrockt hat?«

»So ist es leider, Sir. Ich habe auch schwer dafür gebüßt, habe mein Schiff und alles verloren. Jetzt ist es mir egal, was aus mir wird.«

Der Offizier sagte: »Dann sind Sie genau der Mann, den ich brauche. Ich bin dabei, eine Mannschaft für ein Kanonenboot anzuheuern, und habe vielleicht ein interessantes Angebot für Sie. Sie können doch kämpfen, nicht wahr?«

»Na ja, Sir, viel Erfahrung damit hab' ich zwar nicht, aber ich hab' mich noch nie im Leben vor etwas gefürchtet. Das kann ich Ihnen versichern, ohne den Mund zu voll zu nehmen.«

»Also gut. Passen Sie auf, wir regeln die Angelegenheit ohne große Formalitäten. Ich habe die Absicht, eine Mannschaft zusammenzustellen, die weder Tod noch Teufel fürchtet. Wollen Sie mitmachen?«

Toms Herz schlug höher vor Freude, und er antwortete: »Sofort, Sir! Sie können auf mich bauen, solange noch Leben in mir ist.«

Von da an gehörte Tom Hardy viele Monate lang zu der abenteuerlichen Bande verwegener und verzweifelter Schurken, welche die Besatzung des Kanonenbootes *Mandarin* bildeten. Selbst in diesem tollkühnen Haufen tat er sich hervor durch seine absolute Gleichgültigkeit gegenüber Gefahren und seine gewaltige Körperkraft.

Der Kommandant sagte eines Tages zu ihm: »Bei Gott, Hardy, ich wünschte, Sie und ich hätten in den alten Zeiten gelebt. Wir hätten mit unseren Jungs die Franzosen das Fürchten gelehrt.«

Bei diesem Gedanken brüllte Tom vor Lachen. »Den gelben Schlitzaugen jedenfalls haben wir's ganz schön gegeben. Ich hörte, daß einige sogar zu uns beten. Sie nennen mich ›Großer Teufel‹ und Sie ›Kleiner Teufel‹!«

Bald darauf wurde die *Mandarin* zu einer Strafexpedition gegen Räuber ausgeschickt, die vor kurzem die Bevölkerung eines ganzen Dorfes massakriert hatten.

Als die Nacht hereinbrach, lag das Kanonenboot im unübersichtlichsten Abschnitt eines tiefen, trägen Flusses. Auf beiden Uferseiten wuchs üppiges, übermannshohes Schilf, das dem Schiff jegliche Sicht nahm.

Gegen Mitternacht ging der Kommandant nach vorn. Als er zurückkam, sagte Hardy: »Ich hab' eben einen Frosch quaken gehört, einen verdammt komischen Frosch. Er quakte drei- oder viermal und erhielt die gleiche Antwort von irgendwo hinter der Flußbiegung. Mit Verlaub, Sir, ich meine, wir sollten die Wachen verstärken.«

»Ach, das glaube ich nicht«, antwortete der Kommandant. »Die Sümpfe hier sind weiß Gott voll großer Frösche.«

Eine Stunde später hörten sie die Stimme des amerikanischen Seemanns, der auf der Back Wache hatte: »Raus mit euch, Leute, gleich geht hier der Tanz los!«

Der Kommandant stürmte auf das Vorschiff und spähte besorgt in die Finsternis. Plötzlich blitzte Mündungsfeuer auf, Männer schrien durcheinander, und ehe sich's Tom Hardy versah, war vorn eine ganze Horde an Bord geklettert und kam nach achtern gerannt.

Tom verließ sich nicht auf seinen Degen; er packte eine mächtige Handspake und warf sich der Menge entgegen, in der sich sein Kommandant verzweifelt wehrte. Mit fürchterlichen Schlägen nach rechts und nach links bahnte er sich ein Gasse durch die Banditen, wobei er wie ein wildes Tier brüllte: »Vorwärts, Männer der *Mandarin*, erledigt das Pack!«

Seine riesige Gestalt und die furchtbare Kraft der Schläge, die er mit der Handspake austeilte, jagte den Piraten einen tödlichen Schrecken ein. Die Besatzung des Kanonenboots wurde durch sein Beispiel angespornt, und nach wenigen Minuten war kein Pirat mehr an Bord, außer den fünfen, die Tom niedergestreckt hatte.

Der Kommandant war verwundet, zum Glück nicht schwer, und er sagte zu Tom: »Wenn wir das hier hinter uns gebracht haben, sollen Sie ein eigenes Kommando bekommen, alter Junge.«

Tatsächlich dauerte es nicht lange, und Tom Hardy machte in der britischen Marine in China tüchtig Karriere.

Ralph und Jenny saßen beim Abendessen und sprachen wie so oft von dem armen Tom, als es an die Tür klopfte.

»Oh, das ist er, das ist er!« schrie Jenny. »Ich wußte, daß Gott ihn uns erhalten würde. Lauf zur Tür, Nance, mir zittern vor Aufregung die Knie.«

Da stand er auch schon im Raum, ein riesiger, breitschultriger Mann, dessen Gesicht von der Tropensonne fast schwarz gebrannt war.

Das Dröhnen seiner tiefen Stimme füllte die Küche, als er sagte: »Da bin ich wieder, mein gutes Mädchen. Du hast vielleicht geglaubt, ich wäre auf den Hund gekommen, aber ich will alles wieder gutmachen und dich nie mehr allein lassen.«

Jenny ging mit unsicheren Schritten auf ihn zu. Die Tränen rannen ihm über das wettergegerbte Gesicht, als er sie fest in die Arme nahm.

Tom war als wohlhabender Mann zurückgekehrt und brauchte nicht mehr zur See zu fahren. Er kaufte einige Häuser, von deren Mieteinnahmen er leben konnte, und besserte sein Einkommen dadurch auf, daß er als Korrespondentreeder für eine kleine private Gesellschaft arbeitete.

Was das Trinken betraf, so war aus dem Saulus ein Paulus geworden, der bei den Temperenzlern Vorträge hielt. Selbst ein weiter Weg lohnte, mitzuerleben, wie starke Männer von seiner mächtigen Stimme und schlichten Beredsamkeit gepackt wurden und dem Alkohol abschworen.

Originaltitel: The Lost Skipper

W. Clark Russell

Der redende Leichnam

William Clark Russell hatte die See schon im Blut, als er auf die Welt kam. Sein Vater Henry Russell war ein alter Fahrensmann, der seiner Liebe zum Seemannsleben durch sein berühmt gewordenes Lied »A Life on the Ocean Wave« bleibenden Ausdruck verlieh. Der junge Russell (1844–1911) trat in seine Fußtapfen, gab jedoch 1874 den Seemannsberuf auf, um sich ganz der Schriftstellerei zu widmen. In den folgenden Jahren wurde er zu einem der produktivsten Verfasser von Seemannsgeschichten, und um die Jahrhundertwende bezeichnete Algernon Swinburne ihn ohne Zögern als den »größten Meister der Seemannsgeschichte überhaupt«. Dieses Urteil mag etwas zu enthusiastisch gewesen sein, aber Clark Russells Popularität war unbestreitbar, was unter anderem daraus hervorgeht, daß er in den Sherlock-Holmes-Geschichten eine bedeutende Rolle spielt – als Lieblingsautor Doktor Watsons!

In mehreren seiner Bücher bewies Clark Russell eine ausgeprägte Vorliebe für das Übernatürliche; Seeleute sind nämlich abergläubisch. So wurde er beispielsweise durch die Legende vom Fliegenden Holländer zu seinem sehr erfolgreichen Buch »The Death Ship« (1888) angeregt. Die in der Seefahrt durch verschiedene Zeichen spürbare Allmacht des Bösen hingegen ist in der Geschichtensammlung »The Mystery of the Ocean Star« (1889) das beherrschende Thema. In vielen seiner Geschichten fungiert ein alter Kapitän als Erzähler, und eine der bemerkenswertesten unter ihnen ist »Der redende Leichnam«, in der die Furcht vor dem Unbekannten mit handfester Logik gewürzt ist.

»Na ja, Sir«, sagte der alte Fahrensmann zu mir. Er war ein pensionierter Kapitän mit dem Blick eines Geiers unter den scheinbar schläfrig herabhängenden Lidern und mit einem Gesicht voller Falten und Altersflecken; sie erinnerten mich an die Strömungsbahnen, die bei Windstille die gläsern daliegende Fläche der schmutzigen Gewässer vor der westafrikanischen Küste durchziehen. »Na ja, Sir, bis dahin war ich eigentlich immer etwas abergläubisch. Aber ich muß gestehen, daß mich dieser Vorfall kuriert hat. Er ließ mich allerdings auch begreifen, daß man nicht verächtlich auf seine Mitmenschen herabschauen soll, die an Geister und Erscheinungen glauben, welche kein Sinnesorgan des menschlichen Körpers wahrnimmt – außer der Leichtgläubigkeit.

Worauf ich hinauswill, ist dies, Sir: Die menschliche Natur kommt über eine bestimmte Schwelle nicht hinaus. Kaum haben wir uns an diesen Punkt herangearbeitet, springt der Wind um, und wir werden zurückgetrieben. Von Zeit zu Zeit überfällt uns vielleicht der einfältige Gedanke, daß die Nachdenklichen unter uns eher begreifen, wie wenig wir trotz all unserer Entdeckungen unseren Altvorderen voraushaben. Ich weiß, daß es neuerdings Mode geworden ist, an Geister zu glauben; daß Gesellschaften entstehen, die unser Wissen über Dinge vermehren wollen, die überhaupt nicht existieren. Das alles versetzt mich in meine Jugend zurück, als es auf dem Lande noch Hexen gab und alte Frauen unter Wasser gedrückt und ertränkt wurden, weil sie angeblich bei Mondschein auf Besen durch die Luft geritten waren. Unser Aberglaube war damals etwas gröber als heute. Für uns waren Geister häßliche alte Weiber, nicht Wesen von überirdischer Schönheit; wir flohen vor flackernden Lichtern in ausgehöhlten Rüben und waren der festen Meinung, daß der schwarze Mann, sollte er es auf uns abgesehen haben, durch den Kamin kommen würde. Aber der Kern des Aberglaubens hat sich nicht verändert. Er ist heute nur etwas lichter, aufpoliert und auf moderne Weise verfeinert. Nun jedoch zu meiner Geschichte.

Ich war Kapitän eines Schiffes von achthundert Tonnen. Wir hatten Fracht für Ostindien geladen. Das alles ist viele Jahre her, als man noch mit großen Besatzungen fuhr: teils wegen der Schiffahrtsgesetze, teils weil die Eigner ihre Schiffe in bestem Zustand halten wollten, teils weil die meisten Seeleute gar nicht erst angeheuert hätten, wenn nicht genug Leute an Bord gewesen wären, mit denen sie sich die Arbeit teilen konnten. Meine Besatzung zählte fünfundvierzig Mann. Bei einer derartigen Menge gewinnt der einzelne kaum Kontur. Hat man dagegen nur eine kleine Besatzung, dann kennt man jeden einzelnen Jim, Joe oder Tom so gut wie seinen Haushund, ähnlich dem Mann, der lediglich ein paar Schillinge sein eigen nennt und deshalb nicht nur weiß, wieviel Geld er in der Tasche hat, sondern auch, in welchen Münzen. Wir hatten keine Passagiere an Bord, waren eben ein gut bemanntes Frachtschiff, das schon etliche Jahre auf dem Buckel hatte, aber einen durchaus stattlichen Anblick bot; gebaut wie eine Fregatte mit Pfortenband, breiten Rüsten, großen schwarzen Toppen, die Rahen breit genug für ein Linienschiff und die Royals dicht unter dem Mastknopf – ganz so, wie nach meiner Ansicht ein Vollschiff aussehen sollte.

Wir waren schon zwei Wochen unterwegs, als uns nachmittags eine Bö überraschte. Vor- und Kreuzoberbramsegel wurden aufgegeit, und ein Mann stand am Großoberbramfall bereit. Ich sah, daß einige Leute in den Vortopp enterten, um das Segel aufzutuchen, und dann gab es plötzlich einen Tumult. Männer rannten nach vorn und drängten sich um eine Stelle an Deck zusammen. Ich befahl dem Ersten Offizier nachzusehen, was dort los war. Er kam zurück und meldete, daß ein Vortoppsgast, der sich gerade auf die Reling geschwungen hatte, um aufzuentern, tot an Deck gefallen sei.

Wir hatten keinen Doktor an Bord, und in einem Fall wie diesem erwarten alle, daß der Kapitän etwas unternimmt. Ich ging also nach vorn, wo der Mann lag, und stellte fest, daß es sich um einen Vollmatrosen handelte, einen alten, flachshaarigen Mann, dessen Gesicht mir wegen seiner schrecklichen Farbe schon aufgefallen war. Es erinnerte mich an einen Mehlkloß, der zu lange im Topf gelegen hatte. Jetzt waren die Lider halb geschlossen, die Lippen zu einem Grinsen erstarrt und die Arme gespreizt wie bei einem Gekreuzigten.

Meiner Ansicht nach sollte man sich nach dem ersten Blick auf einen leblos Daliegenden niemals erdreisten, im Brustton der Überzeugung auszurufen: »Der da ist tot«, es sei denn, man sieht ein Skelett vor sich. Der Bursche kann ja nur ohnmächtig sein, einen Anfall erlitten haben oder an Starrkrampf leiden, so daß sich sein Körper quasi in der Zwangsjacke des Todes befindet, sein Geist jedoch höchst lebendig ist und sich fragt, was zum Kuckuck da draußen passiert.

Ich befahl also, den Mann zur Koje zu bringen und Wiederbelebungsversuche anzustellen. Falls das nichts fruchtete, sollten sie ihn irgendwo verstauen, wo ihn niemand zu Gesicht bekam. Doch sollte er vorläufig nicht eingenäht werden, so daß er noch eine Chance bekam, falls ein Funken Leben in ihm steckte. Ich wollte eben sicher sein, daß er wirklich tot war, bevor wir ihn über Bord hievten. Das war zweifellos ein durchaus richtiger Gedanke, obgleich ihm auch etwas Krankhaftes anhaftete, denn das einzige, was mich in jenen Tagen zu entsetzen vermochte, war die Vorstellung, lebendig begraben zu werden. Ich war nicht der Mann, einem anderen anzutun, was ich selbst so sehr fürchtete.

Aber nach zwei Tagen zweifelte keiner von uns mehr daran, daß der Mann tot war, und so gab ich Befehl, ihn einzunähen und an Deck zu schaffen. Am nächsten Morgen fand der Gottesdienst statt. Ich war immer bestrebt, solche Angelegenheiten mit geziemender Würde und Feierlichkeit abzuwickeln. Ich glaubte nämlich, dies übe eine gute Wirkung auf die Matrosen aus und mache ihnen klar, daß wir einen toten Seemann nicht wie einen mittellosen Schlucker aus dem Armenhaus behandelten, daß bei seiner Bestattung ein gewisses Maß an Respekt und Trauer demonstriert wurde, denn ein Bordkamerad bleibt ein Bordkamerad, auf der ganzen Welt.

Der Leichnam, eingenäht in seine Hängematte, deren Fußende mit einem Stein beschwert war, wurde also auf eine Gräting gelegt und mit der Flagge bedeckt. Die Gräting wurde dann von vier Matrosen zur Reling getragen und dort mit einem Ende so abgesetzt, daß die beiden am anderen Ende zu gegebener Zeit die Flagge wegziehen und den Leichnam über Bord gleiten lassen konnten.

Alle Mann hatten im Halbkreis Aufstellung genommen, waren frisch gewaschen und sauber angezogen. Es war ein schöner Morgen mit einer leichten Brise, das Schiff lief ruhig unter vollem Zeug, das Deck hob sich regelmäßig in der achterlichen See. Ich kam mit dem Gebetbuch in der Hand aus der Kajüte und begann zu beten, wobei die Männer ihre Mützen abnahmen. Einige langsam mahlende Kiefer verrieten, daß ein paar selbst jetzt noch auf ihren Priem nicht verzichten wollten. Aber alle warfen nachdenklich-forschende Blicke auf den Leichnam des armen Jack, dessen Konturen sich unter dem Flaggentuch abzeichneten.

Als ich weiterhin mit großer Eindringlichkeit und Feierlichkeit laut vorbetete, erscholl plötzlich unter dem Flaggentuch ein dumpfer, wie ein Stöhnen klingender Schrei: »*Um Gottes willen, mehr Luft, Jungs! Ich ersticke!*«

Das Gebetbuch fiel mir aus der Hand. Die beiden Burschen, welche die Gräting hielten, ließen sie los wie glühendes Eisen und stürzten davon, worauf der Leichnam an Deck fiel und vor die Füße der Matrosen rollte. In ihrem Schreck stießen sie laute Flüche aus und stoben in alle Richtungen auseinander, wobei einige sich sogar in die Takelage in Sicherheit brachten. Wäre eine Bombe unter uns explodiert, hätte sie kaum schneller einen leeren Platz schaffen können.

Die Offiziere waren nicht standhafter gewesen als die Mannschaft.

Aber die Feigheit meiner Leute brachte mich so sehr in Rage, daß ich wieder Herr meiner Nerven wurde.

»Schnell«, brüllte ich, »holt den armen Teufel da raus! Sonst erstickt er wirklich noch, und das wäre ein schlimmerer Mord, als hätten wir ihn der See übergeben.«

Daraufhin kamen der Erste Offizier und einige andere wieder zurück, zusammengedrängt, als wollten sie einander Mut machen. Sie rissen die Hängematte auf. Tot oder lebendig, es wäre besser gewesen, das Ding über Bord zu hieven, als einen solchen Anblick zu erleben. Bedenken Sie, das Wetter war recht warm und der Körper – aber lassen Sie mich *davon* schweigen, nur soviel: die tapferste Armee wäre gerannt, was das Zeug hält, ohne auf das Signal der Trompeter zu warten. Aber er hatte schließlich gerufen, daß er am Ersticken sei, also warteten wir gespannt, ob er sich rühren würde. Die ganze Mannschaft war in kleinen Gruppen wieder herbeigekommen, so daß wir uns nun in einem wogenden Haufen um diesen Horror in unserer Mitte drängten, wobei die Männer Tabaksaft in alle Richtungen spuckten, um ihren Abscheu loszuwerden.

»Wenn der Kerl nicht tot ist«, sagte der Bootsmann, »dann hab' ich keine Augen im Kopf.«

»Hat er sich denn überhaupt bewegt?« fragte ich einen der Burschen, welche die Gräting getragen hatten. »Ich meine, bevor ihr ihn fallen gelassen habt und weggerannt seid?«

Der Mann hatte keine Bewegung bemerkt.

»Jedenfalls hat er gesprochen«, sagte der Erste Offizier.

»Da soll man doch meine Augen wie Zwiebeln in Essig einlegen, wenn ich jemals was Seltsameres gesehen habe«, rief der Zimmermann, wobei er sich bückte, um einen näheren Blick zu riskieren; gleich darauf schnellte er jedoch wieder zurück und wischte sich schwer atmend mit der ganzen Länge seines behaarten Unterarms über den Mund.

Ich befahl, den Körper in eine Kammer zu schaffen, und ließ ihn vom Zweiten Offizier und einem Matrosen beobachten. Sie meldeten mir, der Mann habe nicht das kleinste Lebenszeichen von sich gegeben. Im Gegenteil, er gleiche einem Toten so sehr, daß sie sich genötigt sähen, umgehend um Ablösung zu bitten, da sie den Gestank nicht mehr aushielten. Darauf sah ich mir den Körper selbst noch einmal genau an, was meine letzten Zweifel ausräumte. Ich befahl, ihn von neuem einzunähen und an Deck zu tragen.

Es war jetzt acht Glasen der Nachmittagswache. Natürlich war es nur billig, daß dieser alte Seemann ein ordentliches Begräbnis bekam, und ich war entschlossen, das Zeremoniell einzuhalten. Allerdings gab ich bekannt, daß die Besatzung diesmal nicht teilzunehmen brauchte, außer den wenigen Leuten, welche zur Abwicklung unbedingt nötig waren. Nichtsdestoweniger waren wie beim ersten Mal alle Mann zur Stelle. Nun, ich begann also wie am Morgen aus dem Gebetbuch vorzulesen, aber in dem Moment, als ich die gleichen Worte sprach, bei denen ich morgens unterbrochen worden war, ertönte ein halb ersticktes, würgendes Stöhnen, und eine dumpfe Stimme röchelte:»*O Gott, jetzt wollen sie mich doch ersäufen!*«

Der Bursche, der die rechte Ecke der Gräting hielt, ließ los und flüchtete sich mit einem Entsetzensschrei zu seinen Kameraden; aber der andere Träger brüllte mit wutgerötetem Gesicht: »Du verdammter Schuft! Wie viele Bestattungen willst du denn noch? Soll dich doch der Teufel holen!« Er hob die Gräting an, die Hängematte rutschte über Bord und war im nächsten Augenblick im Wasser verschwunden.

Wir alle standen da und glotzten wie die Idioten. Was mich betraf, so hatte es mir, obwohl ich doch der Kapitän war, im Augenblick die Sprache verschlagen. Ich war wie erstarrt. Das Stöhnen des Leichnams klang mir noch im Ohr, als er längst über Bord verschwunden war, und doch konnte man uns nicht vorwerfen, wir hätten ihn ertränkt. Denn nichts auf der Welt war mir so tot vorgekommen wie dieser alte Seemann, als ich ihn zuletzt in Augenschein genommen hatte. Trotzdem hatte es keinen Sinn, jetzt ein Theater zu machen, etwa wegen Verstosses gegen die Disziplin.

Außerdem begriff ich nach kurzem Nachdenken und einem schnellen Blick in die Runde, daß die Mannschaft erleichtert war, die Leiche endlich los zu sein. So befahl ich dem Ersten Offizier, die Leute wieder an die Arbeit zu schicken, und begab mich in meine Kajüte, wenn auch in größerer Verwunderung und verwirrter, als ich zugegeben hätte. Es war müßig, hier von irgendwelchen Tricks oder einer Sinnestäuschung reden zu wollen. Ich hätte diese Erklärung vielleicht nicht von der Hand gewiesen, wenn außer mir nur noch ein oder zwei Leute dabeigewesen wären; aber die Vorfälle hatten an die fünfzig Mann miterlebt, und wie realistisch sie gewesen waren, zeigte sich an der Intensität ihrer Furcht. Denn die Panik am Morgen war noch viel größer gewesen, als ich sie geschildert habe. Der Schrecken am Nachmittag wäre sicherlich genauso schlimm geworden, wenn der Körper ein zweites Mal vor die Füße der Leute gerollt wäre.

Gegen 10 Uhr abends legte ich mich schlafen. Alles war ruhig.

Welchen Eindruck dieser Tag hinterlassen hatte, zeigte sich am Verhalten der Männer; sie sprachen ungewohnt ernsthaft miteinander, mit verhaltenen Gesten und bedrückten Stimmen, und während der Hundewachen hatte ich bemerkt, daß sie in dichten Gruppen zusammenstanden und miteinander redeten wie Leute, die gerade von einer Hinrichtung gekommen waren.

Mitten in der Nacht wurde ich vom Zweiten Offizier, der die Deckswache hatte, aus dem Schlaf gerissen.

»Die ganze Freiwache ist nach achtern gekommen, Sir, um sich zu beschweren, daß sie keine Ruhe finden kann.«

»Was ist denn los?«

»Na ja, sie behaupten, sie hören die Stimme des alten Jack aus der Vorpiek.«

»Die Stimme des alten Jack?« rief ich und folgte ihm an Deck, wo sich denn auch tatsächlich alle Mann in der Kuhl* versammelt hatten.

»Was gibt's denn, Männer?« rief ich, wobei ich mich über die Querreling zu ihnen hinunterbeugte.

Der Zimmermann antwortete: »Der alte Jack, Sir ... Er ruft uns aus der Vorpiek.«

»Dummes Zeug, Mann!«

»Soll mich doch der Schlag treffen, Sir, wenn das nicht die verdammte Wahrheit ist. Er ruft uns nicht nur, er verflucht uns auch, weil wir ihn ersäuft haben.«

»Aber ihr wißt doch genausogut wie ich, daß das nicht stimmen kann«, sagte ich. »Er schwimmt jetzt Meilen achteraus und viele Faden tief.«

Eine andere Stimme antwortete: »Trotzdem verflucht er uns. Er schwört, daß er uns alle von Bord graulen wird.«

Ich befahl dem Zweiten Offizier, nach vorn zu gehen und festzustellen, ob auch er diese seltsame Stimme hören könne. Die Männer folgten ihm wie Schatten; ich hatte auch meine Zweifel, ob er es gewagt hätte, allein ins Mannschaftslogis hinunter zu gehen. Es dauerte jedoch nicht lange, da kam er im Laufschritt zurück; sein Atem ging in unregelmäßigen Stößen.

»Es stimmt, Sir!« keuchte er. »Wenn's nicht der alte Jack ist, ist's der Teufel. Ich hab' genau gehört, wie er sagte: »*Ihr werdet noch alle dafür büßen, daß ihr mich wie einen Hund ersäuft habt. Auf welchem*

* vertiefter Raum mittschiffs

42

Kurs ihr auch seid, es ist der alte Jack, der jetzt das Ruder hat, wartet's nur ab!«

»Zum Donnerwetter!« schrie ich. »Wie soll denn die Stimme eines Toten aus der Vorpiek zu hören sein? Geben Sie mir darauf eine vernünftige Antwort!«

»Kommen Sie mit nach vorn und hören Sie sich's selber an«, entgegnete er mürrisch.

Ich erklärte mich einverstanden und ging mit ihm nach vorne, wobei mir alle Mann auf dem Fuße folgten; ich ging nicht ohne Herzklopfen, wie ich zugeben muß, wenn ich mich auch äußerlich völlig unbekümmert gab, als ich ins Mannschaftslogis unter der Back* hinabstieg. Es war eine hohe Back, deren Eingänge vor der Ankerwinde lagen. Unter dem Decksbalken baumelte eine Öllampe, die den Raum nur schwach erhellte.

Ich stand mit dem Zweiten Offizier da und lauschte. Einige Minuten war nichts zu vernehmen als das heftige Atmen der Seeleute, die zusammengedrängt an den Türen warteten. Gelegentlich briste der Wind leicht auf, das hörte sich dann an, als brächte der Schiffskörper ein seltsames Knirschen und Ächzen hervor, das in der Stille doppelt so laut wirkte; daneben war schwach das Rauschen der Bugwelle zu hören. Dann drang plötzlich eine ferne, heisere Stimme an mein Ohr – als sei der Sprecher durch mehrere Schotts** von uns getrennt, eine Stimme, in der ein Unterton von Wut mitschwang, als müsse sich der Mann größte Mühe geben, die Worte zu formen, da er die Zähne nicht auseinanderbrachte: *»Verflucht sei das Schiff, sag' ich! Verflucht alle Mann der Besatzung, sag' ich! Ich bin ermordet worden und lasse euch allen keine Ruhe mehr!«*

»Da hören Sie's, Sir!« schrie der Zweite Offizier, wobei er zu den Leuten zurückwich, die jetzt vor Aufregung laut keuchten.

Kaum hatte er ausgesprochen, als ein Seemann anscheinend von der nachdrängenden Menge nach vorne geschoben und vom langen Arm des Ersten Offiziers, der sich von mir unbemerkt unter die Gruppe gemischt hatte, mir fast vor die Füße gestoßen wurde. Der Erste war ein Schrank von einem Kerl, nahezu zwei Meter groß und stark wie ein Büffel. Der Kopf des Burschen, den er mit seiner riesigen Pratze im Genick gepackt hatte, reichte ihm knapp bis zum Kinn.

»Hier ist der Geist, Sir!« sagte er.

* erhöhtes Deck auf dem Vorschiff
** senkrechte Trennwände

Die ganze Mannschaft strömte jetzt herbei.

»Dies ist der Geist«, wiederholte der Erste, wobei er den Burschen schüttelte, daß man Angst um dessen Kopf bekam. »Verdammt geschickt von dir, mein Junge, doch der Spaß ist ein bißchen zu weit gegangen.« Erneutes Schütteln. »Gib's zu«, schrie er, »gib's zu, bevor ich dir das Genick breche!«

»Ich geb's ja zu«, stöhnte der Mann.

»Was ist da zuzugeben?« fragte ich.

»Na ja, Sir«, antwortete der Erste Offizier. »Er beherrscht die Kunst des Bauchredens, und zwar verdammt gut. Ich hab' ihn schon nachmittags im Auge gehabt und Verdacht geschöpft. Jetzt bin ich meiner Sache sicher, denn er hat nicht gemerkt, daß ich genau hinter ihm stand.«

Unter den Männern erhob sich Gemurmel. Vermutlich argwöhnten sie hinter der Szene eine Absprache zwischen mir und dem Ersten, die ihnen die Furcht nehmen sollte. Da ich aber klar erkannte, daß es so sein mußte, wie der Erste sagte, und voller Scham über die Bestürzung, die mich den ganzen Tag gequält hatte, beschloß ich, ohne Umschweife zu handeln.

»Dein Name ist Andover, nicht wahr?« sagte ich zu dem Mann.

»Jawohl, Sir«, antwortete er.

»Gibst du zu, daß du die Stimme des alten Jack oben an Deck und hier unten im Logis nachgeahmt hast?«

»Ja, ich hab's getan, Sir«, antwortete er, sich unter dem stählernen Griff des Ersten Offiziers krümmend.

»Beweise es uns«, sagte ich. »Dann will ich die Sache auf sich beruhen lassen. Sie können ihn jetzt loslassen, Mr. Moore.«

Der Mann hustete; einen Moment später hörten wir, wie uns der alte Jack aus der Vorpiek verfluchte. Die Täuschung war nahezu vollkommen. Um der Wahrheit die Ehre zu geben, meine Bewunderung für die Geschicklichkeit des Burschen war zu groß, als daß ich es über mich gebracht hätte, ihn zu bestrafen, auch wenn ich ihm nicht schon Vergebung versprochen hätte. Ein paar weitere Beispiele seines außergewöhnlichen Könnens genügten, um die Männer zu überzeugen. Ich ging wieder in meine Kajüte und überließ es ihnen, wie sie mit ihm verfahren wollten. Durch immer neue Proben seiner Kunst vermochte er zu verhindern, daß sie ihn verprügelten. In der Tat waren sie, nachdem der erste Zorn verraucht war, viel zu erleichtert, daß der alte Jack wirklich tot war, um Andover seinen Streich lange nachzutragen.

Ich habe diesen Mann später oft in meine Kajüte holen lassen. Er war ein geborener Komödiant, und ich riet ihm ernsthaft, sich als Bauchredner an Land zu versuchen, wo er bei richtiger Ausbildung ein Vermögen hätte verdienen können.

Leider wurde er jedoch im ersten Hafen in irgendeine mißliche Sache verstrickt, und ich mußte ihn zurücklassen. Als ich mich später nach ihm erkundigte, erfuhr ich, daß er zum Trinker geworden und im Krankenhaus gestorben war. Doch erinnere ich mich stets mit Dankbarkeit an ihn, denn er hat es geschafft, mich ein für allemal vom Aberglauben zu heilen.«

Originaltitel: Can These Dry Bones Live?

Frank T. Bullen

Die Rache des Wals

Abgesehen von Hermann Melville hat kein anderer Autor lebendiger und sachkundiger über die Walfängerei geschrieben als Frank Thomas Bullen. Sein Buch »The Cruise of the Cachelot« (1898) ist mir auf vielen Fahrten ein treuer Gefährte gewesen, und ich habe es immer wieder mit Spannung und Anteilnahme gelesen. Bullen (1857–1915) wuchs in ärmlichsten Verhältnissen im Londoner Stadtteil Paddington auf. Sein Vater war ein Trinker und Spieler, und schon mit neun Jahren mußte sich Frank mehr oder weniger allein durchschlagen. Drei Jahre später war er kräftig genug, um als Schiffsjunge auf der Arabella angenommen zu werden. Nach mehreren langen Reisen musterte er in New Bedford, Massachusetts, USA, ab und ging als Matrose auf ein Walfangschiff, die Cachelot. So nachhaltig war die Wirkung dieser Fahrten auf ihn, daß er seine Eindrücke wie im Fieber zu Papier brachte, als er wieder nach London zurückgekehrt war. Das Buch hatte sofort einen durchschlagenden Erfolg, und Rudyard Kipling führte den Reigen der lobenden Kritiker an, indem er erklärte: »Ich kenne kein Buch, welches wie dieses das Wunder und Geheimnis der Tiefsee vor uns erstehen läßt.« Der dunkelhaarige, gutaussehende Bullen (der dem gleichaltrigen Joseph Conrad verblüffend ähnlich sah) wurde eine literarische Größe, und seine Vorträge über das Leben auf See waren sehr gefragt. Er verknüpfte eigene Erfahrungen mit den Erlebnissen anderer Seeleute, denen er begegnet war, zu einer Reihe von populären Geschichten in Sammelbänden wie »Deep-Sea Plunderings« (1901), »Our Heritage of the Sea« (1906) und »Fighting the Icebergs« (1910). Am geeignetsten für die vorliegende Anthologie schien mir diese Walfängergeschichte, in der Sie Captain Elisha Cushing begegnen, einem Mann von gleichem Kaliber wie Melvilles unsterblicher Captain Ahab.

Elisha Cushing, Kapitän der *Beluga*, war ein hartgesottener Yankee, einer der zähesten dieser zähen Rasse. Selbst in den härtesten Menschen findet sich gewöhnlich eine weiche Stelle, irgendeine verborgene Quelle von Gefühlen, die bei der Begegnung mit dem richtigen Menschen zu sprudeln beginnt, obwohl sie für alle anderen hermetisch verschlossen bleibt. Aber diejenigen, die Kapitän Cushing am besten kannten, pflegten zu sagen, daß seine Wiege auf einem Eisberg gestanden und daß er seine Kindheit im Mannschaftslogis eines Walfängers verbracht haben müsse, wo er sich durch ständiges Nachsinnen über Grausamkeiten innerlich verhärtet habe, bis er, schließlich Kapitän seines eigenen Schiffes, weniger ein Mensch als eine gnadenlose Maschine geworden sei, der weder Gott noch Teufel etwas bedeuteten und die ihre Mitmenschen nur für Rädchen im großen Getriebe hielt.

In der Tat gibt es nur wenige Menschen, die während einer drei bis vier Jahre dauernden Reise auf dem eng begrenzten Raum eines kleinen Schiffes völlig ohne menschlichen Umgang auszukommen vermögen, die kein Verlangen nach Freundschaft haben, und sei es noch so selten. Doch Kapitän Cushing war solch ein Mann. Niemand wußte, wie er seine vielen Mußestunden verbrachte. Nie sah ihn jemand ein Buch lesen; er rauchte nicht; und kein berauschendes Getränk kam an Bord seines Schiffes. In der Tat war er allem Anschein nach ein Körper ohne Seele – außer wenn es auf Walfang ging –, nur die äußere Erscheinung eines Mannes, der sich bewegte, aß und schlief wie ein Uhrwerk und den zu reizen schlimmste Martern heraufbeschwor. Seinen kalten Augen entging nichts, und es gab keinen Mann an Bord, der nicht das Gefühl hatte, daß alles, was er tat, selbst seine geheimsten Gedanken, dem erbarmungslosen Kapitän auf geheimnisvolle Weise bekannt wurden.

Schlimm erging es dem Unglücklichen, der gegen die harten Regeln verstieß, nach denen Captain Cushing sein Schiff führte. Dennoch hatte er eine Tugend: Er mischte sich nicht unnötig ein. Solange der Schiffsbetrieb lief wie geschmiert, herrschte Frieden an Bord. Die Disziplin war vollkommen; sie reduzierte die Menschen, aus denen sich die Mannschaft zusammensetzte, auf etwas, das einem sorgfältig konstruierten Mechanismus ähnelte. Darin lag Captain Cushings besondere Stärke. Aus den vielen Besatzungen, die er in dreißig Jahren als absoluter Herrscher befehligt hatte, pflegte er sich diejenigen als Maate und Offiziere herauszusuchen, die genauso dachten wie er. Deshalb spielte es keine Rolle, wie unerfahren die Burschen waren, die kurz vor dem Auslaufen an Bord kamen – das Cushing-System versetzte sie prompt in einen Zustand absoluter Willenlosigkeit, soweit es ihre eigenen Wünsche betraf. Sie wurden einfach zu Teilen der großen Maschine, die Captain Cushings Vermögen mehrte.

Unter den Achterdecksgästen gab es so etwas wie einen Glaubensartikel, der jedem Neuankömmling wie durch einen unausgesprochenen Code vermittelt wurde: daß niemals über den Alten gesprochen werden durfte. Dieses Thema war tabu, obwohl man sicher sein konnte, daß nichts anderes die Offiziere mehr beschäftigte. Die Mannschaft dagegen, in ihrer dumpfen Höhle vor dem Mast, wo dreißig Mann aus nahezu ebenso vielen Nationen lebten und manchmal auch starben, sprach gelegentlich mit verhaltenen Stimmen und in seltsamem Kauderwelsch über das merkwürdige Gebaren des Kapitäns, wobei einige befremdliche Geschichten über sein Vorleben beizusteuern wußten. Immer jedoch bekamen nach derartigen Gesprächen diejenigen, die sich unüberlegt geäußert hatten, ernsthaften Ärger. Zwar wurden keine Beschuldigungen erhoben, keine Bestrafungen verhängt, aber während der ganzen Reise wurden sie mehr als die anderen rangenommen, bekamen gefährliche und oft unnötige Aufgaben zugewiesen und handelten sich viele unnötige Fußtritte und Striemen ein.

Dies alles rief eine nahezu abergläubische Ehrfurcht vor der Allwissenheit des Kapitäns hervor, verbunden mit einem tiefen Mißtrauen gegenüber den Bordkameraden, was vielleicht mehr zu ihrer Unterwerfung beitrug als die physischen Quälereien, die ihnen jeden Tag freigebig zugemessen wurden. Und doch geschah es – so widersprüchlich ist nun mal der Mensch –, daß die Mannschaft der *Beluga*, sooft sie auf See einem anderen Walfänger begegnete und nach altem Brauch miteinander ins Gespäch kam, daß also diese geschundene Gesellschaft des langen und breiten ihren Kapitän als einen großen Walfänger zu rühmen begann, sein seemännisches Können lobte, und, was vielleicht am merkwürdigsten war, mit einer gewissen Zuneigung von diesem harten Kerl sprach, »dem es genausowenig ausmachte, einen Mann umzulegen wie ihm ins Gesicht zu sehen«.

Jeder neue Einfall, mit dem er noch mehr aus seinen Sklaven herausholte, jeder elende Trick, mit dem er sie um einen weiteren Teil ihrer dürftigen Verpflegung oder ihres hartverdienten Lohns brachte, schien ihre Bewunderung für ihn nur noch zu steigern, als ob seine Teufeleien ihren Begriff von Recht und Unrecht ins Gegenteil verkehrt hätten.

Der Mann selbst, das Zentrum dieser kleinen trostlosen Welt, in der es kaum ein Fünkchen Freude gab, mochte etwa fünfundfünfzig Jahre alt sein. Er war einmal überdurchschnittlich groß gewesen, aber eine mit den Jahren zunehmende Krümmung seines Rückgrats hatte ihn beträchtlich verändert. Das Eigenartigste an seiner Erscheinung war der Kopf, der in seiner Form an einen Tannenzapfen erinnerte. Vom Scheitel fielen ein paar widerspenstige Strähnen heufarbenen Haars herab, die so aussahen, als wären sie vom Wind herangeweht und zufällig hängengeblieben. Große, abstehende Ohren, die oben spitz zuliefen wie die einer Fledermaus, Schlitzaugen von unterschiedlicher, wenn auch undefinierbarer Farbe, zwischen deren haarlosen Lidern unergründliche Pupillen hervorstachen, eine gerade, schön geformte Nase, so vollendet in ihren Konturen, daß sie fast künstlich wirkte, und darunter ein weiterer lippenloser Schlitz als Mund – das waren die markanten Teile seines Gesichts. Die Arme waren ungewöhnlich lang und die Beine kurz; sein Gang, geprägt durch langes Herumwandern auf schlüpfrigen Decks, erinnerte an das Schlurfen eines Bären. Im Mannschaftslogis munkelte man, daß er über gigantische Kräfte verfüge und früher mal einem aufsässigen Harpunier wie einem Huhn das Genick umgedreht habe; von der gegenwärtigen Mannschaft hatte ihn allerdings nie jemand bei einer körperlichen Anstrengung gesehen. Was sie alle jedoch am meisten beeindruckte, war seine Stimme. Gewöhnlich sprach er im Flüsterton wie ein Sterbender, doch artikulierte er dabei außerordentlich deutlich, und nie mußte er ein Wort wiederholen. Wenn es aber nötig wurde, ein vorüberfahrendes Boot oder Schiff anzupreien, dann öffnete sich jener seltsame Mundschlitz, und hervor brach ein durchdringender Laut, der weiter trug als das Brüllen eines wütenden Bullen.

Cushings Glück war sprichwörtlich. Keiner seiner Offiziere wußte jemals, wohin die Reise ging oder in welchen einsamen Meeresgegenden er den Kreaturen nachzustellen gedachte, die ihm so großen Reichtum brachten. Aus genauer Beobachtung der Kurse, des Wetters, dem gelegentlichen Sichten von Land und dergleichen konnten sie natürlich wie jeder Seemann auf einige hundert Meilen genau sagen, wo sie waren. Aber nie war ihr Wissen so genau, daß sie mit einem anderen Schiff später den gleichen Kursen hätten folgen können, auf welchen die *Beluga* so reiche Beute gemacht hatte.

Bei Elisha Cushing kam zu diesem sogenannten Glück noch eine nahezu übermenschliche Energie hinzu. Wenn er seine unglücklichen

Sklaven schon nicht schonte, so war er mit sich selbst noch unnachsichtiger. Hatten sie Wale ausgemacht, ging er mit seinem Boot als erster zu Wasser, wobei das Wetter und die Zahl der Wale keine Rolle spielten. Es war, als liebte er (wenn man in Verbindung mit diesem gefühllosen Mann überhaupt von Liebe reden kann) die Jagd auf Wale um ihrer selbst willen; als scheue er sich nicht, im Bewußtsein seiner Unverletzlichkeit Risiken einzugehen, die ein gewöhnlicher Mensch nur unter Zwang auf sich genommen hätte. Hierbei fiel jedoch allen eine Eigenart an ihm auf, über die aus den schon erwähnten Gründen nur selten gesprochen wurde.

Jedesmal, wenn die Boote sich einem einzelnen Wal oder auch einer ganzen Schule näherten, sah man Captain Cushing hochaufgerichtet an Deck stehen und mit funkelnden, nahezu wilden Augen nach irgend etwas ausspähen. Die Leute glaubten, daß den Booten nicht eher befohlen wurde, einen Wal anzugreifen, bis der Kapitän alle Wale genau gemustert und sich überzeugt hatte, daß das Objekt seiner Suche, was es auch sein mochte, nicht darunter war.

Danach begann der Kampf, und sicherlich hatte man nie mehr seit den Zeiten der kühnen Fischer in der Biskaya, die sich mit feuersteinbewehrten Lanzen auf einzelne Finnwale stürzten, eine solche Waljagd gesehen wie bei Elisha Cushing. Ohne seine Gesichtsfarbe zu ändern oder seine Stimme über das gewohnte leise Murmeln zu erheben, ließ er sein Boot an das riesige harpunierte Säugetier heranbringen, befahl, es in dieser Position zu halten, und begann dann – des Drehens und Wälzens der mächtigen Kreatur nicht achtend – mit der Spitze seiner Lanze nach Rippen und Schulterblatt zu tasten. Hatte er einen Zwischenraum entdeckt, streckten sich seine langen Arme, und die Lanze glitt wie eine dünne helle Schlange vier Fuß tief in die lebenswichtigen Organe hinein, wurde sofort wieder zurückgezogen und stieß von neuem und immer tiefer in den Körper, wobei jeder Stoß eine etwas andere Richtung nahm und das schwarze, heiße Blut wie aus einem Feuerwehrschlauch emporspritzte. Auch pflegte er, ruhig auf dem Dollbord sitzend, eine bestimmte Stelle auszuwählen und sie mit der Lanze zu sondieren, wie ein Wundarzt im Körper eines Bewußtlosen nach dem Geschoß tastet. Drehte das Boot auch nur ein wenig vom Wal ab, bevor er das Signal dazu gab, wandte er lediglich den Kopf, und im selben Augenblick fühlten die fünf Männer ein Kribbeln in der Magengrube; dann waren sie, obwohl im Schatten des Todes, nur noch von dem einzigen Wunsch erfüllt, Cushings Zorn zu entgehen. Hatte er doch einmal einen Mann eigenhändig von der

Ducht gerissen und ihn wie ein schlaffes Bündel ins Wasser geschleudert, ohne einen weiteren Gedanken an ihn zu verschwenden.

Die einzigen Zeichen von Erregung, die man je an ihm bemerkte, waren ein blaßblauer Fleck auf seinen sonst gelblichen Wangen und ein rötlicher Schimmer in seinen Augen. Ungeachtet seiner Eigenarten waren die Männer stolz darauf, zu seiner Bootsmannschaft zu gehören, denn seine Geschicklichkeit war so außerordentlich, daß er trotz scheinbaren Leichtsinns nie ein Boot oder auch nur einen Mann verlor, während seine Offiziere, obwohl zur Elite der Walfänger zählend, die üblichen Verluste hinnehmen mußten.

Zwei Jahre waren sie jetzt schon unterwegs, und die Laderäume der *Beluga*, die in dieser Zeit schon mehrmals ihre Ladung mit anderen Schiffen nach Hause geschickt hatte, waren schon wieder zu mehr als zwei Dritteln gefüllt. Nach dem Ende der Hauptfangzeit auf den Vasquez-Gründen im Südpazifik, wo sie im Durchschnitt zwei Wale pro Woche erbeutet hatten, steuerten sie jetzt Ost zu Süd. Anscheinend sollte es zur chilenischen Küste gehen. Eines Morgens bei Tagesanbruch drang der Ruf: »Segel in Sicht!« vom Krähennest herab an Captain Cushings Ohr, obwohl er sich noch in seiner Kajüte befand. Bevor die Offiziere an Deck antworten konnten, hörte man seine durchdringende Stimme fragen: »Wie peilt es?«

Wie sie beim Näherkommen feststellten, handelte es sich ebenfalls um einen Walfänger, eine Bark, die recht voraus beigedreht lag, als ob sie die *Beluga* erwartet hätte. Als sie auf drei Meilen heran waren, befahl Captain Cushing, sein Boot auszusetzen, wies den Ersten Offizier an, die *Beluga* ebenfalls in den Wind zu legen, und ließ sich hinüberrudern. Kaum hatte das Boot bei dem fremden Schiff eingehakt, kletterte er an Bord und befahl den Bootsgasten ganz gegen seine Gepflogenheit, wieder ein Stück wegzupullen, bis er es heranrufen würde.

Der Kapitän des fremden Schiffes (der Mannschaft der *Beluga* immer noch unbekannt, da es keinen Namen trug) empfing Captain Cushing an der Reling, und einen größeren Kontrast zu diesem undurchschaubaren Mann konnte man sich kaum vorstellen. Er war ein untersetzter, apfelbäckiger kleiner Kerl mit einem versteckten Lächeln in jedem Grübchen und einer verfilzten Masse leuchtend roter Locken auf dem runden Schädel. Er packte die lässig hingestreckte Hand seines Besuchers und sprudelte hervor: »Na, wenn das nicht eine Überraschung ist! Ich will verdammt sein, wenn ich nicht gerade letzten Abend von Ihnen gesprochen habe! Mit mir selbst natürlich,« fügte er schnell hinzu, als er Cushings Blick bemerkte. »Aber kommen Sie doch unter Deck und nehmen Sie einen – na ja, ich frage mich, *was* Sie wohl nehmen könnten; Sie trinken ja eigentlich nie etwas. Gehen wir trotzdem nach unten.« Damit verschwanden sie zusammen unter Deck.

Eine ganze Weile redete nur der kleine Mann, und es war, als erstatte der verläßliche Verwalter eines florierenden Geschäfts dem Eigentümer Bericht. Er erzählte von Walen, die er gefangen hatte, von zerschlagenen Booten, verlorengegangener Ausrüstung – eben von der Routine –, während Cushing zuhörte, ohne eine Miene zu verziehen, so daß man nicht hätte sagen können, ob ihn das alles interessierte oder nicht. Eine Statue hätte nicht lebloser gewirkt. Doch als der kleine Berichterstatter fortfuhr und ersichtlich wurde, daß er recht erfolgreich gewesen war, löste sich die starre Pose ein wenig, was dem Eingeweihten verriet, daß Cushing zufrieden war. Denn – und das wußte keiner außer dem kleinen, rothaarigen Kapitän – Cushing war der Besitzer dieses namenlosen Schiffes, das er von der Reede vor den Pelu-Inseln gestohlen hatte, während sich die ganze Besatzung wüsten Ausschweifungen an Land hingab. Seither hatte er das Schiff unter der Führung des einzigen Mannes auf der ganzen Welt, dem er ein gewisses Maß an Vertrauen entgegenbrachte, auf eigene Rechnung laufen lassen. Das jedoch ist eine andere Geschichte.

Der kleine Kapitän hatte seinen Bericht anscheinend beendet, als er so plötzlich, als sei ihm eben noch etwas Wichtiges eingefallen, seine Erzählung wieder aufnahm, wobei sein Gesicht eine Ernsthaftigkeit zeigte, die schwerlich zu seinem rotbäckigen Frohsinn passen wollte. »Ach, Käpt'n«, sagte er, »beinah' hätt' ich's vergessen – ich bin wieder dem gefleckten Wal von den Bonin-Inseln begegnet. Ich . . .« Er hielt inne, denn Cushing war mit einem Satz aufgesprungen, wobei sein Gesicht plötzlich eine unheimliche Kupferfarbe angenommen hatte. Während seine langen Finger krampfartig zupackende Bewegungen machten, stieß er mit rauher Stimme hervor: »Bist du sicher? Mach' mir bloß nichts vor, Silas, oder du wärst besser tot. Jetzt erzähl, wie das mit dem Wal war, alles andere ist unwichtig!«

Die Maske der Gleichgültigkeit war von ihm abgefallen; der ganze Mann wirkte plötzlich wie die Verkörperung gespannter Begierde, und man hätte schon tollkühn sein müssen, seinen Wunsch nicht sofort zu erfüllen. So etwas hatte der kleine Kapitän aber keineswegs im Sinn.

Silas beugte sich vor und erzählte: »Ja, Käpt'n, ich bin ganz sicher. Sie werden doch nicht annehmen, daß ich mich bei einem solchen Geschöpf täusche? Seit jenem Ereignis hab' ich immer an Ihren Befehl gedacht: nach dem gefleckten Wal Ausschau zu halten und Ihnen bei nächster Gelegenheit mitzuteilen, wo er sich aufhält. Aber als wir diesmal unsere Boote aussetzten, da hatte uns das Schicksal mehr eingebrockt, als wir auslöffeln konnten. Wir waren insgesamt wohl ein Dutzend Schiffe, und ich zerbrach mir schon den Kopf, wie ich einige davon abschütteln könnte, bevor wir Wale sichteten. Die Luft stank nämlich nach Wal, und alle meine Jungs waren hellwach und paßten auf wie die Schießhunde. Na ja, wie üblich legten wir das Schiff abends an den Wind und blieben beigedreht bis Mitternacht liegen. Dann sagte ich mir, wenn du dich jetzt nich' davonmachst und nach Süden läufst, bist du ein Narr. Denn plötzlich wurde mir klar, daß die Wale aus Süden heraufzogen, und daß es sich um große Schulen handelte. Warum ich so sicher war, wußte ich natürlich nicht, aber so verhielt es sich nun mal – Sie wissen ja selbst, wie das ist.

Und tatsächlich, bei Tagesanbruch war keins der Schiffe mehr in Sicht. Gegen sieben Glasen sichteten wir die ersten Wale, und – bei Gott – ich schätze, es waren mehr als tausend, die in Lee durchs Wasser pflügten, so lebhaft wie eine Schule Delphine, nicht wie Hundert-Faß-Wale. Aber genau das waren sie alle, außer denen, die noch größer waren. Das Wetter war ruhig, wir setzten fünf Boote aus und pullten wie die Teufel auf die Wale los. Ich sag' Ihnen, Käpt'n, ich hab' schon 'ne Menge Wale blasen sehen, aber was ich an diesem Morgen erlebte, übertraf alles. Wir hatten sofort unsere Eisen fest, mußten jedoch die Leinen wieder kappen. Denn wir kamen nicht an sie ran, die anderen Wale drängten sich zu dicht um unsere Boote. Ganz ruhig schwammen sie, keiner zeigte auch nur den geringsten Kampfgeist. So griffen wir die in nächster Nähe schwimmenden mit unseren Lanzen an. Es war, als säßen wir in einem riesigen Fischkasten, sag' ich Ihnen. Es ging überhaupt nichts zu Bruch, und wir brauchten weniger als zehn Faden Schleppleine. Soweit ich mitzählen konnte, erlegten wir zwanzig Wale. Allmählich zog die Schule weiter und ließ uns mit unserer Beute zurück. Jetzt tat es mir leid, daß wir uns so weit von den anderen Schiffen entfernt hatten. Wir konnten mit einer solchen Menge Fisch nicht allein fertig werden – über die Hälfte würde verfaulen, bevor wir alle abspecken konnten, und wenn wir eine Woche ohne Pause gearbeitet hätten.

Während wir noch nach Luft schnappten und auf unser Schiff warteten, singt mein Harpunier aus wie von der Tarantel gebissen: ›Da bläst er und taucht auf! Madre di Gloria, Captain, sieh, was da kommt.‹ Und verdammt noch mal, da kam er: Spotty, der gefleckte Wal. Ich hatte ihn nie zuvor zu Gesicht bekommen, alles, was ich über ihn wußte, haben Sie mir erzählt. Ich will jetzt gern zugeben, daß ich dachte, Sie hätten dabei ein bißchen übertrieben, aber ich nehm' alles zurück und bitte demütig um Vergebung.

Jawoll, Sir, er kam; er kam wie der Teufel auf uns zu. Er raste übers Wasser wie ein Delphin, und ich kann nur sagen, wir waren par'lisiert. Sobald ich einen Ton rausbringen konnte, sang ich aus, die Leinen zu kappen, denn wir hatte alle an den Walen Schleppleinen festgemacht, die wir an Bord geben wollten. Währenddessen stürmte er weiter auf uns zu, o ja, Sir, und ich mußte an einen Vers aus der Bibel denken. Der ging ungefähr so: ›Berge sprangen wie Widder und kleine Hügel wie Lämmer.‹ Wir versuchten alles, sprinteten und wendeten, pullten wie die Wilden und nahmen plötzlich alle Fahrt aus dem Boot, aber Sie wissen ja, Käpt'n, besser als jeder von uns, daß es kein Boot der Welt gibt, das einem Pottwal entkommen kann, wenn er's erst mal drauf abgesehen hat.

Wir waren da keine Ausnahme. Schließlich konnten wir nichts mehr ausrichten und gingen zu Bach, wo er uns nichts tun würde, wie wir wußten. Da nahm er sich die Boote vor, und ich will verdammt sein, wenn auch nur eine Planke heil blieb. Ich weiß nicht, warum er nicht weitermachte und auf das Schiff losging. Wenn er's getan hätte, wär's ganz sicher aus mit uns gewesen. Aber nein, er verschwand wieder, lautlos wie der Tod, und wir wurden rechtzeitig aus dem Wasser gefischt. Ja, und dann takelten wir unser Reserveboot auf und schafften es noch, fünf von den Walen zu flensen. Obwohl ich sagen muß, daß die letzten schon ziemlich streng rochen, als wir ihren Speck in die Kessel warfen. Der Rest trieb in der Gegend herum und verpestete den Nordpazifik, bis er stank wie ein vom Erdbeben gebeutelter Friedhof. Aber der Fang hat uns immerhin sechshundert Faß Öl gebracht.«

Cushings Gesicht während dieses Berichts war sehenswert. Er stand da, ohne einen Muskel zu rühren, aber auf den gewöhnlich ausdruckslosen Zügen wechselten Wut, Hoffnung und Freude wie Wellen, die von plötzlichen Böen über die ruhige Fläche eines geschützten Sees gejagt werden. Als Silas endete, erhob er sich erschöpft und sagte: »In Ordnung, Jacob. Lauf unseren alten Treffpunkt an, wenn du fertig bist, und lösch die Ladung. Ich werde spätestens im März dort sein und alles für die nächste Fahrt klarmachen. Bis dann. Wir segeln sofort nach den Bonin-Inseln.«

»Aber, Käpt'n, lohnt sich's denn, diesem gefleckten Biest nachzujagen, nur um von ihm womöglich zerschmettert zu werden? Warum können Sie ihn nicht in Ruhe lassen? Sie kommen todsicher nicht ungeschoren davon. Folgen Sie dem Rat eines Narren, Käpt'n, und lassen Sie Spotty an Altersschwäche sterben.«

»Jacob, mein Knecht, du vergißt dich. Wenn ich deinen Rat will, sage ich's dir. Komm mir also nicht vorher damit. Ich mag das nicht, denn ich bin gewohnt, ohne Ratgeber auszukommen. Also bis später, und tu, was ich dir befohlen habe.«

Mit zwei langen Schritten stand er oben an der Niedergangstreppe und rief mit der seltsam weittragenden Stimme nach seinem Boot. Es schoß wie ein lebendes Wesen an die namenlose Bark heran, Käpt'n Cushing stieg an Bord, und das merkwürdige Treffen war beendet. Bei der Rückfahrt stand er wie ein Monolith aufrecht vor der Heckducht und war kaum an Bord, als er auch schon Befehl gab, alle Segel zu setzen; das Ruder wurde nach Luv gelegt, und wir segelten in nordwestlicher Richtung davon.

Niemand wagte es, sich zu dieser plötzlichen Wendung zu äußern, obgleich jedem die Wißbegierde im Gesicht stand. Und niemand wagte seinen Backsgenossen die Verwunderung, die schmerzhafte Neugierde anzudeuten, die er empfand, während die *Beluga* vor einem kräftigen Südostpassat Tag für Tag mit sieben Knoten nach Nordwesten segelte, ohne sich auch nur ein einziges Mal aufhalten zu lassen. Wieder und wieder erscholl der Ruf: »Er bläääst!« aus dem Krähennest, und jedesmal enterte der Alte auf und spähte durchs Glas, bis er sich Gewißheit verschafft hatte. Nie machten wir Halt, niemals. Und als ob die Wale wußten, daß wir anderes im Sinn hatten, tauchte eine große Schule in unserer Nähe auf und begleitete uns eine ganze Woche lang, wobei sie in Schußweite zu beiden Seiten des Schiffes spielten. Nach der Beachtung, die der Alte ihnen schenkte, hätten sie genausogut tausend Meilen entfernt sein können. Er stand nur da, an die Luvreling gelehnt, und starrte mit ausdruckslosem Gesicht zur ewig gleichbleibenden Kimm – ein unergründliches Rätsel für uns alle. Die Nähe der Wale beunruhigte die Offiziere mehr als alles andere, was sich bisher ereignet hatte, und nur die tief verwurzelte Furcht vor dem Alten hinderte sie daran, in offene Meuterei auszubrechen. Selbst von uns, die wir nur geringes Interesse an der

Reise hatten, was die pekuniäre Seite betraf, war die Empörung über das Fahrenlassen eines so großen Vermögens nur schwer zu ertragen.

So liefen wir ohne Aufenthalt weiter, bis wir zu irgendwelchen Inseln kamen, aber selbst dort gingen wir nicht mit der Fahrt herunter, außer wenn der Wind nicht mitspielte. Bei Tag und bei Nacht schlängelten wir uns durch labyrinthische Felsgruppen, als sei dieses schwierige Fahrwasser unserem Käpt'n so vertraut wie seine Kajüte. Wie er nachts das Schiff führte, war sicherlich einmalig: Hoch oben auf der Fockrah sitzend, vor sich nur die hell schimmernde Bugwelle, die das solide alte Schiff im phosphoreszierenden Wasser aufwarf, während sich der träge Pazifik irritiert an den zum Licht strebenden Korallenstöcken brach, und über sich das stählerne Funkeln der Sterne am blauschwarzen Himmel. So führte Captain Cushing sein Schiff mühelos und zuversichtlich wie ein Lotse, der an einem Sommertag in den Hafen von New York steuert, während seine ruhige Stimme von oben, wo er vor unseren Blicken verborgen hockte, zu uns herunterdrang, als dirigiere uns ein himmlisches Wesen.

Keiner spürte auch nur einen Anflug von Angst, denn unser Vertrauen in seine ungewöhnlichen Gaben war grenzenlos, und wir waren überzeugt, daß er über alle navigatorischen Fähigkeiten verfügte, die hier vonnöten waren.

Nichtsdestoweniger nagte das Geheimnis unserer hastigen Reise quer über die ganze Weite des Pazifiks an jedem von uns, selbst an den Stumpfsinnigsten. Die ganze Sache lag außerhalb unserer bisherigen Erfahrung. Vielleicht wurde sie nur dadurch einigermaßen erträglich, daß keiner der Offiziere mehr wußte als wir. Die Leute vor dem Mast sind immer gierig auf jede Neuigkeit aus der Kajüte, und selbst wenn sie ihnen nicht das geringste nützt, so verleiht doch die kleinste Information, die er aufschnappen kann, dem glücklichen Lauscher wenigstens zeitweilige Überlegenheit. Diesmal jedoch blieb alles, was mit dieser Fahrt zusammenhing, hinter der Stirn eines einzigen Mannes verborgen, und dieser Mann war ein wahrer Ausbund an Verschlossenheit.

So schnell war unsere Reise, daß wir schon sieben Wochen nach unserer Begegnung mit dem namenlosen Walfänger eines der vulkanischen Eilande sichteten, die in der Nähe der Bonin-Inseln im großen Neerstrom der Kuro-Schio-Drift liegen und eine der Landmarken für die einstmals vielbefahrenen Pottwal-Jagdgründe dort sind. Die Form der Insel, die an einen Hahnenkamm erinnert, war vielen von uns vertraut und gab uns zum erstenmal seit Monaten eine klare Vorstellung von unserer Position. Wir befanden uns also in japanischen Gewässern. Sicherlich war es eine Erleichterung, wenigstens soviel zu wissen. Aber warum, zum Teufel, hatten wir im Widerspruch zu allem, was sonst im Walfang üblich war, eine Reise von mehreren tausend Meilen in solcher Eile gemacht? Darauf gab es keine Antwort. Kaum angekommen, nahmen wir unsere übliche Fangtaktik wieder auf. Mit einem Unterschied allerdings: Statt wie vorher den ganzen Tag schrubben, polieren und Reinschiff machen zu müssen, bis unser altes Tranfaß so blitzsauber war wie ein Kriegsschiff, bekamen wir Befehl, daß die gesamte Deckswache nach Walen Ausguck halten sollte – alle bis auf den Rudergänger. Und jeder der beiden Ausguckposten im Krähennest erhielt ein Fernglas – das war bislang noch nie vorgekommen. So bekam das Schiff regelrechte Argusaugen. Ohne Übertreibung konnte man sagen, daß nicht einmal ein Büschel Seetang oder ein durchziehender Meeresvogel in Sichtweite passieren konnte, ohne von uns bemerkt zu werden.

Nach einigen Tagen, in denen wir alle so scharf Ausguck gehalten hatten wie nie zuvor, kam eine zweite Überraschung: eine Rede unseres Alten. Nachdem er die Mannschaft nach achtern befohlen hatte, musterte er uns eine Weile wortlos. Ich bin sicher, daß die Herzen aller ein wenig schneller schlugen, als befänden wir uns an der Schwelle eines Geheimnisses, tiefer als alles, was uns bislang beunruhigt hatte. Kapitän Cushing sprach ruhig und leidenschaftslos, doch zeigte sich auf seinen gelblichen Wangen jener bläuliche Fleck, der für uns ein Zeichen seiner Erregung war. »Ich bin hier auf der Jagd nach einem *einzigen* Wal«, begann er, »und wenn ich ihn kriege, ist die Reise zu Ende. Er ist groß, größer als ihr je einen gesehen habt, und er ist gefleckt, weiß auf braun, wie ein geschecktes Pferd. Er ist mit keinem anderen zu verwechseln. Wer ihn zuerst sieht, bekommt von mir fünfhundert Dollar. Wenn ich ihn erlege, teile ich fünftausend Dollar unter euch allen auf. Sobald wir ihn dann verarbeitet haben, nehmen wir Kurs auf New Bedford. Haltet also Tag und Nacht die Augen offen. Außerdem sage ich euch, daß wir nicht eher zurückkehren, bis ich ihn habe. Lieber will ich verdammt sein. Das wär's. Und nun auf eure Posten!«

Auf jedem anderen Schiff wäre dieser Rede ein brodelnder Meinungsaustausch gefolgt, sobald die Mannschaft wieder in ihrem Logis war. Aber bei uns fiel kein einziges Wort. Von da an war uns klar, daß kein Gedanke, kein Blick an etwas anderes verschwendet werden durfte als an die minutiöse Beobachtung des Meeres. Ob Nacht oder

Tag, die Wachsamkeit ließ nie nach, und vor Gier nach dem ausgesetzten Preis fanden die Männer kaum Schlaf.

Doch wie so oft im Leben bekam ihn einer, der eigentlich am wenigsten Hoffnung hatte, ihn zu erlangen: der Mulatte, der als Steward die meiste Zeit unter Deck arbeitete. Ungefähr zehn Tage nach dem Angebot des Kapitäns kam er eines Abends gegen acht Glasen an Deck, latschte müde von seiner langen Arbeit aufs Seitendeck, beugte sich über die Reling und begann seine Pfeife zu stopfen. Es war ein wunderbarer Abend, kaum ein Luftzug kräuselte die glatte Meeresfläche, eine fast unmerkliche Dünung schaukelte uns sanft, und über uns hing der volle Mond am wolkenlosen Himmel wie eine riesige Leuchtkugel.

Der Steward hatte seine Pfeife fertig gestopft und suchte nach einem Streichholz, als er plötzlich innehielt und einen neben ihm stehenden Kameraden fragte: »Oliver, was zum Kuckuck ist das da im Widerschein des Mondes?«

In Windeseile verbreitete sich die Frage geflüstert über das ganze Schiff, und ebenso schnell waren alle Nachtgläser auf den betreffenden Punkt gerichtet. Die gespannte Stille wurde durch die Stimme des Kapitäns kaum gestört, so leise sprach er, und doch erreichte sein Befehl selbst das Ohr des letzten Mannes: »Fier weg die Boote. Wer Lärm macht, dem brech' ich alle Gräten. Steward, hol dir die Belohnung; das Geld liegt auf dem Regal über meiner Koje.«

Wie eine Geisterschar eilten wir auf unsere Stationen und schwangen die Boote aus, die mit äußerster Vorsicht gefiert wurden, damit ja kein Block klapperte und kein Wasser spritzte. Binnen fünf Minuten waren alle Boote zu Wasser, fünf insgesamt; der Käpt'n hatte sich mit seinem Boot an die Spitze gesetzt, und jeder Mann außer den an der Pinne sitzenden Offizieren handhabe sein Paddel, als hinge sein Leben von äußerster Lautlosigkeit ab. Da wir mit dem Gesicht nach vorn saßen, spähte jedes Auge angestrengt nach dem Feind aus, aber aus der geringen Höhe und im eigenartigen, blendenden Licht der tropischen Mondnacht konnten wir nichts erkennen. Hinzu kam, daß wir auf dem glitzernden Teppich paddelten, den der Mond aufs Meer gemalt hatte, und die stete Beobachtung dieser Bahn aus geschmolzenem Silber ließ unsere Augen schon nach wenigen Minuten brennen und dumpf pochen, so daß es eine ungeheure Erleichterung war, sie eine Weile zu schließen. Bei jedem Eintauchen der Paddel entstand zusätzliches Funkeln im Wasser, hinter jedem Boot und tief unter uns tanzten Myriaden von Lichtpünktchen, während die von einer wachsenden Zahl dunkler Körper ausgehenden Bänder fahlen Feuers uns verrieten, daß sich die Haie schon zum Schlachtfest eingefunden hatten, bei dem zumindest für sie mehr als genug abfallen würde.

Ohne Pause und so geräuschlos wie möglich plagten wir uns weitere zwei Stunden ab. Es war eine Knochenarbeit, und wären wir nicht so gut im Training gewesen, hätten wir sie auf keinen Fall bewältigt. Dann kam vom ersten Boot plötzlich ein Ausbruch wilden Gelächters, ein so fürchterlicher Laut, daß uns beinahe das Blut in den Adern erstarrte. Unmittelbar danach sahen wir, wie vor uns ein wahrer Lichtberg aus dem Meer emporwuchs. Da wußten wir, daß unsere Beute endlich gestellt war. »Paddel ein, klar bei Riemen!« brüllten die Offiziere, und während wir den Befehl ausführten, wurden wir gewahr, daß sich vor uns ein schrecklicher Tumult entwickelte. Grünlich funkelnde Gischt stieg in großen Fontänen empor, und das dumpfe Brausen eines mächtigen Atemstrahls hallte über die bisher so ruhige See. Wir pullten, was das Zeug hielt, und erreichten tatsächlich das Zentrum des ganzen Aufruhrs, wo es uns wie durch ein Wunder gelang, unsere Harpunen anzubringen. Jedes Boot schaffte es, wenngleich es vielen von uns wie der reine Selbstmord vorkam.

Rufe und Flüche erfüllten die Luft, bis die weittragende Stimme Captain Cushings Ruhe gebot. Er war dem Feind zwar am nächsten, vermochte aber trotz seiner Erfahrung nicht, ihm weiteren Schaden zuzufügen, nachdem er seine Harpune in ihm verankert hatte. Denn der Wal stürmte jetzt mit stetigen vierzehn Knoten davon, und die fünf Boote, von seiner gigantischen Kraft mitgerissen, folgten ihm wie Meteore in der Schwärze der Nacht. Der Wal selbst war nicht zu sehen. Nur in großen Abständen tauchte er schräg empor, stieß seinen Blas aus – dröhnend wie ein überlastetes Sicherheitsventil – und verschwand wieder.

So ging es weiter durch die warme, ruhige Nacht, ohne daß der Wal seine Geschwindigkeit auch nur im geringsten verlangsamte, bis die Morgenröte den Horizont erhellte und uns zeigte, daß wir allein waren. Von unserem Schiff war nichts mehr zu erkennen. Alle sahen wir hohlwangig und erschöpft aus, und die Sorge hatte tiefe Furchen in unsere fahlen Gesichter gegraben. Als die Sonne schnell über den Horizont stieg, wurde unsere wilde Fahrt plötzlich gestoppt: Der Wal war auf Tiefe gegangen. Der gewaltige Zug zwang uns, fast alle Leine nachzustecken, und so lagen wir schließlich vorn ziemlich weggetaucht im Kreis und warteten, was unser Gegner als nächstes tun würde.

Plötzlich schnellten alle Boote in die Höhe, es gab ein hastiges

Manövrieren, um so weit wie möglich voneinander freizukommen, und schneller, als irgendeiner von uns es sich hätte vorstellen können, tauchte der gefleckte Wal in unserer Mitte auf, vorwärtsgepeitscht von seiner riesigen Schwanzflosse. Sein furchterregendes Maul war weit geöffnet. Schnurgerade schoß er auf das Boot des Kapitäns los und traf es schräg von vorn. Mit einem dumpfen Krachen, das uns schaudern machte, verschwand es von der Oberfläche. Ein Nebel erhob sich vor unseren Augen, Gischt füllte die Luft, aber die vielfache Tragödie, die sich, wie wir glaubten, eben vor unseren Augen ereignete, hatte uns in eine Wut versetzt, in der wir keine Furcht mehr kannten. Lechzend nach dem Blut dieses Monsters warfen wir uns in die Riemen, bis sie ächzten. Doch als wir auf die Unglücksstelle zuschossen, verschwand der Wal, und zu unserer unsäglichen Verwunderung tauchte die gesamte Mannschaft nebst Boot wieder auf. Wenn Captain Cushing vorher schon gefährlich ausgesehen hatte, so wirkte er jetzt wahrhaft dämonisch. Er hatte seine Mütze verloren, und die gelbliche Kuppel seines Schädels schimmerte fahl im frühen Morgenlicht. Seine Kleidung hing in Fetzen, und sein rechter Arm baumelte so kraftlos herab, als würde er nur noch von wenigen Sehnen gehalten. Ihn hatte der Wal zwischen den Kiefern gehabt. Alle anderen waren unverletzt.

Alle Angebote, ihm zu helfen, beantwortete er nur mit einem finsteren, wuterfüllten Blick. Ohne ein Wort zu sagen, packte er ein Harpunengewehr mit seiner unverletzten Linken und suchte sich im Bug einen sicheren Stand. Seine Stimme, als er sie jetzt ertönen ließ, war fast unverändert, vielleicht ein wenig höher als gewöhnlich, aber Gehorsam heischend wie immer. Der Wal kehrte zurück. Auf Befehl des Kapitäns wurden alle Leinen gekappt, und dann ging der Kampf erst richtig los. Jetzt zeigte sich, daß Captain Cushing wirklich ein geborener Führer war, denn ihm entging nichts. Auf sein Wort stießen alle vier Boote vor, zogen sich wieder zurück, kreisten und warteten dann erneut bewegungslos im Wasser. Cushing schien das trügerische Element mit seinen Blicken durchdringen zu können, bis in zwanzig Faden Tiefe, wo sich ein Wal wie ein Lachs ausnimmt. Was das Monster auch versuchte, Cushings Gegenzug durchkreuzte jede seiner Absichten. Genaugenommen befanden wir uns jedoch die ganze Zeit in der Defensive. Die wilde Schleppfahrt der letzten Nacht, die Tatsache, daß wir nichts zu essen und zu trinken hatten, und die ungeheure Nervenanspannung seit Tagesanbruch machten sich jetzt bemerkbar, während unser Gegner anscheinend unermüdlich war. Nicht nur das, auch sein Einfallsreichtum ließ in keiner Weise nach. Er versuchte einen Trick nach dem anderen, aber er wiederholte sich nie. Zweifellos wurde unsere Hoffnung, lebend aus diesem Kampf hervorzugehen, mit jedem Augenblick geringer.

So düster sah es für uns aus, als der Wal mit schrecklichem Getöse die Wasserfläche durchbrach und geradewegs auf das Boot des Kapitäns losstürmte. Die See schien zu kochen, als er sich ihm näherte, aber zu unserem Entsetzen blieb das Boot ruhig auf der Stelle liegen. Da kam auch schon der Zusammenprall und inmitten des ganzen Tumults der scharfe Knall eines Gewehrs. Das Wasser brodelte wie ein Mahlstrom, in dessen Mitte jedoch nichts zu erkennen war, bis sich der Aufruhr langsam beruhigte und wir die Fragmente des Boots in blutrot gefärbtem Schaum dümpeln sahen. So schnell wir konnten, eilten wir unseren Kameraden zu Hilfe und fischten tatsächlich sechs Mann aus dem Wasser; alle hatten schwere Verletzungen davongetragen. Der siebte jedoch blieb verschwunden. So hatte Captain Cushing seine Schuld beglichen. Wir waren jetzt völlig erschöpft, unsere Boote mit hilflosen Verletzten überladen. Deshalb sahen wir uns außerstande, es noch länger mit einem so furchtbaren Gegner aufzunehmen. Während wir hilflos auf das vermeintlich sichere Ende warteten, durchbrach der Wal erneut die Oberfläche, keine zwanzig Meter von uns entfernt. Hoch erhob er sich in die Luft, immer höher stieg er, mühelos majestätisch, und uns stockte das Herz, als wir den Leichnam unseres Kapitäns schlaff im Winkel des geöffneten Maules hängen sahen. Das gelbliche Gesicht war uns zugewandt und zeigte noch die gleiche wuterfüllte Grimasse wie vorher. Aber der eiserne Wille, an dem bislang jeglicher Widerstand zerschellte, war erschlafft wie der Seetang um uns; dieses Gefäß war leer.

Klatschend fiel das gigantische Wesen ins Wasser zurück, peitschte die See zu Schaum und entschwand für immer unseren Blicken. Lange warteten wir müde, von Hunger und Durst geplagt, auch einige Verletzte unter großen Schmerzen, bis wir schließlich nach vierundzwanzig Stunden von der *Beluga* entdeckt und an Bord genommen wurden.

Das alte Schiff kam uns seltsam verändert vor. Zunächst verhielten wir uns wie gewohnt und wagten nicht, miteinander zu reden und unsere Gedanken auszutauschen. Aber allmählich ging uns die großartige Wahrheit auf: Wir waren jetzt frei von einer Tyrannei, deren Ausmaß keinem von uns so recht klargeworden war – einer Tyrannei, die nicht nur den Körper, sondern auch den Geist geknechtet hatte. Alle, Offiziere und Mannschaften, wurden von einer großen Freude erfaßt, denn alle hatten gleichermaßen gelitten. Und sofort beschlossen wir, unsere Heimreise gemächlich anzugehen, unterwegs einige verlockende Häfen anzulaufen und das Elend, das wir hatten ertragen müssen, durch ein wenig Lebensfreude wieder wettzumachen.

Den wirklichen Grund, weswegen Captain Cushing wie ein Verrückter hinter dem gefleckten Wal her war, haben wir nie erfahren. Aber in den Gesprächen mit anderen Walfängern hörten wir immer wieder Gerüchte, daß er vor vielen Jahren mit eigener Hand einen Wal aus einer kleinen Schule getötet hatte, deren Leittier der gefleckte Wal gewesen war. Später waren sie bei verschiedenen Gelegenheiten wieder aufeinandergetroffen, was für Cushings Schiff und Besatzung jedesmal katastrophale Folgen hatte. Diese Erlebnisse hatten so nachhaltig auf sein Gemüt gewirkt, daß seine Rachsucht schließlich zur Manie wurde. Er war gewillt, alles zu riskieren, um seinen schrecklichen Feind zu vernichten.

Wir zweifelten jedoch nie daran, daß der Wal bloß ein vom Schicksal auserwähltes Instrument war, um Captain Cushing den Tod zu geben, den er für seine Missetaten verdient hatte.

Originaltitel: The Debt of the Whale

W. W. Jacobs

Ausgesegelt

Wenn ich auf See manchmal Aufmunterung brauchte, gab es einen Schriftsteller, der mich mit Sicherheit zum Lachen bringen konnte: William Wymark Jacobs (1863–1943). Seit ich als junger Mensch seine Seemannsgeschichten entdeckt hatte, waren sie mir eine nie versiegende Quelle des Vergnügens geblieben, da sie die leichtere und gelegentlich heitere Seite des Alltags auf See zum Thema hatten. Einige seiner Seemannsgarne werden von einem alten Mann gesponnen, der einfach nur »der Nachtwächter« genannt wird und in Wapping lebt, dem Londoner Stadtteil, aus dem Jacobs selbst stammte. Andere beschreiben die Abenteuer der Matrosen Ginger Dick, Sam Small und Peter Russet, eines Freundestrios, das zielsicher von einem Mißgeschick zum nächsten taumelt. Jedem Leser, der W. W. Jacobs bislang noch nicht kennt, kann ich nur seine Sammelbände wie »Many Cargoes« (1897), »The Lady of the Barge« (1902) und »Night Watches« (1914) ans Herz legen.

Wie schon aus diesen wenigen Bemerkungen zu ersehen, war es für mich keine leichte Aufgabe, nur eine Geschichte von W. W. Jacobs auszuwählen. Es gibt so viele über Ewerkapitäne oder Skipper kleiner Yachten, die ich gern in die Sammlung aufgenommen hätte. Schließlich habe ich mich für eine entschieden, weil sie typisch für viele andere ist, sowohl was den Humor als auch was ihre Charaktere betrifft. Jeder, der zur See gefahren ist, wird wissen, wie sich Kapitäne über die jeweiligen Vorzüge ihrer Schiffe ereifern können und wie sie miteinander darüber streiten, obwohl ich bezweifle, daß irgendein Streit jemals auf die gleiche Weise beigelegt wurde wie in »Ausgesegelt«.

Es war ein folgenschwerer Moment. Die beiden Kapitäne saßen im Schankraum des *Old Ship* in der High Street von Wapping, tranken würdevoll ihren Gin und rauchten Zigarren, deren einziger Vorzug die

Tatsache war, daß es sich um Schmuggelware handelte. Das verbessert natürlich ihr Aroma ungeheuer, wie jeder an der Küste weiß.

»Zieht sie gut?« fragte Käpt'n Berrow, ein kleiner, fetter Mann mit wenig Phantasie, der sich in dem Hochgefühl, sonnte, einen ganzen Schwung davon in seinen Besitz gebracht zu haben.

»Wunderbar«, erwiderte Käpt'n Tucker, der das Innere seiner Zigarre gerade mit einem Taschenmesser erkundete. »Warum habt ihr hier so was nicht auf Lager, Wirt?«

»Geht nicht«, lachte Käpt'n Berrow. »Sie sind nicht zu haben – nicht für Geld und gute Worte.«

Der Wirt grunzte geringschätzig. »Warum treffen Sie nicht endlich 'ne Entscheidung über Ihre Wettfahrt?« rief er, wobei er den Tresen abwischte. »Mir scheint, Käpt'n Tucker zögert noch.«

»Ich bin bereit, wenn er's ist«, sagte Tucker ziemlich schroff.

»Ihr Geld ist so gut wie verloren«, sagte Berrow langsam. »Die *Thistle* kann es nicht im entferntesten mit der *Good Intent* aufnehmen, und das wissen Sie. Manches Mal hat mein kleiner Schoner sogar Dampfer überholt.«

»Aber was, wenn dabei die Schleppleine gebrochen wäre?« fragte der Kapitän der *Thistle*, wobei er dem Wirt zublinzelte.

Diese Bemerkung brachte Kapitän Berrow in Rage. Er wies die niederträchtige Unterstellung wutentbrannt zurück, wobei er sich einer Sprache bediente, die den anderen Gästen respektvolle Aufmerksamkeit abnötigte; schnelles Eingreifen des Wirts wurde notwendig.

»Her mit Ihren Einsätzen!« rief er ungeduldig. »Her mit den Einsätzen, und machen Sie nicht soviel Gerede darum.«

»Hier ist meiner!« Berrow knallte eine schmierige Fünf-Pfund-Note auf den Tisch. »Nun, Käpt'n Tucker, halten Sie dagegen.«

»Kommen Sie schon«, ermutigte ihn der Wirt. »Lassen Sie sich nicht einfach den Wind aus den Segeln nehmen.«

Tucker gab ihm fünf Sovereigns.

»Hochwasser ist dreizehn Minuten nach zwölf«, sagte der Wirt und steckte die Einsätze in die Tasche. »Sie kennen die Bedingungen: Sobald es elf geschlagen hat, geht's los, und wer zuerst in Poole ankommt, gewinnt die zehn Pfund, klar?«

Beide Kontrahenten atmeten schwer und bestellten angesichts des verwegenen Unternehmens, auf das sie sich da eingelassen hatten, zunächst noch eine Lage Gin. Ein schon viele Jahre währender Streit über die Vorzüge ihrer jeweiligen Schoner hatte sie schließlich bewogen, den Wirt als Schiedsrichter anzurufen. Das hier war dabei herausgekommen. Berrow bot – im dunklen Gefühl, daß es ratsam wäre, mit dem Unparteiischen auf gutem Fuß zu stehen – dem Wirt eine seiner berühmten Zigarren an. Dieser jedoch, der seinem Magen das nicht antun wollte, lehnte dankend ab.

»Sie haben beide die Anker aufgeholt, vermute ich?« fragte er.

»Ja, bevor wir herkamen«, erwiderte Tucker. »Wir haben beiderseits der *Dolphin* festgemacht.«

»Der Wind ist schwach, aber er kommt aus der richtigen Ecke«, sagte Kapitän Berrow. »Jetzt kann ich nur noch der Hoffnung Ausdruck geben, daß das bessere Schiff gewinnen möge. Ich hätte nichts dagegen, selbst Sieger zu werden, aber wenn mir das nicht vergönnt sein sollte, würde ich mich von keinem Menschen der Welt lieber besiegen lassen als von Käpt'n Tucker. Er ist ein ausgepichter Seemann, bessere als ihn hat man nie die Themsemündung hinaufkreuzen sehen. Und er ist Besitzer eines Schoners, auf den selbst die Engel stolz wären.«

»Noch 'ne Runde Gin«, sagte Tucker prompt. »Käpt'n Berrow, auf Ihre Gesundheit, auf einen fairen Kampf und keine Tricks.«

Mit diesen Abschiedsworten leerte der Kapitän der *Thistle* sein Glas, wischte sich mit dem Handrücken den Mund, nickte den beiden zu und ging. Als er die High Street erreichte, verlangsamte sich sein Schritt, als dächte er intensiv über etwas nach. Dann bog er, einem plötzlichen Entschluß folgend, in die Nightingale Lane ein und nahm Kurs auf eine kleine verkommene Querstraße, die vom Ratcliff Highway abging. Eine Viertelstunde später tauchte er wieder daraus auf, und während er seine Schritte zum Hafen zurücklenkte, verzog sich sein Gesicht in unregelmäßigen Abständen zu einem Grinsen. Am Hafen angekommen, jumpte er in ein Boot und ließ sich zu seinem Schiff bringen.

»Heute nacht geht's los, Joe«, sagte er, als er in seine Kajüte hinunterstieg. »Und für Sie springt ein halbes Pfund raus, wenn unser altes Mädchen das Rennen macht.«

»Wie hoch ist der Einsatz?« fragte der Bootsmann und sah kurz vom Tabakschneiden auf.

»Fünf Pfund«, erwiderte der Kapitän.

»Na ja, das müßten wir eigentlich schaffen«, meinte der Bootsmann langsam. »An mir soll's jedenfalls nicht liegen.«

»An mir auch nicht«, antwortete der Kapitän. »Um die Wahrheit zu sagen, Joe, wir haben die Sache schon so gut wie in der Tasche. Im Krieg, in der Liebe und bei Wettfahrten ist alles erlaubt.«

»Aye, aye«, sagte der Bootsmann noch langsamer als zuvor, weil er über das bekannte Sprichwort nachdachte.

»Hab' mich auf die Socken gemacht und einen Burschen namens Dibbs besucht, den ich von früher kenne«, sagte der Kapitän. »Hat jetzt 'n Seemannsheim. Ein gerissener Hund und unheimlich auf Draht. Es gibt 'ne Menge schlauer Kerls, aber Dibbs steckt sie alle in die Tasche. Er wird die Leute vom alten Berrow so vollmachen, daß sie nicht mehr wissen, ob sie Männchen oder Weibchen sind.«

»Kennt er sie denn?« fragte der Bootsmann.

»Er weiß, wo er sie finden kann,« sagte der Kapitän. »Ich hab' ihm gesagt, sie sind entweder im *Duke's Head* oder im *Town o'Berwick*. Aber er würde sie auch in jeder anderen Pinte finden.«

»Es sind aber ordentliche, solide Burschen«, wandte der Bootsmann ein, allerdings nicht allzu überzeugend, denn die rühmenden Worte über die bemerkenswerten Fähigkeiten von Mr. Dibbs hatten ihn beeindruckt.

»Mein Junge«, sagte der Kapitän, »Mr. Dibbs ist beruflich damit befaßt, Seeleuten harte Drinks so zu mixen, daß sie nicht mehr wissen, ob sie auf dem Kopf oder auf den Füßen stehen. Er ist mit Recht stolz auf sein Können. Manch ein Seemann, der seine Kreationen genossen hat, ist anschließend übers Fallreep an Bord eines Schiffes gegangen, in dem festen Glauben, er stiege die Treppe zu seinem Haus hinauf, und ist danach, statt in sein Bett zu gehen, um die halbe Welt gesegelt.«

»Dann geht die Sache klar«, sagte der Bootsmann. »Ich glaube allerdings, daß wir's auch so geschafft hätten. Ganz fair ist es ja nicht, oder?«

»Besser, man geht auf Nummer Sicher«, sagte der Kapitän gelassen. »Um wieviel Uhr kommen unsere Leute zurück?«

»Spätestens um halb elf«, erwiderte der Bootsmann. »Der alte Sam ist dabei, da können wir sicher sein, daß sie nicht aus dem Ruder laufen.«

»Ich hau' mich noch zwei Stunden aufs Ohr«, sagte der Kapitän, sich zum Gehen wendend. »Lieber Himmel, was würd' ich dafür geben, wenn ich das Gesicht des alten Berrow sehen könnte, wenn seine Leute an Bord kommen.«

»Vielleicht kommen sie gar nicht soweit«, bemerkte der Bootsmann.

»O doch, das tun sie«, sagte der Kapitän. »Dibbs wird schon dafür sorgen. Ich will nicht das Risiko eingehen, daß die Wettfahrt womöglich noch abgeblasen wird. Wecken Sie mich in zwei Stunden.«

Er schloß die Tür hinter sich, und der Bootsmann stopfte seine Tonpfeife mit dem grobgeschnittenen Tabak, nahm einen Block rosarotes Briefpapier mit bogenförmig gezacktem Rand aus seiner Schublade, legte ihn sorgfältig zurecht und begann einen Brief zu schreiben.

Eine ganze Weile rauchte und schrieb er emsig, bis er durch die einbrechende Dunkelheit genötigt wurde, seine Arbeit zu beenden. Er unterschrieb den Brief, fügte noch ein paar jener Zeichen hinzu, wie sie unter Verliebten üblich sind, verschloß ihn und blieb, seine Pfeife zu Ende rauchend, mit halbgeschlossenen Augen sitzen. Allmählich sank ihm der Kopf auf die Brust, und während er noch haltsuchend die Unterarme breit auf den Tisch legte, schlief er schon ein.

Er hatte, wie ihm schien, kaum eine Minute die Augen geschlossen, als er vom Kapitän geweckt wurde, der aus seiner Kajüte gepoltert kam und dabei laut und erregt vor sich hin fluchte.

»Aye, aye!« sagte Joe auffahrend.

»Wo ist 'ne Lampe?« fragte der Kapitän. »Wie spät ist es? Ich hab' geträumt, ich hätt' verschlafen. Wie spät ist es?«

»Zeit genug«, antwortete der Bootsmann geistesabwesend und unterdrückte mühsam ein Gähnen.

»Halb elf«, sagte der Kapitän, der ein Streichholz angezündet hatte. »Sie haben geschlafen«, fügte er streng hinzu.

»Hab' ich nicht«, erwiderte der Bootsmann im Brustton der Überzeugung. »Ich hab' nachgedacht. Ich kann besser nachdenken, wenn's dunkel ist.«

»Eigentlich müßten unsere Leute jetzt an Bord kommen«, sagte der Kapitän und warf einen Blick über das verlassene Deck. »Ich hoffe, daß sie sich nicht verspäten.«

»Sam ist ja bei ihnen«, sagte der Bootsmann zuversichtlich und ging vor an die Reling. »Auf der *Good Intent* ist noch alles ruhig.«

»Nicht mehr lange«, grinste der Kapitän und spähte über die dazwischenliegende Brigg zum Schiff seines Rivalen hinüber. »Da wird's bald ziemlichen Trubel geben.«

Mit diesen Worten wandte er sich ab und machte eine Runde über Deck, um zu kontrollieren, ob auch alles klar war. Er kehrte gerade zu seinem Bootsmann zurück, als ein schauerliches Gebrüll vom Kai zu ihnen schallte.

»Es überrascht mich, daß Berrow seinen Leuten gestattet, so einen Lärm zu veranstalten«, sagte der Kapitän schalkhaft. »Unsere Leute sind auch da, glaub' ich. Ich kann Sam heraushören.«

»Ich auch«, sagte der Bootsmann mit Betonung.

»Redet ziemlich laut, wie mir scheint«, sagte der Kapitän der *Thistle* stirnrunzelnd.

»Hört sich an, als versuche er zu singen«, sagte der Bootsmann, als ein überladener Kahn schließlich von der Treppe ablegte und langsam auf sie zukam. »Nein, singen tut er nicht. Er schreit.«

Jetzt gab es keinen Zweifel mehr. Der solide und vertrauenswürdige Sam stieß eine Reihe wilder Schreie aus, die dem Indianerhäuptling eines Schmierentheaters zur Ehre gereicht hätten, und war offensichtlich mit irgend etwas äußerst unzufrieden.

»Ahoi, *Thistle*! Ahoi!« brüllte der Fährmann, als er sich dem Schoner näherte.

»Schmeißt uns 'ne Leine runter, schnell!« Das war sein Helfer.

Der Bootsmann warf ihm eine Leine zu, und das Boot kam längsseit. Dann sahen sie, daß der zweite Mann Sam mit Gewalt festhielt, wobei er gottslästerlich fluchte.

»Was hat er getan? Was ist denn los?« fragte der Bootsmann.

»Was er getan hat?« fragte der Fährmann verächtlich. »Er hat nur ein Gläschen Zitronensaft getrunken, und das hat seinen dummen alten Kopf ganz verwirrt. Jetzt spielt er so verrückt, weil er die Kneipe in Brand stecken wollte und daran gehindert wurde. Irgend jemand hat behauptet, daß sie auf die *Good Intent* gehören, aber ich weiß, daß es Ihre Leute sind.«

»Sam!« brüllte der Kapitän, den die Verzweiflung packte, als er die umgesunkenen Gestalten im Boot bemerkte. »Komm sofort an Bord, du besoffener Schandfleck! Hörst du?«

»Ich kann ihn nicht verlassen«, greinte Sam.

»Wen kannst du nicht verlassen?« knurrte der Kapitän.

»Ihn hier«, sagte Sam, indem er seine Arme um den Hals des Fährmanns legte. »Er und ich sind jetzt Brüder.«

»Rauf mit dir, du verrückter Alter!« fauchte der Fährmann, während er sich mühsam aus der Umarmung befreite und Sam zum Fallreep drängte. »Los jetzt, rauf mit dir!«

Von der Schulter des Fährmanns gestützt und den Händen seiner Vorgesetzten gezogen, gelangte Sam an Deck, und der Fährmann wandte sich seinen übrigen Fahrgästen zu, die zufrieden vor sich hin schnarchten.

»Vorwärts!« schrie er. »Kommt hoch, ihr Säcke, hört ihr? Aufwachen! Aufwachen! Gib' ihnen 'nen Tritt in den Hintern, Bill!«

»Hab' ich schon alles versucht, nützt überhaupt nichts«, brummte sein Helfer.

»Was zum Teufel ist mit ihnen los?« tobte der Kapitän der *Thistle*. »Kipp 'ne Pütz Wasser über sie, Joe!«

Joe gehorchte mit Vergnügen, goß aber im Überschwang das meiste über die beiden Fährleute. Die nun einsetzende Schimpfkanonade kümmerte die friedlich schnarchende Mannschaft der *Thistle* ebensowenig wie alle vorigen Bemühungen, und so wurde sie zu guter Letzt wie eine Ladung Kartoffeln über die Seite gehievt, wonach die empörten Fährleute zur Kaitreppe zurückruderten.

»Mit so 'ner Mannschaft soll ich eine Regatta gewinnen!« jammerte der Kapitän, der vor Wut beinahe heulte. »Gieß Wasser über sie, Joe! Gieß Wasser über sie!«

Joe gehorchte willig, bis sich schließlich zur großen Erleichterung des Kapitäns ein Mann rührte, sich mühsam aufsetzte und mit schläfriger Stimme verkündete, daß es wie aus Eimern schütte.

Einen Moment hofften sie, daß er zu sich kommen würde. Aber während Joe noch eine neue Pütz mit Wasser heraufzog, kam der Mann offensichtlich zur Überzeugung, daß er geträumt hatte, legte sich wieder hin und schlief weiter. Im selben Moment tönte der erste Glockenschlag von Big Ben über den Fluß.

»Elf Uhr!« rief der Kapitän erregt.

Es war nur allzu wahr. Noch bevor der letzte Schlag von Big Ben verklungen war, fielen die benachbarten Kirchenglocken eilig ein, und vom Deck der *Good Intent* hörte man hastende Schritte und heisere Befehle herüberschallen.

»Segel setzen!« schrie Tucker wutentbrannt. »Segel setzen! Verdammt noch mal, dann machen wir's eben allein!«

Er rannte nach vorn und heißte mit Unterstützung des Bootsmanns die Vorsegel, lief dann zurück, warf die Leinen los und begann das Großsegel hochzuziehen. Als sie von der *Dolphin* frei waren, hatten sie gerade so viele Segel stehen, daß sie langsam gegen die Flut vorankamen, während vor ihnen die *Good Intent* ein Segel nach dem anderen setzte und zuversichtlich flußabwärts lief.

»Also, das war so«, sagte Sam, als er am nächsten Morgen um sechs Uhr mit seinen Kameraden vor dem grimmigen Kapitän Tucker stand. »In die *Town o'Berwick*, wo wir saßen, kam ein so höflicher kleiner Kerl herein, wie man ihn sich netter nicht vorstellen kann. Er sagte, er hätte sich gerade die *Good Intent* betrachtet. Sie wäre wohl das hübscheste kleine Schiff, das er je gesehen hätte, und ganz genauso wie das, welches sein lieber Bruder, der Missionar, besitze. Es wäre ihm eine Ehre, jedem einzelnen ihrer Mannschaft einen Drink auszugeben. Natürlich sagten wir sofort, daß wir die Crew wären, und alles, woran ich mich danach erinnern kann ist, daß zwei Polizisten und ein kleiner Junge mich mit dem Gesicht nach unten hängend an Armen und Beinen fortschleppten. Später goß mir irgend jemand eimerweise Wasser über den Kopf. Es ist schon scheußlich, auf diese Weise eine Regatta zu verlieren, von der wir allerdings gar nichts wußten. Aber unsere Schuld war's nicht. Ganz gewiß nicht. Ich glaube, der kleine Mann war selber so eine Art Missionar und wollte uns bekehren, aber vom Alkohol. Wenn der Bootsmann jetzt meint, hysterisch werden zu müssen, dann soll er, aber es war genauso, wie ich sage. Jedes Wort stimmt. Wenn Sie im Wirtshaus nachfragen, wird man es Ihnen bestätigen.«

Originaltitel: Outsailed

C. J. Cutcliffe Hyne

Der Passagierdampfer und der Eisberg

Ein Captain-Kettle-Abenteuer

Es ist kaum denkbar, daß in einer Diskussion über Seemannsgeschichten der Name des jähzornigen Kapitäns Owen Kettle unerwähnt bliebe, eines harten und gelegentlich rücksichtslosen Mannes, dem es aber immer irgendwie gelingt, auch der unmöglichsten Situation noch etwas Lustiges abzugewinnen. Dieser Kapitän ist eine sehr ungewöhnliche Erscheinung in der nautischen Literatur, und es überrascht mich, daß seine Abenteuer nicht größere Verbreitung fanden. Lassen Sie mich versuchen, dieses Versäumnis in meiner Sammlung ein wenig zu korrigieren. Der geistige Vater dieses drahtigen kleinen Kapitäns war Charles John Cutcliffe Hyne (1865–1944), der aus dem Norden Englands stammte, in Cambridge studierte und dann, von der Wanderlust gepackt, viele Jahre lang die Welt zu Wasser und zu Land bereiste, bevor er sich schließlich in Yorkshire niederließ, um seine Erlebnisse als Abenteuergeschichten niederzuschreiben.

Die Figur des Captain Kettle, die einem schottischen Seemann nachempfunden war, den Cutcliffe Hyne in Südamerika kennengelernt hatte, trat zum ersten Mal 1897 in dem wöchentlich erscheinenden Pearson's Magazine *ans Licht der Öffentlichkeit. Kettle wurde bei den Lesern gleich so beliebt, daß sich der Autor gezwungen sah, die ursprünglich nur für ein einziges Buch geplanten Episoden fortzusetzen. In den folgenden Jahren schrieb er über die vielen Abenteuer, die der Kapitän in aller Welt erlebte, und kam schließlich auf über ein Dutzend Bände mit Kurzgeschichten. Ich habe hieraus eine Geschichte ausgewählt, in der erzählt wird, was dem Kapitän passierte, als er, der bislang nur Frachter gefahren hatte, das Kommando über einen Passagierdampfer erhielt, als er in ein Komplott der Fenier* verwickelt*

---

* 1858 in Amerika gegründeter, irisch-republikanischer Bund gegen die englische Herrschaft in Irland (Anm. d. Übers.)

wurde und sich mit einem Eisberg anlegte. Wenn das Ihren Appetit nicht anregt, dann weiß ich auch nicht...

Captain Kettle dankte Carnforth dafür, daß er ihm das Kommando über den auf der Atlantikroute verkehrenden Passagierdampfer *Armenia* verschafft hatte. »Aber«, fuhr er fort, »Qualifikation zählt doch heute herzlich wenig. Das persönliche Interesse eines einflußreichen Mannes ist es, was einen Kapitän voranbringt. Jawohl, Mr. Carnforth, persönliches Interesse und Glück. Qualifikationen hab' ich mehr als genug, und Sie wissen genausogut wie ich, wieviel sie mir genützt haben. Aber Sie sind ein reicher Mann und Abgeordneter; Sie haben ein persönliches Interesse an mir; also legen Sie beim Reeder ein gutes Wort für mich ein, und schon ist die Sache gelaufen.«

»Nun, ich hoffe, daß Sie hier Karriere machen«, sagte Carnforth. »Die *Armenia* ist zwar das langsamste und älteste Schiff auf dieser Route, aber das beste, was ich bei der Firma für Sie rausschlagen konnte. Sie wechselt ihre Kapitäne nur selten, und bei Beförderungen geht es strikt nach dem Dienstalter. Sie fangen also ganz unten an, Kettle, doch es liegt an Ihnen, wie es weitergeht. Ich sähe Sie sehr gern als Kommodore der Reedereiflotte, aber den Aufstieg müssen Sie ganz allein schaffen. Ich habe alles getan, was ich konnte.«

»Sie haben mehr für mich getan, Sir, als irgend jemand zuvor. Glauben Sie mir, ich werde Ihnen das nie vergessen und mein Bestes geben. Ich bin ein verheirateter Mann, Mr. Carnforth, und habe Kinder, an die ich immer denken muß; und ich weiß auch, wie es ist, all die jämmerlichen Jobs zu erledigen, die ein vom Glück vergessener Schiffsführer annehmen muß, wenn er die Seinen nicht hungern lassen will. Das einzige, was mir jetzt noch Angst machen könnte, ist das Schicksal. Aber darüber hab' ich keine Macht und Sie auch nicht. Ich schätze, daß Gott sich die Verteilung der glücklichen und unglücklichen Fügungen selbst vorbehalten hat und dabei so vorgeht, wie Er es für richtig hält. Wir bekommen immer das, was für unser Seelenheil am besten ist.«

Nun war das Dampfschiff *Armenia* im atlantischen Linienverkehr zwar sehr bekannt, genoß aber keine besondere Wertschätzung. Zu ihrer Zeit war sie ein ausgesprochen schnelles Schiff gewesen und hatte sogar einen Rekord aufgestellt; aber ihre Glanzzeit war lange vorüber. Schiffbau und Schiffsmaschinenbau entwickelten sich ständig weiter, und kamen dann noch die Konkurrenz und der Drang der

Geschäfte hinzu, wurden die älteren Schiffe von schnelleren und wirtschaftlicheren bald in den Schatten gestellt.

So rauschte die *Armenia* schon lange nicht mehr mit Höchstgeschwindigkeit über den Atlantik, während die Männer der »schwarzen Gang« Kohle in die Kessel schaufelten, als spiele ihr Preis keine Rolle. Die Reederei hatte jetzt neuere und schnellere Schiffe, die luxuriöser waren und den Passagieren mehr Prestige brachten, da ihre Reisen ausführlich in den Zeitungen kommentiert wurden. Außerdem war die Fahrzeit der *Armenia* zwischen den einzelnen Häfen im Interesse eines wirtschaftlicheren Kohleverbrauchs verlängert und ihre Ausstattung entsprechend vereinfacht worden. In den Anzeigen konnte man lesen, daß Kabinen 1. Klasse von Liverpool nach New York schon ab £ 11 zu haben seien. Sparsame Leute, die diese Tickets in der freudigen Erwartung kauften, nun in einem der luxuriösen Musikdampfer über den Ozean zu fahren, fanden sich gewöhnlich in Innenkabinen der *Armenia* wieder.

Doch eine bestimmte Sorte Passagiere schien sich zu ihr besonders hingezogen zu fühlen. Auf Fahrten nach den USA war sie nämlich das beliebteste Schiff für Missionare der Mormonen und ihre frischbekehrten Schäfchen. Die »Heiligen der Letzten Tage« selbst reisten 1. Klasse und legten ein sehr unerfreuliches Benehmen an den Tag; ihre Frauen waren in der 2. Klasse untergebracht, und die Masse der Bekehrten – Polen, Slawen, Armenier und andere Schreihälse – lagen in dumpfen Massenquartieren tief unten im Bauch des Schiffes und bekamen, was sie für den Preis von £ 3–10 erwarten konnten.

Außer den Mormonen (von denen sie sich fernhielten, als hätten sie die Pest) gab es noch einige kultivierte Passagiere, die mit der *Armenia* reisten, entweder weil sie an ihren Geldbeutel dachten oder weil es ihnen auf ein paar zusätzliche Seetage nicht ankam und sie deren ruhiges Bordleben der Betriebsamkeit, dem Lärm und dem protzigen Gehabe der populäreren Schnelldampfer vorzogen.

Dieser merkwürdigen Versammlung nun als Oberhaupt vorzustehen, hatten das Schicksal und Mr. Carnforth also Captain Owen Kettle ausersehen. Zunächst fand er seine Position recht verwirrend und seltsam. Er war siebenunddreißig Jahre alt und fuhr zum ersten Mal in seinem Leben als Offizier auf einem Passagierschiff. Die ganze Bordroutine war ihm fremd. Selbst die Matrosen waren nicht von der Art, die er bisher kennengelernt hatte; sie taten, was man ihnen befahl, schnell und kompetent und machten nicht den Eindruck, als wollten sie jeden Moment in offene Meuterei ausbrechen. Auch kam er zum ersten Mal, und das war für ihn vielleicht das Verblüffendste, mit einem Wesen in Berührung – in der Person eines gewissen Mr. Reginald Horrocks –, das Zahlmeister genannt wurde und dessen Machtbefugnisse und Position an Bord ihn mit erheblichem Mißtrauen erfüllten.

Es war dieser Mr. Horrocks, der ihn an Bord willkommen hieß, und beide musterten sich bei der Begegnung eindringlich. Kettle war mißtrauisch, brüsk und geneigt, seinen Rang voll auszuspielen. Aber der Zahlmeister war ein Mann von Welt und darüber hinaus auch von Berufs wegen höflich und bestrebt, sich der Wünsche anderer anzunehmen. Er rühmte sich, daß er auch den aufgebrachtesten Passagier innerhalb von zehn Minuten zu besänftigen vermochte, und war entschlossen, mit dem neuen Kapitän auf gutem Fuß zu stehen. Mr. Horrocks war zu Beginn seiner Karriere unter einem Kapitän gefahren, mit dem es dauernd Reibereien gegeben hatte, und er wollte diese Erfahrung auf keinen Fall wiederholen.

Aber Kettle war von Natur aus ein Autokrat und konnte sich nicht sofort an die neue Situation gewöhnen. Die *Armenia* lag am Verladekai, vibrierend vom Lärm der Schauerleute, als der neue Kapitän ihr seinen Antrittsbesuch machte. Horrocks empfing ihn wortreich und freundlich, und sie spazierten zusammen von achtern nach vorn und von oben nach unten, vom ölig-feuchten Wellentunnel bis zu dem Loch, in dem die Stewards hausten. Der Zahlmeister selbst war die Freundlichkeit in Person, aber Kettle gefiel sein Ton nicht. Als sie schließlich ihren Rundgang beendet hatten und zusammen ins Kartenhaus auf der unteren Brücke traten, wandte sich der kleine Kapitän um, sah dem anderen ins Gesicht und ließ ihn mit Nachdruck wissen, worauf's ihm ankam.

»Denken Sie bitte immer daran, daß *ich* der Kapitän auf diesem Pott bin«, sagte er.

»Natürlich liegt jede Entscheidung bei Ihnen, Sir«, sagte Horrocks beflissen. »Mir und meinen Leuten obliegt die Betreuung der Passagiere als Ihr Stellvertreter sowie die Entgegennahme des Proviants vom Leitenden Zahlmeister an Land. Selbstverständlich werde ich alles nach Ihren Weisungen erledigen.«

»Oh«, sagte Kettle, »dabei lasse ich Ihnen freie Hand. Ich muß gestehen, daß ich von diesem ganzen Hotelkram nicht viel Ahnung habe. Bis jetzt habe ich nämlich nur Frachter gefahren.«

»Nun ja, Käpt'n, die Arbeit eines Zahlmeisters ist natürlich ein Beruf für sich. Sie werden bisher eben keine Gelegenheit gehabt haben, sich damit vertraut zu machen. Es wird wohl das beste sein, wenn ich fürs erste so verfahre wie bisher. Wenn Sie irgendeine Sache geändert haben wollen, sagen Sie's mir, und ich werde dafür sorgen, daß es sofort geschieht. Dafür bin ich da: um Wünsche auszuführen. Und noch etwas, Käp'n: Ich kenne meine Grenzen. Meine Pflicht ist, Ihnen zu helfen.«

Captain Kettle läutete nach dem Steward. »Zahlmeister«, sagte er, »wir werden gut miteinander auskommen. Das hoffe ich wenigstens, denn so wäre es am angenehmsten.«

Es klopfte, und ein barhäuptiger Mann in kurzer Messejacke trat ins Kartenhaus. »Steward, bringen Sie mir eine Flasche Whisky. Schreiben Sie meinen Namen drauf und stellen Sie sie in das Bord dort drüben; bringen Sie auch Wasser und zwei Gläser. Nehmen Sie einen Drink mit mir, Zahlmeister?«

»Ich trinke auf immer volle Laderäume«, sagte Kettle, als der Whisky eingeschenkt war.

»Auf viele Passagiere, und daß es ein glückhaftes Schiff sein möge«, sagte der Zahlmeister.

Aber wenn Mr. Horrocks höflich und unterwürfig redete, so geschah das nur, weil er die Kunst beherrschte, nur Dinge zu sagen, die ihm von Nutzen waren. Seine wahren Ansichten hob er für Gelegenheiten auf, die ihm geeigneter schienen. Als er abends in seinem kleinen Haus in New Brighton mit seiner Frau beim Tee saß, meinte er zu ihr, daß der neue Kapitän doch sehr zu wünschen übriglasse. »Das ist schon ein ungehobelter Klotz, den sie sich da eingefangen haben«, sagte er. »Ein Bursche, der sein ganzes Leben auf Frachtern gefahren ist, nie mit einer Serviette in Berührung kam und auch nicht die geringste Ahnung hat, was er mit dem Geld anfangen soll, das ihm für die Unterhaltung der Passagiere zur Verfügung gestellt wurde.«

»Sag's doch der Reederei«, schlug Mrs. Horrocks vor.

»Lieber nicht. Zumindest nicht gleich. Er ist neu, deshalb haben sie noch eine gute Meinung von ihm. Ich will mich nicht unbeliebt machen, indem ich mich zu früh beschwere. Man braucht diesen neuen Alten nur gehen zu lassen, dann wird er schon ganz allein in sein Unglück rennen.«

»Wie der vorige?«

»Oh, dieser ist noch schlimmer. Jetzt tut's mir fast leid, daß ich unserem letzten Alten zur Entlassung verholfen habe. Er war eigentlich ganz in Ordnung, solange sich meine Nebeneinkünfte in Grenzen hielten. Aber bei dem Neuen bezweifle ich stark, ob er überhaupt versteht, daß ich ein Recht auf Nebeneinkünfte habe.«

»Aber«, sagte Mrs. Horrocks, »du bist doch der Zahlmeister! Wovon sollst du denn leben? Er muß doch wissen, daß dein Gehalt nicht ausreicht.«

»Na ja, er schien nicht mal zu wissen, was ein Zahlmeister ist. Und als ich versuchte, es ihm zu erklären, knurrte er nur, daß *er* der Kapitän auf diesem verdammten Schiff sei.«

»Und dann?«

Mr. Horrocks zuckte die Achseln. »Ich hab' ihm natürlich sofort zugestimmt. Es ist besser, einem Narren in seiner Position zu schmeicheln, als ihm zu widersprechen. Er glaubt, weil er ein guter Seemann ist – und das stimmt wahrscheinlich sogar –, wär' er auch in der Lage, einen Passagierdampfer zu führen. Aber da hat er noch eine Menge zu lernen, und ich bin der Mann, der's ihm beibringen wird.«

Das Ärgerliche war nicht nur, daß dieser Erziehungsprozeß sofort begann, sondern daß er Captain Kettle auch keineswegs verborgen blieb. Nie zuvor hatte jemand, der unter seinem Befehl stand, es gewagt, seine heiligsten Prinzipien in Frage zu stellen, und war damit durchgekommen. Dieser freundliche Zahlmeister dagegen war nicht zu packen und ließ sich unmöglich auf irgendeinem Fehlverhalten festnageln. Wenn er einen Vorschlag machte und Captain Kettle etwas dagegen hatte, blieb er ausgesucht höflich und gab sofort nach.

»Gewiß, Sir«, pflegte er dann zu sagen. »Sie sind der Kapitän dieses Schiffes, wie Sie ganz richtig bemerken. Ich bin nur der Zahlmeister und weiß, was einem Mann in meiner Stellung geziemt.« Anschließend rächte er sich jedoch immer auf eine so subtile Weise, daß Captain Kettle nichts dagegen unternehmen konnte.

Im Speisesaal 1. Klasse gab es drei lange Tische, an deren oberem Ende jeweils der Kapitän, der Zahlmeister und der Schiffsarzt saßen. Wenn die Passagiere in Liverpool oder New York an Bord kamen, war es Mr. Horrocks, der ihnen die Plätze zuwies. Er verfügte über eine gute Menschenkenntnis, dieser Zahlmeister, und konnte aufgrund seiner langen Erfahrung einen Gesprächspartner sofort richtig einschätzen. Er kannte natürlich auch Captain Kettles Neigungen und wußte, wo seine Grenzen lagen; wenn dieser schreckliche Barbar ihm Ungelegenheiten bereitet hatte, bestrafte er ihn für die Dauer der nächsten Reise mit Tischgenossen, die ihn garantiert in den Dauerzustand mühsam gebändigter Raserei versetzten. Das war ganz leicht zu bewerkstelligen und geschickt durchgeführt eine Folter, gegen die sich Kettle nicht zur Wehr setzen konnte.

Nun muß hier ohne Umschweife eingeräumt werden, daß Captain Kettle mit der Gabe der Konversation nicht gerade gesegnet war. Seine ganze Situation war ihm neu und fremd. Bislang hatte er nur Frachter auf Trampfahrt befehligt, die gelegentlich einen Passagier mitnahmen. Bei Tisch wurde dort ausschließlich über nautische Dinge geredet, wenn man nicht, was weit häufiger geschah, in finsterem Schweigen verharrte.

Doch auf diesem durch das Meer dampfenden Hotel fand er sich plötzlich als gesellschaftlicher Mittelpunkt wieder, zu dem jedermann erwartungsvoll aufsah.

Seine eigenen Erlebnisse und Abenteuer gab er nicht preis; er hielt sie für allzu banal und konnte sich nicht vorstellen, daß sich jemand für sie interessierte. Seine Fähigkeit, dem Akkordeon liebliche Weisen zu entlocken, blieb der Umwelt ebenfalls verborgen. Bei diesen anspruchsvollen Passagieren schien ihm das Akkordeon irgendwie nicht ganz am Platz.

Seine einzige vornehme Neigung war, wie er meinte, sein Sinn für Poesie, aber er ließ sich nur ein einziges Mal dazu verleiten, diese Tatsache zu erwähnen. Das geschah auf der Heimreise mitten auf dem Atlantik, und die Gespräche waren wieder einmal versiegt. Vom Tisch des Zahlmeisters und des Schiffsarztes drang angeregte Unterhaltung herüber; an Kettles Tisch war man in gelangweiltes Schweigen versunken. Verzweifelt nach Gesprächsstoff suchend, kam er auf ein Thema zu sprechen, das ihm heilig war.

Alle Passagiere in Hörweite waren plötzlich ganz Ohr; er bemerkte es sofort, obwohl er aus dieser Reaktion einen völlig falschen Schluß zog. Die Männer in seiner Nähe – es handelte sich in der Mehrzahl um Amerikaner – glaubten nämlich, daß die ganze Sache als Witz gedacht war. Es kam ihnen überhaupt nicht in den Sinn, daß dieser sauertöpfische kleine Seemann die sentimentalen Reime, die er ihnen da vortrug, wirklich selbst verfaßt hatte. Als ihnen klar wurde, daß es sich keineswegs um einen Witz handelte, sondern daß der Mann mit feierlichem Ernst bei der Sache war, riß die Komik der Situation sie mit fort wie eine Woge. Der ganze Tisch wieherte, von einem unwiderstehlichen Lachzwang gepackt.

Captain Kettle wurde sofort klar, daß er sich zum Gespött seiner Passagiere gemacht hatte, und er preßte sich gegen die Lehne seines Sessels, als wolle er Kraft zum Sprung sammeln.

In seiner ersten Wut hätte er die ganze Bande mit dem größten Vergnügen erschießen können. Aber erstens war er nicht bewaffnet, und zweitens handelte es sich schließlich um zahlende Passagiere; außerdem versagte das Gelächter nach dem ersten unbezähmbaren Ausbruch sehr schnell. Nacheinander richteten sich die Blicke der Tischgäste auf das grimmige, wutverzerrte kleine Gesicht am oberen Ende der Tafel, und die Heiterkeit erstarb. Unbehagliches Schweigen herrschte bis zum Ende der Mahlzeit.

In der Folgezeit wurde dieses Schweigen am oberen Ende des Kapitänstisches kaum jemals gebrochen, und das blieb so bis zum Ende der Reise. Jeder, der das Wort ergriff, spürte, wie sich der durchdringende Blick des Kapitäns auf ihn richtete, und verstummte bald darauf. Auch für Passagiere ist der Kapitän eine Respektsperson, und dieser hier sah nicht so aus, als könne man sich mit ihm noch irgendwelche Freiheiten herausnehmen.

Irgendwie wurde dieses Vorkommnis der Reederei hinterbracht, und Captain Kettle bekam einen freundlichen Hinweis, daß Szenen dieser Art künftig zu vermeiden seien.

»Ich weiß recht gut, daß Passagiere manchmal schwierig zu behandeln sind«, sagte der Reeder, »aber wir leben davon, sie zu befördern, und können es uns nicht leisten, daß unsere Schiffe an Beliebtheit verlieren. Sie sollten taktvoller sein, mein Bester. Takt – das ist es, was Ihnen fehlt. Laden Sie sie zu einem Glas Champagner ein, dafür bekommen Sie ja Ihre Aufwandsentschädigung, dann werden die Passagiere Sie ebenfalls zu einem Glas einladen und größere Rechnungen beim Weinsteward machen. Das alles bringt uns Profit, Käpt'n, auf diese Weise müssen Sie dazu beitragen, gutes Geld reinzuholen. Die Zeiten, da Sie sich darum kümmern mußten, Fracht für Ihr Schiff aufzutreiben, sind vorbei. Ihre Aufgabe ist es jetzt, den Passagieren Amüsement und Komfort zu bieten, damit sie an Bord eine Menge Geld ausgeben und bei der nächsten Reise wiederkommen. Kapiert?«

Der Kapitän der *Armenia* hörte gut zu und beschloß zu tun, was man von ihm verlangte. doch obwohl ich mich zu seinen Bewunderern zähle, kann ich nicht behaupten, daß es ihm gelang. Um der Wahrheit die Ehre zu geben: Man hätte keinen weniger geeigneten Mann auf allen sieben Meeren für diesen Posten auftreiben können.

Aber wie sich die Dinge entwickelten, wurde gar keine Selbstverleugnung mehr von ihm verlangt. Sein Glück verließ ihn, das Schicksal schlug ihn erbarmungslos. Er verlor sein Schiff und wurde arbeitslos.

Gleichzeitig sah er sich, was die Sache noch schlimmer machte, einer großen Versuchung ausgesetzt.

Die schicksalhafte Reise sollte von New York nach England zurück führen. Es war noch in der kalten Vorfrühlingszeit, in der Buchungen spärlich sind. Am Tag vor dem Auslaufen lag plötzlich ein Brief auf dem Kartenhaustisch, adressiert an Captain Kettle, *SS Armenia*. Niemand schien zu wissen, wie er dort hingekommen war, aber bei der Menge von Schauerleuten und anderen Arbeitern war es für einen geschickten Mann ein leichtes, ihn unbemerkt an Bord zu deponieren. Der Brief war mit der Maschine geschrieben, trug als Absender den Namen einer finsteren Kneipe in der Bowery und lautete wie folgt:

Mit etwas Mut und ohne große Mühe können Sie $ 50 000 (£ 10 000) verdienen. Wenn Sie interessiert sind, kommen Sie her und fragen Sie den Barmixer nach einem Fünf-Dollar-Cocktail; er wird Sie dann weiterschicken. Wenn Sie Angst haben, bleiben Sie, wo Sie sind, denn für Angsthasen haben wir keine Verwendung. Wir können leicht jemand anderen auftreiben, der mehr Mumm hat.

Der kleine Kapitän grübelte eine gute Stunde über diesem seltsamen Dokument. Irgendeine Schmuggelgeschichte, dachte er zunächst, doch sprach die Höhe der Summe dagegen; dann war er geneigt, die ganze Geschichte als einen schlechten Scherz abzutun oder als Vorwand, um ihn auszurauben, da sich die Kneipe im berüchtigtsten Teil New Yorks befand. Wie ich glaube, war es der letzte Satz und die Aussicht auf eine handfeste Prügelei, die ihn schließlich bewogen, hinzugehen.

Als der Abend gekommen war, machte er sich auf und fand nach einigem Suchen die heruntergekommene Spelunke, die ihm genannt worden war.

Der hemdsärmelige Barmixer schob seine Zigarre in den Mundwinkel. »Na, Mister, was soll's denn sein?«

»Sie halten sich 'ne Menge auf Ihre Fünf-Dollar-Cocktails zugute, stimmt's?«

Der Mann senkte die Stimme. »Sind Sie vielleicht Captain Cuttle?«

»Kettle, verdammt noch mal!«

»Auch recht. Geh'n Sie durch die Tür da hinten und dann die Treppe hoch.«

Kapitän Kettle klopfte auf seine Jackentasche, die, wie deutlich zu erkennen war, von einem Revolver ausgebeult wurde. »Wenn jemand glaubt, er könnte mit mir Schlitten fahren, dann bedaure ich ihn jetzt schon.«

Der Mixer zuckte die Schultern. »Kann's Ihnen nicht verdenken, daß Sie 'n Ballermann mitgebracht haben, Boß. Eine Kanone kommt einem hier oft zustatten. Aber die Leute, die Sie erwarten, sind reell.«

»Na schön«, sagte Kettle. »Dann wollen wir mal sehen, worum's geht.« Er stieg mit schnellen Schritten die Treppe hinauf.

Oben gelangte er in ein schäbig möbliertes Zimmer, in das durch ein schmutziges Fenster kaum Licht fiel. Niemand war da, um ihn zu empfangen, und so machte er sich bemerkbar, indem er laut auf den Tisch trommelte.

Unmittelbar darauf fragte eine Stimme: »Würden Sie bitte die Tür schließen?«

Nun war Kettle gewiß kein schreckhafter Mann, aber in diesem Moment fuhr er doch zusammen. Er befand sich im finstersten Elendsviertel New Yorks. Bis auf einen wackligen Tisch und zwei ramponierte Stühle war der Raum völlig leer. Aber die Stimme klang so nahe, als stünde ein Unsichtbarer neben ihm.

Instinktiv griff er nach dem Revolver in seiner Tasche.

Er drehte sich einmal um sich selbst und vergewisserte sich, daß niemand anderer im Raum war. Er trat sogar mit dem Fuß ein paarmal unter den Tisch, aber auch dort war nichts. Dann hörte er wieder die Stimme, die in irisch gefärbtem Amerikanisch zu ihm sprach: »Sie müssen schon entschuldigen, Käpt'n, daß ich mich hinter einer Mauer verberge, aber ich habe an meine Gesundheit zu denken. Außerdem läßt sich unser Geschäft auf diese Weise am sichersten erledigen.«

Das grimmige Gesicht des kleinen Kapitäns entspannte sich etwas. Er hatte das trichterförmige Ende eines Sprachrohrs entdeckt, welches mit der gegenüberliegenden Wand bündig abschloß.

»Aha«, sagte er, »ein Sprachrohr. Dann haben Sie also etwas zu sagen, für das Sie sich schämen müssen.«

»Im Gegenteil, ich bin stolz darauf. Ein Patriot schämt sich nie, wenn es um seine Ideale geht.«

»Kommen Sie zur Sache«, sagte Kettle. »Ich hab' wenig Zeit, und Ihr Sprechzimmer ist nicht gerade einladend.«

»Es geht nur um eine kleine Beseitigung, mit der wir Sie betrauen möchten, Käpt'n. Sie haben doch einen gewissen Mr. Grimshaw auf Ihrer Passagierliste, der eine Passage nach Liverpool gebucht hat.«

»Hab' ich das?«

»Ja, Sie haben. Er ist ein hohes Tier in der britischen Regierung.«

»Angenommen, Sie haben recht, was dann?«

»Er war hier wegen einer Untersuchung und hat mehr rausbekommen, als ihm guttut. Morgen fährt er mit der *Armenia* zurück, und wenn Sie es so einrichten können, daß er – nun ja – drüben nicht ankommt, haben Sie ausgesorgt.«

Captain Kettles Gesicht erstarrte. Er war drauf und dran eine scharfe Erwiderung zu geben, riß sich jedoch zusammen und fragte statt dessen: »Wieviel?«

»Das wissen Sie doch: 50000 Dollar oder rund 10000 englische Pfund.«

»Wie kann ich sicher sein, daß ich das Geld bekomme?«

Die Antwort überraschte ihn. »Sie können es sofort mitnehmen,« sagte die Stimme.

»Aber wenn ich's erst in der Tasche habe, wie können Sie dann sicher sein, daß ich diesen Grimshaw auch wirklich über Bord gehen lasse? Denn darauf läuft's doch wohl hinaus.«

Sein unsichtbares Gegenüber lachte glucksend. »Wir haben überall unsere Leute, Käpt'n. Wir würden Sie ohne viel Federlesen aus dem Weg räumen, wenn Sie versuchen sollten, uns aufs Kreuz zu legen.«

»Oh, würden Sie das?« fauchte Kettle. »Ich bin schon mit einigen üblen Kerlen aneinandergeraten und erfreue mich im Gegensatz zu ihnen immer noch bester Gesundheit. Es würde mir absolut nichts ausmachen, es mit Ihrer verdammten Bande aufzunehmen. Aber hüten Sie sich, Sie irischer Mistkerl! Sie haben sich den Falschen ausgesucht, Sie feiges Schwein! Sie Jammerlappen hinter der Mauer! Kommen Sie raus und sagen Sie, was Sie zu sagen haben. Ich werde keine Hand gegen Sie erheben, sondern Ihnen nur einen Tritt geben, der Ihnen das Rückgrat durch den Hut treibt. Sie wagen es, mir einen Mord anzutragen, Sie elender Lump?«

Captain Kettles Beredsamkeit zeitigte unerwartete Wirkung: Die Stimme aus dem Sprachrohr lachte. Da legte der Kapitän von neuem los und ließ sich eingehend über die Vorfahren des Unsichtbaren aus, väterlicher- wie mütterlicherseits. Danach kam er auf dessen intime Gewohnheiten und seine wahrscheinliche Zukunft zu sprechen. Er hatte sich im Lauf seiner Fahrenszeit einen beträchtlichen Wortschatz angeeignet, den er wegen seiner Passagiere lange hatte unter Verschluß halten müssen. Nun tat es ihm außerordentlich gut, seiner Zunge endlich wieder freien Lauf zu lassen. Er hatte das stolze Gefühl, daß jeder seiner Sätze wie ein Peitschenhieb saß.

Aber der Unsichtbare schien ein dickes Fell zu haben. »Lassen Sie ruhig Dampf ab, Käpt'n«, sagte er. »Nehmen Sie nur keine Rücksicht auf mich.«

Deprimiert ließ Kettle den Blick durch den leeren Raum schweifen. »Sie mieser Hund!« sagte er. »Eine Wachsfigur hat mehr Leben als Sie.«

»Mag schon sein, Käpt'n«, sagte die Stimme mit dem irischen Akzent, »mag schon sein. Ich existiere auch gar nicht wirklich. Ich bin nur ein Name, den Ihre abscheulichen englischen Zeitungen nennen, wenn sie über mich herziehen. Aber ich kann zuschlagen, wie Sie erfahren haben, und ich kann Schecks ausstellen, wovon Sie sich selbst überzeugen können. Ihr Geld wartet auf Sie, wenn Sie sich entschließen, den Spion Grimshaw zwischen hier und Liverpool verschwinden zu lassen. Wir sind finanziell gut gepolstert, und ob Sie das Geld kriegen oder jemand anderer, spielt keine Rolle. Ausgegeben wird es, so oder so.«

»Ich würde viel drum geben, wenn ich Ihnen jetzt den Hals umdrehen könnte«, sagte Kettle und klopfte gegen die Wand, um ihre Stärke zu prüfen.

»Sie langweilen mich«, sagte die Stimme. »Warum geben Sie's nicht auf? Sie kommen ja doch nicht an mich ran. Selbst wenn Sie die ganze Polizei von New York auf mich hetzen, nützt Ihnen das nichts. Die Polizisten in dieser Stadt wissen genau, woher sie kommen und was für sie von Vorteil ist. Ich bin der Kumpel mit dem Scheckbuch, Freund.«

»Hier stinkt's«, sagte Kettle. »Wie's aussieht, kann ich Sie aus Ihrer Kloake doch nicht rausholen, und wenn ich mich noch länger Ihrem fauligen Atem aussetze, muß ich fürchten, mich zu vergiften. Wofür ich Ihre Mutter halte, hab' ich Ihnen ja schon gesagt. Vergessen Sie's nicht.« Mit diesen Worten marschierte der kleine bärtige Seemann aus dem Zimmer, stampfte die Treppe hinunter und auf die Straße. Er hatte keine besondere Lust, zur Polizei zu gehen, deshalb fuhr er mit der Straßenbahn zum East River und bestieg dort eine Fähre, die ihn zu seinem Schiff brachte.

Inzwischen war es zwei Uhr morgens, und unter dem hellen Schein der Bogenlampen war das Beladen der *Armenia* noch in vollem Gange. Aber Lärm machte Kettle nicht viel aus, und selbst das Erlebnis von eben konnte ihm nicht seinen Schlaf rauben. Der Kapitän eines Passagierdampfers auf dem Atlantik findet herzlich wenig Ruhe, wenn er erst unterwegs ist, also versuchte er, vor dem Auslaufen noch soviel Schlaf zu kriegen wie möglich.

Wie es der Zufall wollte, erregte Mr. Grimshaw schon beim Auslaufen Kapitän Kettles Aufmerksamkeit. Als das Schiff mit Hilfe eines Schleppers den Hafen verließ, versuchte ein Passagier sich am Ersten Offizier vorbeizudrängen, der am Fuß des Brückenaufgangs stand. Der Offizier wollte ihn zurückhalten, aber der Passagier ließ sich nichts sagen und stieg schließlich die Treppe hinauf. Oben wurde er von Kapitän Kettle empfangen.

»Nun, was gibt's, Sir?« fragte dieser.

»Ich will mir ansehen, wie Sie den Dampfer in die Bucht manövrieren, Käpt'n.«

»So, wollen Sie das?« fragte Kettle bissig. »Sind Sie vielleicht der Kaiser von China?«

»Ich bin Mr. Robert Grimshaw.«

»Das ist mir egal – jedenfalls sind Sie nicht Kapitän auf diesem Schiff. Scheren Sie sich also gefälligst von der Brücke, sonst lass' ich Ihnen Beine machen. Und den Ersten werde ich wegen Vernachlässigung seiner Pflichten ins Logbuch eintragen.«

Grimshaw wandte sich um und stieg mit hochrotem Kopf den Niedergang hinunter. »Das werde ich mir merken, Käpt'n«, sagte er über die Schulter. »Ich habe ziemlichen Einfluß bei Ihrer Reederei und werde keineswegs versäumen, ihn geltend zu machen.«

Zu allem Überfluß hatte Captain Kettle die Nebeneinkünfte seines Zahlmeisters in New York rigoroser beschnitten als sonst, und dieser ehrenwerte Mann dürstete nach Rache. Da kam ihm Grimshaw gerade recht. Er hatte ihn auf den ersten Blick ziemlich richtig eingeschätzt und war sicher, daß acht Tage seiner Konversation den Kapitän an den Rand eines Tobsuchtsanfalls bringen würden. Folglich gab er dem Regierungskommissar einen Ehrenplatz am Kapitänstisch und genoß schon im voraus das süße Gefühl der Rache, wenn er sich vorstellte, was bei dieser brisanten Mischung herauskommen würde.

Kapitän Kettle brachte sein Schiff aus der Bucht, und als er die Barre hinter sich hatte, ging er zum Essen nach unten. Horrocks fing ihn vor dem Speisesalon ab und flüsterte ihm zu: »Mr. Grimshaw sitzt zu Ihrer Rechten, Sir. Ich mußte ihn dahinsetzen. Er ist irgendein hohes Tier von der Regierung und war in New York, um über die irischen Rebellen Nachforschungen anzustellen.«

Kettle nickte kurz und begab sich an seinen Platz. Das Mahl begann, und Mr. Grimshaw erwähnte ihren kürzlichen Streit mit keinem Wort. Trotzdem war er entschlossen, es dem Kapitän heimzuzahlen, und seine Vergeltung ließ nicht lange auf sich warten. In London galt er als überheblich, denn er beherrschte die Kunst, jemanden mit Höflichkeiten zu beleidigen. Er war außerordentlich wortgewandt und wurde nie ausfallend.

Der arme Kettle wußte hinterher nicht mehr, wie er das Mahl überstanden hatte. Gegen diese geschliffenen Attacken konnte er sich nicht verteidigen. Ihm wurde keine Chance gelassen, etwas zu erwidern, und jeder Hieb des Gegners saß. Mit schweißbedecktem Gesicht verließ er den Tisch und hoffte inständig, die *Armenia* möge bis zur Ankunft in England unter Schlechtwetter zu leiden haben, damit er gezwungen war, die nächsten sieben oder acht Tage in der Abgeschiedenheit seiner Brücke zu verbringen.

Begleitet vom tiefen, melancholischen Heulen des Nebelhorns dampfte die *Armenia* durch die Nacht. Denn Nebel lag über dem Atlantik, und der Brückentelegraph stand auf halbe Fahrt voraus, wie unter diesen Umständen vorgeschrieben. Der Maschinenraum hatte jedoch wie üblich seine Anweisungen und hielt die normale Geschwindigkeit aufrecht.

Auf der Back glotzten vier Ausguckposten mit ernster Miene in den Nebel und wußten dabei genau, daß sie – was den praktischen Nutzen ihrer Tätigkeit betraf – genausogut hätten in der Koje liegen können.

In feuchtglänzendem Ölzeug standen Kettle und zwei Offiziere auf der Brücke und starrten in die Erbsensuppe, konnten jedoch nicht mal den vorderen Mast erkennen. Die *Armenia* rauschte mit ihren gewohnten vierzehn Knoten durchs Wasser, während ihre fünfhundert Passagiere sorglos unter Deck schliefen. Eine Landratte stellt sich wahrscheinlich vor, daß Schiffe unter so widrigen Bedingungen mit der Fahrt heruntergehen oder sogar stoppen. Der Kapitän eines Liniendampfers weiß jedoch genau, daß er niemals wieder die Chance bekäme, ein Schiff über den Atlantik zu bringen, wenn er das auch nur einmal machte. Ein verlorener Tag bedeutete einen Verlust von £ 1000 für den Reeder, und das war eine Summe, die er ohne gewichtige Gründe nicht gern einbüßte. So erwartete er, daß der Kapitän sein Schiff laufen ließ wie gewöhnlich und das erhöhte Risiko durch erhöhte Wachsamkeit und Vorsicht ausglich; hierzu gehörte auch eine genaue Beobachtung des Thermometers, dessen plötzliches Fallen die Nähe von Eis ankündigen kann.

Die *Armenia* dampfte am Rand der Banks-Straße entlang, der offiziellen, nach Osten führenden Dampferroute, die anders verlief als die Ost-West-Route. Nach allen Gesetzen der Navigation hätte nichts ihren Weg kreuzen dürfen, von Fischkuttern abgesehen. Die spielten jedoch keine Rolle, da sie selbst die Leidtragenden waren, wenn sie nicht genug Verstand hatten, sich von einem Dampfer freizuhalten.

Doch plötzlich tauchte ein riesiger Schatten aus dem Nebel auf. Bevor noch das Signal des Maschinentelegraphen befolgt, geschweige denn die Dampfzufuhr abgesperrt werden konnte, ging ein so fürchterlicher Ruck durch das Schiff, als habe es mit voller Fahrt eine Klippe gerammt. Das Vorschiff der *Armenia* riß auf und schob sich knirschend zusammen.

Die Maschinen stoppten, und das schreckliche Geräusch reißenden Metalls verstummte. Man hörte nur noch ein klingelndes Gerassel, als stürze ein Niagarafall aus Glas in den Abgrund. »Da geht es hin, mein verdammtes Patent«, sagte Kettle verbittert. »Wer hätte zu dieser Jahreszeit einen Eisberg so weit südlich vermutet?« Trotzdem traf er sofort alle notwendigen Entscheidungen.

»Los, Erster, nach vorn mit Ihnen. Schnappen Sie sich den Zimmermann und stellen Sie fest, wie groß der Schaden ist.« Inzwischen war die Besatzung an Deck geströmt. »Alle Mann auf Rettungsstationen. Boote klarmachen zum Aussetzen. Bewahrt Ruhe, Leute. Auch wenn das Schiff beschädigt ist, haben wir genug Zeit. Jeweils zwei Mann stellen sich an die Kajütsniedergänge und sorgen dafür, daß die Passagiere unter Deck bleiben. Vorläufig können wir sie hier oben nicht brauchen.«

Der Zahlmeister stand unten am Aufgang zur oberen Brücke, halb angezogen, gelassen und erwartungsvoll. »Ah, Mr. Horrocks, kommen Sie her.«

Die *Armenia* hatte sich inzwischen vom Eisberg gelöst und lag still im Wasser; der Nebel war so dicht wie zuvor. »Das alte Mädchen ist erledigt, Zahlmeister. Sehen Sie nur, wie buglastig wir schon sind. Sammeln Sie Ihre Stewards und verproviantieren Sie die Boote. Halten Sie die Passagiere scharf unter Kontrolle, sonst gibt's eine Panik, und viele ertrinken. Bis Sie soweit sind, werden alle Boote ausgefiert sein, dann schicken Sie die Passagiere nacheinander an Deck, Frauen zuerst.«

»Aye, aye, Sir.«

»Noch was: Wenn jemand den Befehlen nicht gehorcht, schießen Sie. Wir müssen Ordnung halten.«

Der Zahlmeister zog eine Pistole aus der Tasche. »Hab' sie sofort nach der Kollision eingesteckt«, sagte er. »Good-bye, Käpt'n. Tut mir leid, daß ich Ihnen kein besserer Bordkamerad war.«

»Good-bye, Zahlmeister«, sagte Kettle. »Sie waren so übel nicht.«

Mr. Horrocks rannte nach unten, und der Erste kam zurück und erstattete Bericht. »Es hat uns den Boden aufgerissen«, sagte er leise. »Sechzig Fuß sind einfach weg. Das Kollisionsschott ist zum Teufel. Inzwischen haben wir schon den halben Atlantik an Bord.«

»Wie lange schwimmt sie noch?«

»Der Zimmermann meint, ungefähr zwanzig Minuten. Aber ich halte das für optimistisch.«

»Gut, Erster. Gehen Sie zu Ihrem Boot und machen Sie alles klar. Nehmen Sie reichlich Raketen und Notsignale mit. Wenn sich der Nebel lichtet, müßte uns die *Georgia* noch vor dem Morgen auffischen. Sie ist uns dicht auf den Fersen. Wenn Sie sie verfehlen und wir getrennt werden sollten, versuchen Sie, St. John's anzulaufen.«

»Aye, aye, Sir.«

»Machen Sie's gut, Erster. Und viel Glück.«

»Good-bye, Käpt'n. Versuchen Sie, zur Verhandlung zu kommen. Ich werde Stein und Bein schwören, daß es nicht Ihre Schuld war. Vielleicht gelingt es Ihnen, Ihr Patent zu retten.«

»Danke, mein Junge, ich verstehe. Aber noch jage ich mir keine Kugel in den Kopf. Ich hab' schließlich Frau und Kinder.«

Der Erste Offizier nickte und eilte dann den Niedergang hinunter. Kettle hatte jetzt die obere Brücke für sich allein. Die Decks des Dampfers wurden durch Leuchtsignale und Blaufeuer erhellt, auch stieg ein steter Strom von Signalraketen in den tiefschwarzen Himmel. Das Hauptdeck war vorn bereits von Wasser überspült; achtern auf dem Sturmdeck, das jetzt hoch in die Luft ragte, wimmelten entsetzte Menschen durcheinander wie aufgeschreckte Ameisen.

Paarweise quietschten die Davits und fierten die Boote aus, blieben noch einige Minuten so hängen, während sie ihre dichtgedrängte menschliche Fracht übernahmen, wurden dann abgefiert und blieben schließlich außer Reichweite des Sogs, der von dem sinkenden Schiff ausgehen würde, beigedreht liegen. Ein Dutzend Passagiere nach dem anderen verließ das schwimmende Hotel und ging in die zerbrechlichen offenen Boote, die in dem feuchtkalten Nebel auf den Wellen des Atlantiks tanzten. Tiefer und tiefer tauchte das Vorschiff der *Armenia* ins eisige Wasser, als ihre vorderen Abteilungen vollliefen.

Tief unten aus dem Rumpf hörte Kettle das Summen der Bilgepumpen, die ihren aussichtslosen Kampf gegen das eindringende Wasser fortsetzten. Schließlich verstummten sie, und ein gewaltiger Dampfschwall schoß brausend aus den beiden Schornsteinen zum Zeichen, daß die Maschinisten gezwungen waren, die Ablaßventile der Kessel zu öffnen, um eine Explosion zu verhindern.

Drei Leute standen noch am Backbordfallreep und riefen nach Kettle. Düsteren Gesichts begab er sich zu ihnen. Es waren der Zahlmeister, der Zweite Offizier und Mr. Grimshaw.

In heller Wut fiel Kettle über seinen höflich-glatten Quälgeist her: »Ins Boot mit Ihnen, Sir! Wie können Sie es wagen, meinen Befehl zu mißachten und zurückzubleiben, obwohl allen Passagieren befohlen wurde, in die Boote zu gehen? Los, ins Boot mit Ihnen oder, bei Gott, ich werf' Sie eigenhändig über Bord.«

Mr. Robert Grimshaw öffnete den Mund, um etwas zu sagen.

»Wenn Sie mir Widerworte geben«, sagte Kettle, »schieße ich Sie über den Haufen.«

Mr. Grimshaw ging. Er war Menschenkenner genug, um zu wissen, daß dieser Kapitän, der jetzt alles verloren hatte, nicht zögern würde, seine Drohung wahrzumachen. Vorsichtig und mit der Unbeholfenheit einer Landratte kletterte er das schwankende Fallreep zu dem weißgestrichenen Rettungsboot hinab, das sich in den Wellen hob und senkte. Er erreichte die Gräting am Ende des Fallreeps und hielt inne. Das Boot wurde von einer steilen See hochgetragen und fiel dann zurück ins Wellental.

»Spring doch, du verdammter Idiot!« brüllte der Zweite Offizier in sein Ohr. »Oder der Dampfer sackt noch unter uns weg.«

Und Grimshaw sprang. Er prallte hart gegen das Dollbord und versank wie ein Stein in den schwarzen Fluten, bevor irgend jemand ihn packen konnte.

Blitzartig schossen Kapitän Kettle gewisse Tatsachen durch den Kopf. Ihm waren £ 10000 geboten worden, wenn dieser Mann Liverpool nicht erreichte; er selbst würde bald keine Stellung mehr haben und wieder auf der Straße sitzen, Frau und Kinder würden hungern. Außerdem hatte er bittere Demütigungen von diesem Mann hinnehmen müssen und haßte ihn aus tiefstem Herzen. Wenn er ihn jetzt einfach ertrinken ließ, hatte er seinen Rachedurst gestillt und seine finanzielle Zukunft fürs erste gesichert. Aber dann erinnerte er sich wieder an die Spelunke in der Bowery und an die Stimme aus dem Sprachrohr. Die Vorstellung, einem so feigen Mordbuben einen Gefallen zu tun, erfüllte ihn mit Ekel und vertrieb alles andere aus seinem Kopf. Er stieß Horrocks und den Zweiten Offizier beiseite und sprang ins Wasser, um seinen Passagier zu retten.

Es ist kein leichtes Unterfangen, einen Menschen bei Nacht und rauhem Seegang zu finden. Eine ganze Weile sah es so aus, als sollte keiner von beiden je wieder an die Oberfläche kommen. Die Männer im Rettungsboot, die fürchteten, daß die *Armenia* sinken und sie mit nach unten reißen würde, begannen schon abzulegen, als zwei Körper aus den Wellen auftauchten; sofort wurden sie mit Bootshaken herangezogen und ins Boot gehievt.

Beide waren bewußtlos und wurden, da im Moment andere Dinge wichtiger waren, einfach auf die Bodenbretter gelegt. Die Riemen wurden ausgebracht, und mit hastigen Ruderschlägen floh das Boot wie ein unbeholfenes Insekt aus der Gefahrenzone.

Sie hatten jedoch ein Ziel vor Augen. Denn vor ihnen in der Nacht stiegen Signalraketen auf, und nach kurzer Zeit tauchte in der trostlosen Wasserwüste der Umriß eines großen Dampfers auf, strahlend beleuchtet wie ein riesiges Bühnenbild. Offensichtlich waren alle anderen Passagiere und Besatzungsmitglieder schon von dem Retter übernommen worden, denn die übrigen Boote trieben leer davon. Auch das Boot des Zweiten Offiziers legte nun an der Fallreepstreppe des Fremden an.

»Dies ist die *Georgia*«, sagte der sehr kompetent wirkende Offizier, der sie in Empfang nahm. »Ihres ist das letzte Boot. Damit wären alle gerettet, es sei denn, Sie hätten jemanden verloren?«

»Nein«, sagte der Zweite Offizier. »Bei uns ist alles klar. Der da unten, der die Finger ins Haar des Passagiers gekrallt hat, ist unser Kapitän.«

»Tot?«

»Nein. Sie haben sich noch bewegt, als wir eben längsseit kamen.«

»Na, dann hievt sie mal hoch, damit der Doktor sich um sie kümmern kann. Schnell jetzt. Wir wollten bei dieser Reise den Rekord brechen und haben durch Sie schon verdammt viel Zeit verloren.«

»Danke,« sagte der Zweite Offizier der *Armenia* düster. »Obwohl ich nicht annehme, daß unser armer alter Skipper dankbar sein wird, daß wir ihm das Leben gerettet haben. Nachdem er den alten Zossen zuschanden gefahren hat, wird er kaum ein anderes Kommando kriegen.«

»Auf See muß man's nehmen, wie's kommt«, sagte der Offizier der *Georgia* und rief nach oben: »Alle Mann an Bord, Sir!«

»Schmeiß los das Boot! Hol ein das Fallreep!« kam der Befehl. Die *Georgia* nahm Fahrt auf und jagte in ihrem Wettlauf gegen die Zeit mit voller Geschwindigkeit auf Ostkurs weiter.

Originaltitel: The Liner and the Iceberg

Morley Roberts

Käpt'n Spink hat eine Idee

Zwar ist er weniger populär als Captain Kettle, dennoch gab es eine Zeit, da war Captain Harry Sharpness Spink aus Gloucester den Lesern britischer Illustrierten ein guter Bekannter. Ursprünglich sollte diese Figur, die von Morley Roberts erschaffen wurde, nur in einer einzigen Geschichte in Erscheinung treten. Doch fand sie soviel Anklang bei den Lesern, daß Roberts sich gezwungen sah, Spink immer wieder in See stechen zu lassen. Und am Ende erschienen die besten Geschichten sogar in Buchform.

Die Ähnlichkeit zwischen den beiden Kapitänen hat ihren Ursprung in der Tatsache, daß beide Autoren ein sehr ähnliches Leben geführt haben. Auch Roberts (1857–1942) hatte eine vorzügliche Erziehung und Ausbildung genossen, bevor er sich entschloß, um die Welt zu reisen und dann seßhaft zu werden. Und nur noch vom Schreiben seiner Geschichten zu leben. Die Figur des Captain Spink hatte einen knorrigen alten Seemann zum Vorbild, mit dem Morley Roberts in den USA befreundet war. »Käpt'n Spink hat eine Idee« zeigt den rauhbeinigen Seebären von seiner amüsantesten Seite, und das Ende der Geschichte beweist, daß Spink wirklich ein ungewöhnliche Idee hatte.

»Sie können sagen, was Sie wollen, Ward, im Grunde bin ich ein ruhiger Mensch. Aber wenn Sie mich jetzt noch einmal unterbrechen, werde ich mit meiner ganzen Körperkraft dafür sorgen, daß Sie irgendwo kalt und steif liegen bleiben.«

»Nur immer zu, Spink,« entgegnete Ward. »Aber die einzige Art und Weise, wie Sie mich lahmlegen können, ist Ihr Gerede.«

Der Trampfrachter *Swan of Avon* schob sich gerade in den westlichen Eingang der Korea-Straße. Recht voraus lag – dick wie eine Mauer – weißgrauer Nebel. Ward, der Erste Offizier, Day, der Zweite, und Captain Harry Sharpness Spink aus Gloucester, der das

Schiff führte, standen auf der Brücke. Unter ihnen starrten der malaysische Serang und ein paar Matrosen, die an der zweiten Luke standen, ostwärts in Richtung japanische Küste. Die untergehende Sonne leuchtete wie warmes, poliertes Kupfer über China. Ihre Reflexe züngelten blutrot auf dem breiten Kielwasser der *Swan*.

»Sie sind hinter uns her«, sagte Spink.

»Und sie kriegen uns ganz sicher«, meinte Ward.

Entlang der Nebelmauer, die die Insel Tsushima verbarg, kam ein japanischer Kreuzer der dritten Klasse in Sicht. Seine hohe weiße Bugwelle sah aus, als trage das Schiff einen abgenagten Knochen im Maul.

»Wir sollten einfach stoppen und uns überholen lassen«, schlug Ward vor. »Warum eigentlich nicht?«

Die *Swan* war mit einer Ladung Kohlen nach Wladiwostok bestimmt. Als Decksladung wurde Öl in Kanistern gefahren, doch unter der Kohle waren Dynamit und explosible Pikrinsäure versteckt. Obendrauf hatte die *Swan* in Surabaja an die tausend Sack Zucker geladen. Als Zielhafen hatte Spink in Surabaja allerdings Wonsan in Nordkorea angegeben, denn schließlich war der Krieg* in vollem Gange. Und solange sie noch nicht nördlich von Wonsan waren, gab es nach Ansicht von Ward und Day keine Notwendigkeit, die Japaner zu fürchten. Doch der kleine Kapitän wischte ihre Argumente beiseite und verhöhnte sie um so stärker, je mehr sich die Offiziere für sie stark machten.

»Mir wär's schon lieber, sie würden mein Schiff nicht durchsuchen«, sagte er. »Für mich als britischen Seemann ist es einfach unter aller Würde, daß man mir Fragen stellt und mein Wort in Zweifel zieht, besonders wenn ich weiß, daß ich diese Schlitzaugen belüge.«

Er wandte sich an Ward. »Natürlich würden Sie stoppen. Aber für einen Captain Harry Sharpness Spink aus Gloucester kommt das garantiert nicht in Frage. Wir werden in den Nebel hineinfahren, Ward, und uns auf mein Glück und meine guten Ideen verlassen.«

»Ihre guten Ideen gehen meist nach hinten los«, wandte Ward ein. Und genau in diesem Augenblick feuerte der Kreuzer einen Warnschuß ab.

»Das heißt ja wohl: beidrehen.« Day sprach zum erstenmal.

»Würden Sie das tun, Day?« wollte Spink wissen.

»Selbstverständlich«, nickte Day. »Auf Ihr Glück geb' ich keinen Cent. Wenn wir jetzt abhauen, gestehen wir damit ein, daß wir

---

* Es handelt sich um den Krieg zwischen Japan und Rußland (1904/05).

Schmuggelware an Bord haben. Schon das allein gibt ihnen das Recht, uns nach Nagasaki einzubringen.«

Einen Augenblick zögerte der glückhafte, einfallsreiche Spink tatsächlich. Da griffen plötzlich dicke Nebelschwaden nach dem Kreuzer. Und es war natürlich Ward, der jetzt die falschen Worte fand.

»Ich nehme an, dieser Nebel ist eine Ihrer Ideen, oder?«

»Wir fahren weiter«, gab Spink zurück. »Und ich ersuche Sie, sich eines höflicheren Tons zu befleißigen. Wenn wir schon versenkt werden, dann auf meine eigene Art. Also bitte.«

Der Nebel wirkte tatsächlich so fest wie eine Wand, als sie auf ihn zufuhren. Selbst mit höchstem Kesseldruck schafften sie nicht mehr als neun Knoten, aber sie waren nur noch eine knappe halbe Meile von der Nebelbank entfernt. Wieder sichteten sie den Kreuzer, aber der sah sie auch und feuerte erneut. Sie hörten die Granate über ihren Köpfen davonjaulen.

»Dippen Sie die Flagge«, befahl Spink, und Day schickte sich an zu gehorchen. Da rief der Captain: »Nein, lassen Sie! Da ist der Nebel – wie bestellt!«

Tatsächlich kam er plötzlich auf sie zu. Als der Bug bereits darin verschwand, beleuchtete die Sonne noch immer grell ihren roten Schornstein. Doch schon in der nächsten Sekunde sahen sie kaum noch die Hand vor Augen. Der chinesische Steuermann konnte die Kompaßrose erst wieder erkennen, als die Lampe am Gehäuse angezündet worden war.

»Das nenn' ich Glück«! Spink rieb sich zufrieden die Hände.

»Vorhin nannten Sie es Ideenreichtum«, warf Ward ein.

»Nicht den Nebel«, erwiderte Spink, »sondern den Einfall, ihn zu benutzen. Überdies sind Sie der letzte, der an mir zweifeln sollte. Wer war es denn, der Sie vor der Frau in Philadelphia gerettet hat? Ich! Wenn ich mich in die Bresche werfe, dann werde ich weder so rot wie die Hausflagge der Bibbys, noch so gelb wie der Schornstein eines Elder-Dempster-Frachters. Ich wachse mit den Anforderungen, während Sie sich doch von jeder kleinen Krise umhauen lassen. Haben Sie das etwa vergessen?«

»Bestimmt nicht«, knurrte Ward, der von der Frau in Philadelphia nichts mehr hören wollte.

»Offensichtlich doch«, beharrte Spink. »Aber ich bin ein Glückspilz, dazu mutig und einfallsreich.«

»Na, hellsehen können Sie jedenfalls nicht«, meinte Ward. »Und Vorsicht ist auch nicht Ihre Stärke.«

»Mit Vorsicht fängt man keine Enten«, entgegnete Spink. »Wenn uns dieser Nebel erhalten bleibt, sind wir aus dem Schneider. Was wird der Kreuzer tun, Ward?«

»Falls er uns nicht den Weg abschneidet, rammt er uns vierkant«, sagte Ward düster.

»Bestimmt rechnet er damit, daß wir jetzt den Kurs ändern. Aber genau das werden wir nicht tun. Unsere Trimmer sollen die Kessel füttern, bis sie platzen! Laßt den Schwan fliegen!«

Er ging zurück ins Kartenhaus, zündete sich eine Javazigarre an und rauchte in Ruhe, während Ward und Day auf der Brücke blieben.

»Haben Sie schon mal so einen verdammten Dickkopf erlebt wie unseren Spink?« wollte Ward wissen. »Die werden uns abfangen, nach Nagasaki bringen, und dann sitzen wir im Knast und bekommen ein Schälchen Reis pro Tag.«

»Sie denken wirklich nur ans Essen«, entgegnete Day, der selbst so seine Marotten hatte.

»Das zahle ich Ihnen noch heim«, versprach Ward.

»Das tun Sie täglich – bei den Mahlzeiten.« Über Days Gesicht zog ein breites Grinsen.

»Verdammter Haifisch«, knurrte Ward. »He, was war das für ein Geräusch?« Day hatte nichts gehört, aber Spink kam bei Wards Worten auf die Brücke. Er stand am Maschinentelegrafen, den Hebel in der Hand, und alle drei Männer lauschten in den Nebel. Doch das Geräusch, das Ward gehört haben wollte, kam nicht mehr wieder. Nur das eintönige Pochen der Maschine war zu vernehmen.

»Ich höre nichts«, sagte Spink.

»Ich auch nicht mehr«, gab Ward zu.

Doch Nebel ist genauso trügerisch wie viele Frauen, ganz gleich, ob in Philadelphia oder in London. Und nur einem besonders ideenreichen Kapitän gelingt es, seinen Ersten aus den Fängen solch einer Schönen zu befreien. Was man im Nebel hört, hat keine Beweiskraft. Oder es ist als Beweis so dürftig wie die Aussage eines Zeugen, den ein melancholischer Richter voller Skepsis in einem Scheidungsprozeß anhören muß. Nebel verrät entweder zuviel oder zuwenig. Und die Wahrheit festzustellen ist etwa so schwierig wie das Entziffern von Hieroglyphen bei normalem Tageslicht.

Wieder behauptete Ward, dessen Ohren etwa so groß wie Maschinenraum-Ventilatoren waren, er höre irgend etwas.

»Sie mit Ihren Elefantenohren müssen ja auch mehr hören als wir«, meinte Spink. »Ich wundere mich ohnehin, daß Sie nicht die

Gespräche der Leute an der Küste belauschen können.«

Ward war viel zu beunruhigt, um zu kontern oder sich gegen Days Lachen zu verwahren. Der hörte erst zu glucksen auf, als Spink ihn anwies, mal nach oben in die Takelage zu steigen, weil er dann vielleicht über dem Nebel freie Sicht hatte. Als er zurückkam und das verneinte, ließ der einfallsreiche Spink die Fallreepsleiter so tief hängen, daß sie fast das Wasser berührte. Dann befahl er Day, hinunterzusteigen und festzustellen, ob er vielleicht *unter* dem Nebel hindurchsehen könne. Diese durchaus praktikable Möglichkeit wird auf See viel zuwenig benutzt. Doch diesmal führte sie nur dazu, daß Day klitschnaß wurde. Unten war der Nebel genauso dick wie oben. Doch nun hörte auch Spink etwas.

»Tatsächlich, Sie haben recht, Ward. Ich glaube, das ist dieser vermaledeite Kreuzer.«

Und Ward, der wahrlich nicht oft gelobt wurde, schnurrte wie eine Katze und sah drein wie ein Hund mit zwei Schwänzen.

So, wie es Stellen im Nebel gibt, die jedes Geräusch schlucken, so gibt es in Nebelfeldern auch Stellen, wo gar kein Nebel herrscht. Und in ein solches Gebiet fuhr nun die *Swan*. Es hatte die Form eines Dreiecks, wobei die einzelnen Seiten etwa zwei Kabellängen* maßen. Das Schiff lief in diesen nebelfreien Raum wie in das ruhige Zentrum eines Zyklons. Und als der Frachter sich aus dem Nebel schob, sahen Spink und Ward gerade noch das Heck eines anderen Schiffes im Nebel gegenüber verschwinden.

»Teufel noch mal!« knurrte Spink, gab über Maschinentelegraph Anweisung für halbe Fahrt, damit die Maschinen weniger Lärm machten, und änderte den Kurs um 45 Grad nach Steuerbord. Als sie wieder vom Nebel verschluckt wurden, ließ er den Frachter erneut mit Höchstfahrt laufen.

»Mit diesem Kurs halten wir direkt auf die Küste zu«, wandte Ward ein.

Spink ersuchte ihn auf die blumigste Art, ihm etwas zu sagen, was er noch nicht wisse. Ward, der gern gehorchte, wenn er andere damit ärgern konnte, tat ihm den Gefallen mit ein paar Flüchen, die aus dem übelsten Spanisch stammten.

»Das reicht, Mann«, sagte Spink. »Wenn da drüben auch nur einer mit so großen Lauschern ist wie Sie, dann haben sie uns jetzt bestimmt gehört. Trotzdem glaube ich, wir haben den Idiot ausmanövriert.«

Dem war aber nicht so. Offensichtlich hatte doch jemand an Bord

---

* Eine Kabellänge entspricht ¹/₁₀ Seemeile, also 185,2 m

des Kreuzers die *Swan* bemerkt. Innerhalb von zehn Minuten hörten sie den Kreuzer zurückkehren, und dann kam plötzlich sein schwarzgrauer Schatten an Backbord in Sicht. Zu Wards Überraschung griff Spink zur Leine des Typhons und ließ es dröhnen, als sei er bis ins Mark erschrocken. Gleichzeitig gab er die Kommandos »Stopp« und »Voll zurück«. Und die ganze Zeit wandte er einige der neuen Flüche an, die ihm Ward eben an den Kopf geschleudert hatte. Schließlich war er noch nicht zu alt, um dazuzulernen.

»Jetzt sind Sie aufgeschmissen«, stellte der Erste fest.

Sie wurden auf japanisch angerufen, und Ward, das Sprachgenie an Bord, übersetzte: »Welches Schiff?«

»Sagen Sie ihnen, wir sind – die *Annandale*, unterwegs von Fusan nach Nagasaki in Ballast«, erklärte Spink.

»Wenn das Ihr ganzer Einfallsreichtum ist, dann sagen Sie's ihnen selbst«, meinte Ward. »Ich gebe mich dafür nicht her.«

Spink sagte es ihnen tatsächlich selber. Außerdem sagte er Ward ein paar Freundlichkeiten, die nicht druckreif sind.

»Mein Einfallsreichtum ist noch lange nicht erschöpft«, erklärte er und fragte den Kreuzer seinerseits, mit wem er's zu tun habe.

»Wir sind der japanische Kreuzer *Yoshino* und schicken jetzt ein Boot zu Ihnen«, rief eine Stimme.

»Wo bleibt nun Ihr Einfallsreichtum?« wollte Ward verbittert wissen. »Warum haben Sie denn nicht Wonsan gesagt?«

»Kreuzer ahoi!« rief Spink, und die Stimme antwortete mit dem orthodoxen: »Hallo!«

»Wir haben die Pocken an Bord, Sir« rief Spink.

Sie hörten Stimmen miteinander konferieren. Der Offizier, der sie angepreit hatte, übersetzte offenbar »Pocken« ins Japanische.

»Haben Sie wirklich ›Pocken‹ gesagt?« wollte er dann wissen.

»Ja. Zwei Fälle sind besonders schlimm«, entgegnete Spink mit todtrauriger Stimme.

»Wenn Nagasaki Ihr Zielhafen ist, warum steuern Sie dann nordöstlichen Kurs?« Die Stimme klang argwöhnisch.

»Wir haben nur Kurs geändert, weil uns gerade eben ein anderer Dampfer im Nebel fast gerammt hätte. Er fuhr nach Norden. Haben Sie unser Horn nicht gehört? Es hat wirklich nicht viel gefehlt.«

Spinks Stimme klang offen und ehrlich, und der Offizier schien wirklich beeindruckt – auch von den Pocken an Bord.

»Sie glauben uns«, wunderte sich Ward. »Nein, richtiger: Sie glauben *Ihnen*.«

»Halten Sie endlich die Klappe, Mann«, fuhr Spink ihn an.

»Für den Moment, okay«, gab Ward zurück. »Später sehen wir weiter.«

Aus dem Nebel drangen die Stimmen der japanischen Offiziere zu ihnen. Das Steuerbord-Positionslicht des Kreuzers glühte wie ein Drachenauge. Und dann verschwand es plötzlich.

Spink redete leise ins Sprachrohr und ließ die Maschine ganz langsam vorwärts laufen.

»Wir schicken jetzt das Boot hinüber«, erklang eine Stimme vom Kreuzer.

»Bitte geben Sie ihm etwas Chinin und Riechsalz mit«, bat Spink. »Wir wären Ihnen sehr verbunden, wenn Sie uns aushelfen könnten.«

Die Antwort ging im Nebel unter, der nun wirklich so dick wie Erbsensuppe war. Doch Spink hörte das Klatschen, mit dem das Boot des Kreuzers zu Wasser gelassen wurde. Da ließ er die *Swan* mit halber Kraft vorwärts laufen und drehte nach Backbord, dicht unter dem Heck des Kreuzers. Dann befahl er: »Volle Kraft voraus!« Undeutliche Rufe von dem im Nebel verschwundenen Kriegsschiff folgten ihnen.

»Jetzt ist die Katze aus dem Sack«, jammerte Ward. »Wenn Sie denen einfach Wonsan als unseren Bestimmungshafen genannt und ihnen unsere Papiere gezeigt hätten, wären wir längst wieder unterwegs. Aber wenn sie uns jetzt schnappen, sind Sie dran.«

Doch Spink freute sich wie ein kleiner Junge.

»Wonsan war mir zu unsicher«, sagte er aufgekratzt. »Ich will diese verdammten Japaner mit ihrem: ›Macht es Ihnen was aus, die Luken zu öffnen?‹ nicht an Bord haben. In dieser Waschküche verlieren wir die Brüder ganz schnell. Hätte nie gedacht, daß ich für Nebel noch mal dankbar sein würde.«

»Warten Sie ab, bis wir draußen sind.« Ward sah hinter jedem Nebelschwaden einen Kreuzer lauern.

Aber Spink hatte tatsächlich Glück. Die Japaner mußten erst im Nebel ihr Boot wiederfinden und an Bord nehmen. Bis dahin war die *Swan* so weit weg, daß ihr Maschinengeräusch nicht mehr zu hören war. Spink dampfte in einem großen Halbkreis davon, dann ließ er einen Kurs steuern, der sie knapp an der Insel Tsushima vorbeiführte. Ein Stunde später drehte er auf Nordost ein.

»Na, glaubt ihr Knallköpfe jetzt, daß ich gute Ideen habe?« fragte Spink in die Runde.

»Sie hatten nichts weiter als Glück«, nörgelte Ward. »Und das haben auch andere Kapitäne in der britischen Handelsmarine.«

»Kaum«, meinte Spink ungerührt. »Das mit den Pocken an Bord hätte sie beinahe gebremst. Das war schon sehr einfallsreich von mir.«

»Find' ich nicht.« Ward schüttelte den Kopf. »Und Sie, Day?«

»Ganz und gar nicht«, sagte Day. »Weit entfernt von einfallsreich.«

»So eine undankbare Bande.« Spink geriet in Rage. »Wenn *ich* nicht einfallsreich bin, dann ist es überhaupt keiner. Ich werde es euch noch beweisen, bevor wir miteinander fertig sind. Und ich habe auch Mut die Menge.«

»Das ist nur Sturheit wie bei einem Bullen«, schnaubte Ward verächtlich.

»Sie waren doch zu Tode erschreckt, Ward«, sagte Spink, »geben Sie's zu.«

»Hat meine Stimme auch nur gezittert, als ich die anlog? Aber als *Sie* die Frau in Philadelphia belogen haben, hat das jedes Kind gemerkt.«

»Sie kannten sie eben nicht so gut wie ich«, entgegnete Ward schwach. »Sonst hätten Sie genauso gezittert.«

»Ich habe sie schon nach dem ersten Satz durchschaut. Aber ich helfe Ihnen nie wieder aus der Patsche, wenn Sie nicht zugeben, daß ich einfallsreich bin.«

»Tu' ich nicht«, beharrte Ward.

»Dann werde ich Sie dazu zwingen«, versprach Spink gelassen, aber fest. »Wenn es darum geht, jemanden hinters Licht zu führen, ganz gleich, ob Mann, Frau oder Kind, ist niemand besser als ich. Stimmt's, Day?«

»Von wegen«, sagte Day. »Sie sind nicht mal halb so gut wie Middleshaw von der *Peruvian*. Mann, ist der ein Meister im Lügen! Ein wahrer Meister.«

»Na schön«, sagte Spink. »Dann werde ich euch eben beweisen, daß ich mindestens so gut lügen kann wie Middleshaw. Oder ich zerreiße mein Kapitänspatent. Auf Ehre und Gewissen! Aber dazu kommt es natürlich gar nicht erst. Ihr seid beide ganz traurige Trantüten. Und Sie, Ward, sind obendrein undankbar. Schlägt bei der Erwähnung von Philadelphia eigentlich gar keine Glocke bei Ihnen an und erinnert Sie daran, was ich zwischen dem Bahnhof von Philadelphia und dem Seemannsheim für Sie getan habe? Aber vergessen wir's. Ich will jetzt im Kartenhaus mal eine Runde schlafen, und ihr beide haltet schön Ausguck, bis wir aus dem Nebel raus sind oder es heller Tag ist.«

Drei Minuten später schlief er wie ein Murmeltier. Dabei sah er aus wie das derbe, aber unschuldige Kind, das er im Grunde auch war.

»Ist er nicht wundervoll, unser Käpt'n?« fragte Day.

»Noch viel wundervoller! Er *muß* einfach auf die krumme Tour reisen. Warum sagte er nicht rundheraus, daß wir nach Wonsan fahren? Ist es etwa verboten, Kohlen und Zucker nach Wonsan zu bringen? Sollen sie doch kommen und uns durchsuchen, das Dynamit finden sie nie im Leben.«

»Das ist typisch für dieses Ekel: Er muß einfach alles dramatisieren«, entgegnete Day. »Er will uns beweisen, daß er aus jeder Falle entwischt, und wenn er die Falle dazu vorher selbst legen muß. Trotzdem, er ist schon ein Tausendsassa.«

»Das geb' ich ja zu«, sagte Ward. »Aber nicht ihm selbst gegenüber, nicht für 'ne Million Dollar.«

»Auch nicht für 'ne Million in Gold, niemals.«

»Irgendwann werden wir ja wohl nach Wladiwostok kommen, oder?« wollte Ward wissen.

»Der Alte bringt den japanischen Kreuzer noch dazu, uns nach Wladiwostok einzuschleppen«, sagte Day. »Wir mögen ja schlagfertiger sein als er, aber wenn es um Glück geht und ums Lügen, daß sich die Balken biegen, dann läßt er uns weit hinter sich. Denken Sie nur dran, wie er das Problem mit der Frau in Philadelphia gelöst hat.«

»Hören Sie bloß auf davon«, stöhnte Ward.

»Von all den anderen gar nicht zu reden. Zum Beispiel von der in Boston.«

»Geben Sie doch Ruhe, Mann! Was reden Sie ständig von meinen verflossenen Bräuten?« jammerte Ward. »Wenn ich an die denke, bricht mir der kalte Schweiß aus. Doch eines muß man Spink lassen: Er ist ein anständiger Kerl. Er hat's mir nicht mal übel genommen, daß ich ihm die Kleine in Cadiz ausgespannt habe.«

»Oh, Sie verdammter Esel«, stöhnte Day.

»Wie meinen Sie?« Allmählich wurde der Erste wütend.

»Haben Sie denn nicht kapiert, Sie Dummkopf, daß der Alte sie ohnehin loswerden wollte? O mein Gott, wie vernagelt sind Sie denn?«

»Ich bin Ihr Vorgesetzter, Day, und das war eben eine Aufsässigkeit, die ich nicht hinnehmen kann«, sagte Ward mit soviel Würde, wie er aufbringen konnte.

»Und *Sie* sind aufsässig dem Alten gegenüber«, beharrte Day. »Ich habe noch kein Schiff erlebt, auf dem es bezüglich Insubordination so zugeht wie auf der *Swan*. Zweifellos liegt das am Alten. Was soll man denn machen mit einem Kapitän, der sich für einen prügelt und dann ausgezählt wird?«

»Aber er gibt nie auf. Mumm hat er ja«, gab Ward zu bedenken.

»Verglichen mit ihm haben wir nicht mal soviel Mumm wie ein Märzhase«, sagte Day. »Das ist seine Stärke. Er mag ja so verrückt sein wie kein anderer Trampkapitän – aber er hat Grips und Mumm. Wir nicht.«

»Sprechen Sie lieber nur von sich selbst so«, warnte Ward.

»Gottverdammich, ich spreche durchaus für uns beide!«

»›Gottverdammich‹ ist ein ziemlich grober Ausdruck«, meinte Ward.

»Ich bin eben ein ziemlich grober Mensch«, gab Day zu. »Aber das hat mich bisher noch nie gestört.«

Eine Stunde später stieß die *Swan* so urplötzlich aus der Nebelbank hervor, wie sie hineingeraten war; nach dem Augenschein zu urteilen befand sich nichts zwischen ihnen und Sibirien. Trotzdem weckte Ward Spink, und der Alte schickte, rücksichtsvoll wie immer, seinen Ersten unter Deck und sagte, er werde seine Wache übernehmen. Immerhin war Ward seit Sonnenuntergang auf der Brücke gewesen.

»Geben Sie's schon zu: Ich bin doch ein netter Mensch«, sagte Spink.

»Wirklich?« fragte Ward gähnend, aber er war jetzt viel zu müde, um dem Skipper noch zu widersprechen. Statt dessen überließ er ihm wortlos die Brücke. Mochte er weiter in dem Gedanken schwelgen, welch netter Kerl er doch war.

»Ich lasse diese verdammten Japse im Nebel nach uns Kreise fahren«, sagte Spink selbstzufrieden, »und ich hoffe, sie rammen dabei Tsushima und katapultieren es auf den Mond. Dort würde es jedenfalls praktischer liegen als mitten im Fahrwasser. Die Frage ist nur, was mache ich, wenn wir noch mal angehalten werden? Ich glaube, die Pocken erschrecken sie nicht genug. Beim nächsten Mal rede ich lieber von der Pest. Also wirklich: Ich bin unschlagbar!«

Um die Mittagszeit des nächsten Tages sichteten sie einen Frachter auf Gegenkurs, ebenfalls einen Tramper. Schon bald waren sie auf gleicher Höhe, und Ward erklärte, er kenne das Schiff. Es sei die *Queen Victoria*.

»Ihr Skipper hat mehr Glück als Sie, Spink«, stichelte Ward. »Er fährt zwischen Port Arthur und Wladiswostok hin und her, als gehöre ihm die See. Niemand kommt auf die Idee, ihn anzuhalten.«

Spink unterhielt sich über Megaphon kurz mit dem Glückspilz.

»Haben Sie irgendwo Japse gesehen?« wollte er wissen.

»Da treibt sich einer in der Nähe von Wonsan herum«, brüllte der andere zurück. »Aber bei meinem Glück bin ich ihm noch nie über den Weg gelaufen, wenn ich anderes an Bord hatte als Bohnen aus Wonsan. So wie jetzt. Viel Glück und gute Reise!«

»Hrmph«, machte Spink. »Glück allein reicht mir nicht. Das kann jeder Narr haben. Sie zum Beispiel, Ward.«

»Aber sicher – weil ich mit Ihnen fahre«, schnaubte der Erste.

»Das sollte wohl wieder sarkastisch sein, wie? Aber ich will's überhört haben, denn wenn *ich* sarkastisch werde, dann werden Sie rot vor Wut, verlassen Sie sich drauf.«

»Aber wenn ich zornrot werde, dann werden Sie sofort butterweich.«

»Lassen wir's dabei bewenden«, sagte Spink. »Sie können mich zwar auf die Matte werfen, aber meiner Zunge sind Sie nicht gewachsen, Ward. Ihnen fehlt der Sinn für intellektuelle Genüsse.«

Ward entgegnete eingeschnappt, darauf könne er verzichten.

»Geben Sie doch zu, daß es Ihnen kein Vergnügen macht, zum Beispiel Gedichte zu lesen. Oder wenn Sie erleben, wie schnell und einfallsreich ich angesichts der Gefahr reagiere. Stellen Sie sich mal vor, wir hätten gerade diese verdammte Insel passiert und sähen dahinter einen japanischen Kreuzer auf uns lauern. Was würden Sie dann machen?«

»Ihn das Schiff durchsuchen und es darauf ankommen lassen«, entgegnete Ward. »Wir sind nach Wonsan bestimmt und haben nichts zu fürchten. Wie oft soll ich das eigentlich noch sagen?«

»Also, ich lasse mich ganz bestimmt nicht durchsuchen«, sagte Spink. »Wer weiß, was die Brüder denken? Wenn sie Kohle unter Zucker finden, fragen sie sich vielleicht, was wohl unter der Kohle liegt. Ich würde es lieber mit einem Bluff versuchen.«

»Vielleicht wieder mit Pocken?« wollte Ward wissen. »Das wird langsam langweilig.«

»Sie reden ja, als wären mir die Ideen ausgegangen«, rügte Spink. »Dabei müßten gerade *Sie* wissen, daß ich um gute Ideen nie verlegen bin. Holen Sie mir mal den malaysischen Serang*, er kann mir einen Gefallen tun.«

»Was soll das nun wieder?« fragte Ward verdrossen. »Etwa ein neuer Geistesblitz?«

---

* Bootsmann, Vorarbeiter

»Ich brauche eine Leiche.« Spinks Stimme klang nachdenklich.

»*Was* brauchen Sie?«

»Verstehen Sie kein Englisch mehr? Ich brauche eine Leiche!«

»O mein Gott! Er braucht eine... Da kommt Day. Day, wissen Sie, was er jetzt will? Eine Leiche!«

»Na ja, warum nicht? Geben Sie ihm doch eine. Mir soll's recht sein«, erwiderte Day.

»Der Serang soll mir eine machen«, erläuterte Spink.

»Aus einem Chinesen?« fragte Day beiläufig.

»Aus was er will. Wie würden Sie's denn machen, Ward?«

»Mit einem Belegnagel*. Einmal hatte ich jemand fast soweit, aber der verdammte Hund ist davongekommen«, gab Ward zur Antwort.

»Mein Gott, Ward, begreifen Sie doch endlich! Ich will nichts weiter als eine Attrappe!« Spink war fassungslos über so viel Begriffsstutzigkeit. »Sie haben wirklich nicht mehr Phantasie als ein epileptisches Huhn.«

»Ach, wirklich?« fragte Ward. »Na, Sie und Day könne sich jedenfalls allein mit der Leichenproduktion befassen. Ich habe jetzt Freiwache.«

Spink wandte sich an Day. »Er ist eben arm im Geiste, Day. Also sehen Sie zu, daß Sie zusammen mit dem Serang etwas herrichten, das wie ein Toter aussieht. Nehmen Sie 'ne Rübe oder so für den Kopf, polstern Sie den Körper einigermaßen aus und wickeln Sie das Ganze in ein Laken. Das alles legen Sie auf ein Brett und binden es fest.«

»Und was soll die Spielerei?« Day starrte ihn fassungslos an.

»Mein Gott, sind Sie etwa genauso blöd wie Ward?« explodierte Spink. »Haben Sie denn noch nicht gemerkt, daß dort drüben hinter Tsushima ein Kreuzer auf uns lauert, dessen Rauchfahne über dem Land ausweht? Beschaffen Sie mir jetzt sofort diese Leiche, oder ich trage Sie wegen Befehlsverweigerung ins Schiffstagebuch ein!«

Also machte sich Day zusammen mit dem malaysischen Serang daran, die Leichenattrappe herzurichten, während sich die chinesischen Matrosen vergeblich fragten, was da geschah.

»Sagen Sie ihnen, daß der Tote ihr Landsmann ist«, ordnete Spink an, »und daß sie gefälligst traurige Gesichter machen sollen.«

Also machte Day den Chinesen verständlich, daß einer von ihnen

---

* ein ungefähr 30 cm langer, 2,5 cm dicker Holz- oder Stahlnagel, der in eine Nagelbank gesteckt wird und zum Belegen (Festmachen) von Tampen dient.

gestorben sei, und die Chinesen blickten sehr feierlich drein, wunderten sich aber noch viel mehr.

»Setzt die Schwarz-gelbe«, befahl Spink, und Day ließ die Seuchenflagge mit den schwarzen und gelben Quadraten hissen, zum Zeichen, daß es auf dem Schiff einen Fall von Cholera oder Pest gab.

»Und setzt die Nationale gefälligst auf halbmast. Na, sind wir nicht toll?«

Als sie sich langsam der Nordspitze von Tsushima näherten, kam tatsächlich ein japanischer Kreuzer in Sicht, der dahinter vor Anker lag.

Spink befahl dem Maschinenraum: »Langsam voraus!« und Day setzte die Flaggen DNBC, die ebenfalls signalisierten, daß an Bord die Pest ausgebrochen war.

»Alles klar zur Seebestattung«, ordnete der Kapitän an. »Macht schnell, aber macht es feierlich.«

Sie sahen, wie ein Boot vom Kreuzer ablegte und auf sie zukam, während Day die Mütze abnahm und das Brett leicht anhob, auf dem die »Leiche« befestigt war, die daraufhin in die See rutschte. Auf Befehl des malaysischen Serangs brachen die Chinesen in schauerliche Totenklagen aus.

»Noch mal das Ganze«, ordnete Spink an, und wieder erklang das Jammergeschrei der Chinesen. Spink schob den Hebel des Maschinentelegraphen auf »Stopp«, und als die Schraube der *Swan* stillstand, kam das Boot des japanischen Kreuzers auf etwa 40 Meter heran.

»Was ist los bei Ihnen?« fragte der kleine japanische Leutnant im Heck. »Haben Sie die Pest an Bord?«

»So ist es«, bestätigte Spink. »Einer unserer Chinesen ist daran gestorben.«

»Woher kommen Sie?«

»Von Singapur.«

»Und wohin wollen Sie?«

»Nach Wonsan.«

»Was haben Sie geladen?«

»Kohle und Zucker«, gab Spink Auskunft. »Möchten Sie an Bord kommen, oder sollen wir Ihnen die Papiere hinüber reichen?«

Der japanische Leutnant, der alles andere wollte, nur nicht die Pest, und obendrein strikten Befehl hatte, auf keinen Fall an Bord dieses Trampfrachters zu gehen, wenn dort etwas faul war, entgegnete, man solle ihm die Papiere ins Boot reichen. Er kam längsseits, und Spink ließ die Dokumente in einer Blechschachtel an einer langen Leine hinunter.

»Lassen Sie sie bloß nicht über Bord fallen«, bat er besorgt.

Das Herz eines Kapitäns hängt, sofern er überhaupt eines hat, an nichts so sehr wie an seinen Schiffspapieren. Ohne sie ist er nicht besser als ein Pirat oder ein Aussteiger, der ohne Sinn und Zweck die Meere dieser Welt befährt.

»Beruhigen Sie sich«, gab der japanische Leutnant zur Antwort und machte sich daran, die vielen Papiere durchzusehen. Für den Uneingeweihten muß an dieser Stelle wohl gesagt werden, daß zu den Schiffsdokumenten so wertvolle Papiere gehören wie der Vermessungsbrief, die Proviantliste (in diesem Fall aus Singapur), das Schiffsmanifest, die Ladungsmanifeste, die Charterliste, das Suezkanalzertifikat, verschiedene andere Papiere und – da Wonsan zwar in Korea lag, aber noch als chinesischer Hafen galt – ein entsprechendes Konsularmanifest. Was alles beweist, daß es keineswegs einfach ist, sich auf See für etwas anderes auszugeben als man ist.

Der japanische Leutnant blätterte die Papiere mit fliegenden Fingern so hastig durch, als hätten sich auf jedem Blatt Pestbazillen festgesetzt. Und nachdem er sie wieder in die Blechschachtel gelegt hatte, wusch er sich an der Bordwand sofort die Hände mit Meerwasser.

»Alles in Ordnung, Captain«, verkündete er sodann, »ganz und gar in Ordnung. Was für Wetter hatten Sie in der Koreastraße?«

»Einen Nebel, aus dem man Mauersteine hätte schneiden können, Herr Leutnant«, antwortete Spink und schüttelte den Kopf.

»Haben Sie Russen gesehen?«

»Nicht einen, Herr Leutnant. Aber einen Ihrer japanischen Kreuzer, die *Yoshino*. Wir unterhielten uns mit ihm.«

»Auf dem fährt ein Bruder von mir«, sagte der Japaner. »Haben Sie noch mehr Pestkranke an Bord?«

»Bis jetzt noch nicht.« Spink machte Eulenaugen. Dabei schoß ihm ein neuer fröhlicher Gedanke durch den Kopf, und er konnte kaum noch an sich halten. »Ich fürchte nur, meinen Ersten hat's auch erwischt.«

Ward wurde schneeweiß angesichts dieser Bemerkung; da er außer Sicht des Japaners auf dem Hauptdeck stand, drohte er Spink mit der Faust.

»Schlimm, schlimm«, sagte der Japaner. »Sieht aus, als bekämen wir noch mehr Nebel, was?«

Es sah tatsächlich im Norden etwas diesig aus, und die Sonne, die eben noch klar gebrannt hatte, schien bereits etwas schwächer.

»Scheint so«, sagte Spink. »Auf Wiedersehen, Herr Leutnant, alles Gute, und bitte richten Sie Ihrem Bruder meine besten Grüße aus.«

Damit setzte er seine Mütze auf und gab dem Maschinenraum das Kommando: »Voll voraus.« Er winkte dem Japaner noch einmal zu, als dieser zu seinem Kreuzer zurückkehrte. Dann stieg Spink die Leiter zur Brücke hinauf, wo Ward und Day warteten.

»Wie kommen Sie dazu, mir die Pest anzudichten?« Wards Stimme klang beleidigt.

»Hab' mich geirrt«, meinte Spink. »Sie sind eine, und ich hab' sie. Na, was halten Sie jetzt von meinen Ideen?«

»Wenig«, antwortete Ward. »Die Japaner haben doch gar kein Interesse daran, sich mit einem britischen Frachter anzulegen, wenn sie es irgend vermeiden können.«

»Sie sind eine große Enttäuschung für mich, Ward, und obendrein neidisch. Wir hätten lange warten können, ehe Ihnen eine so durchschlagende Idee gekommen wäre. Ich glaube, besonders das Trauergeschrei der Chinesen hat gewirkt.«

»Bah!«

»Der Nebel wird dicker«, warnte Day.

»Nicht so dick wie in Wards Kopf«, meinte Spink, der Bewunderung und Lob erwartet hatte. Aber Ward hörte die Beleidigung gar nicht. Er blickte achteraus und fing plötzlich an, schallend zu lachen.

»Was ist so witzig?« wollte Spink wissen.

»Witzig? Sie machen mir Spaß! Ganz offensichtlich läßt Ihre Idee Sie im Stich. Sehen Sie mal da hinten, Ihre Leiche ist wieder hochgekommen!«

Er gab Spink das Fernglas, der setzte es an und sah die soeben betrauerte »Leiche« und das rote Bettlaken auf dem Wasser schwimmen. Das Boot, das eben bei ihnen gewesen war, hatte den Kreuzer schon fast erreicht, da machten die Ruderer kehrt und fuhren auf den roten Fleck im Wasser zu.

»Zum Teufel mit Ihnen, Day! Das haben wir nur Ihnen zu verdanken.« Spinks Stimme war voller Zorn. »Nur weil Sie die Gewichte nicht richtig befestigt haben, kommt das verdammte Ding wieder hoch!« Er faßte sich verzweifelt an den Kopf. »Nein«, rief er aus, »nein und nochmals nein! Wieso werde ich nur mit solchen Offizieren gestraft? Mein ganzer Einfallsreichtum sinnlos vertan! Jetzt wird ihnen aufgehen, daß alles nur ein Bluff war. Und dann jagen sie uns!«

Er fluchte gottslästerlich auf englisch und deutsch, italienisch und spanisch; obwohl seine Fremdsprachenkenntnisse recht dürftig waren, zum Fluchen reichten sie allemal. Die drei sahen, wie der japanische Leutnant inspizierte, was da auf dem Wasser trieb. Zuerst tat er das mit großer Vorsicht, doch ließ er die bald fallen. Das Ruderboot umkreiste den roten Fleck, dann kehrte es zum Kreuzer zurück. Kaum war es dort in Rufweite, begann schon die Ankerwinde des Kreuzers zu arbeiten. Und noch während das Boot in den Davits schwebte, nahm das Kriegsschiff Fahrt auf.

»Na, wo bleibt jetzt Ihr Einfallsreichtum?« wollte Ward wissen. »Wenn Sie nicht so einen Blödsinn veranstaltet hätten, dann wär' die Sache längst vergessen. Ihr Fehler, Spink, ist einfach, daß Sie *zu* genial sind.«

Zum ersten Mal mußte sich Spink eingestehen, daß Ward recht hatte. Aber zugegeben hätte er das niemals. Statt dessen zielte er auf Wards wunden Punkt.

»Als das Mädchen mit seinem Bruder in Philadelphia an Bord erschien, waren Sie noch ganz anderer Ansicht«, entgegnete er. »Damals kamen Sie hilfesuchend zu mir, als sei ich Ihr Vater oder Ihr Bruder, und ich habe Sie vor Tod, Verderben oder Heirat bewahrt! Und nun stellen Sie sich gegen mich? Sie sind der undankbarste Mensch zwischen Nord- und Südpol! Ein Alligator ist gegen Sie ein vertrauenswürdiges Schoßtier!«

»Lassen Sie doch endlich mich und meine Frauen in Ruhe, die sind Privatsache«, konterte Ward. »Und was die Kleine in Philadelphia angeht . . .«

»Da kommt sie«, warf Day ein. Aber er meinte nicht die Kleine aus Philadelphia, sondern das japanische Schiff.

»In der Tat«, sagte Spink. »Nun müssen wir doch noch nach Nagasaki. Sie und Ward werden ganz schön schlank werden bei einer Tasse Reis pro Tag. Hoppla!«

Denn der Kreuzer hatte plötzlich einen Warnschuß abgefeuert.

»Das bedeutet beidrehen«, wußte Ward.

»Tatsächlich?« fragte Spink. »Aber ich drehe nicht bei. Ich mache mich schleunigst davon und baue auf mein Glück. Wo ist denn bloß dieser Nebel geblieben?«

Wenn überhaupt, dann war er zu den Wolken aufgestiegen, denn die Sonne verbarg sich, und die Farbe der See wechselte zu einem grünlichen Grau. Das entsprach etwa den Zukunftsaussichten von Spink und seiner *Swan*.

Wieder feuerte der Kreuzer mit dumpfem Knall einen Schuß aus seinem 11,2-cm-Geschütz ab. Die Granate orgelte über sie hinweg, Ward zog zu spät den Kopf zwischen die Schultern.

»Sie sollten besser kleinbeigeben und stoppen«, sagte er nervös.

»Kaum.« Spink sah sich um. »Hier kommt der Nebel.«

Doch er kam keineswegs, jedenfalls nicht zu ihnen. Als Spink allerdings achteraus blickte, bemerkte er, daß der Kreuzer, der mit voller Fahrt auf sie zulief, vom Nebel eingeholt wurde.

»Ich vertraue lieber noch mal auf mein Glück«, sagte Spink. »Es darf mich einfach nicht verlassen.«

Und das tat es auch nicht.

Innerhalb der nächsten Minuten senkte sich der Nebel so ruhig und fest auf die See, wie Distelwolle auf eine Wiese fällt. Spink wandte sich schnell an den chinesischen Rudergänger.

»Hart Backbord«, befahl er, worauf die *Swan* einen Haken nach Steuerbord schlug.

»Die werden uns noch rammen, wenn Sie nicht aufpassen«, orakelte Ward.

»Halten Sie den Mund«, gab Spink zurück, und Ward gehorchte ausnahmsweise, während die *Swan* eine halbe Meile weit nach Nordosten lief. Dann stoppte Spink das Schiff, und sie hörten den Kreuzer mit voller Fahrt achtern an ihnen vorbeibrausen. Sehen konnten sie ihn nicht. Spink ließ weiterfahren, änderte aber den Kurs um acht Strich nach Steuerbord. Dann wandte er sich nach Süden und rundete die Insel, die sie soeben passiert hatten.

Triumphierend stellte er fest: »Wieder einmal lacht mir das Glück, und ich wäre einem gewissen Mr. Ward und Ihnen, Mr. Day, sehr verbunden für eine Entschuldigung, denn Sie haben an mir gezweifelt.«

»Damit dürfen Sie rechnen, wenn wir in Wladiwostok sind,« sagte Ward würdevoll. »Aber noch sind wir keineswegs dort.«

»Das hat ja auch niemand behauptet. Aber selbst Sie werden zugeben, daß es höchst grausam wäre, wenn mich die Vorsehung jetzt noch verlassen würde, nachdem sie uns schon so weit gebracht hat, oder?«

»Ja – so weit in den Schlamassel, meinen Sie wohl,« sagte Ward. »Wo sind wir eigentlich? Ich hoffe, Sie wissen das, ich weiß es nämlich nicht.«

Der Nebel verdichtete sich immer mehr und erinnerte Spink langsam an eine gute Erbsensuppe, in der der Löffel stehen kann. Und nicht etwa an Bilgewasser, in dem nur ein paar armselige Erbsen schwimmen.

»Ich weiß zwar auch nicht genau, wo wir sind«, gab er zu. »Aber in diesem Leben, und ganz besonders als Blockadebrecher, muß man risikofreudig sein. Und so nehme ich denn jetzt direkten Kurs nach Wladiwostok, und zur Hölle mit diesen japanischen Schwatzdrosseln!«

Nachdem sie zwei Stunden lang mit Volldampf gefahren waren, was in ihrem Fall neun Seemeilen pro Stunde hieß, seufzte Spink erleichtert auf – oder zumindest so erleichtert, wie das einem Schiffsführer in dichtem Nebel möglich ist – und erklärte, sie wären nun gerettet.

»Und Sie, Mr. Ward, werden jetzt hoffentlich endlich zugeben, daß ich ein Genie bin«, sagte er.

»Warum sollte ich?«

»Weil ich auf verdientes Lob Wert lege«, antwortete Spink bescheiden. »Und ich möchte einen Mann wie Sie, der relativ aufsässig ist, am Ende kleinbeigeben sehen, wenn er unrecht hatte.«

»Gut, gut, ich gebe zu, daß Sie bisher unwahrscheinliches Glück gehabt haben«, knurrte Ward. »Aber bezüglich Ihres Genies muß ich Ihnen sagen, daß ich keins erkennen kann. Es mag zwar so aussehen, als könnten Sie Nebel herbeizaubern, wenn Sie ihn benötigen, aber von Genie kann dabei wohl kaum die Rede sein.«

»Mein Gott!« sagte Spink. »Dabei war ich schon als Genie bekannt, als ich einem Grashüpfer kaum bis ans Knie reichte!« Seine Stimme klang verletzt. »Und das in Gloucester, wo es von Genies nur so wimmelt. Wir aus Gloucester sind nun mal clever, das gilt besonders für meinen Vater. Zugegeben, ich habe Ihnen bisher noch kaum von ihm erzählt, doch bei passender Gelegenheit will ich das nachholen. Wenn ich Ihnen also beweise, daß ich vor guten Ideen übersprudle, dann lege ich auch Wert auf Anerkennung.«

»Ihr Vater mag ja so clever sein wie ein Fuchs«, sagte Ward, »und vielleicht ist Gloucester tatsächlich eine Brutstätte von lauter Genies. Aber ich werde niemals einräumen, daß Sie mehr hatten als Glück. Und ich glaube, Day geht's genauso.«

Spink schnaubte verächtlich.

»Ach, Day«, sagte er wegwerfend, »was zählt schon Days Ansicht? Er hat meine Leiche ruiniert, und dabei war das eine geniale Idee. Wer mit derartig respektlosen Offizieren segelt, den muß das Glück ja verlassen.«

»Wie können Sie Respekt von uns erwarten, wenn Sie sich derart benehmen?« fragte Ward. »Ich bin schon unter zahlreichen Kapitänen gefahren, die weiß Gott schlechter waren als Sie, trotzdem war ich ihnen gegenüber stets höflich. Aber Sie reden und prahlen zuviel, als daß wir Ihnen Respekt zollen könnten.«

Spink schüttelte düster den Kopf.

»Da haben Sie zweifellos recht, Ward. Aber ich bin nun mal so, wie ich bin. Der Hochmut, der manche meiner Kollegen auszeichnet, ist mir fremd, und ich kann mich auch nicht einsam mit einer Flasche Gin in meine Kajüte zurückziehen, wie es zu viele von meinesgleichen tun, und den Tag vertrödeln. Ich erwarte ja nicht, daß Sie mich wie einen Halbgott verehren, aber ein bißchen Anerkennung für meinen Einfallsreichtum hätte ich schon verdient. Ich wette mit Ihnen um fünf Dollar, daß sogar die chinesischen Matrosen mein Genie zu schätzen wissen.«

»Zehn Dollar, daß sie's weder können noch wollen«, sagte Ward.

»Die Wette halte ich«, entgegnete Spink. Und genau in diesem Moment begann sich der Nebel zu lichten und hob sich vom Wasser wie ein Vorhang.

»O mein Gott!« stieß Ward hervor. »Sehen Sie nur!«

Und als Spink hinsah, entdeckte er ein großes Kriegsschiff direkt voraus.

»Wie wär's, können Sie noch ein bißchen Nebel aus dem Hut zaubern?« fragte Ward verbittert.

»Ich hätte Ihnen wirklich mehr Intelligenz zugetraut, Ward«, höhnte Spink. »Fällt Ihnen nicht auf, daß das ein *russischer* Kreuzer ist? Die *Rurik*, um genau zu sein. Irgendwie fehlt Ihnen eben der Blick für die Linien von Kreuzern und Schlachtschiffen, Sie blinder Maulwurf.«

Doch Ward war so erleichtert, daß er die Beleidigung hinnahm. Langsam dampfte die *Swan* dicht an der *Rurik* vorbei. Fröhlich informierte Spink die Russen, daß sein Schiff nach Wladiwostok bestimmt sei. Day kam im Schlafanzug auf die Brücke, um zu sehen, was vorging, und Spink teilte es ihm mit.

»Na, Day, bin ich nicht genial? Das müssen Sie doch zugeben, nachdem Sie mich mit Ihrer verdammten Schlamperei sabotiert haben!«

»Glück ist noch keine Genialität«, kommentierte Day.

»Das versuche ich ihm die ganze Zeit klarzumachen«, stöhnte Ward.

»Mein Gott, selbst ein Chinese könnte das kapieren«, klagte Spink. »Zehn Dollar brennen ein Loch in meine Geldbörse, weil auch der dümmste unserer chinesischen Matrosen mir Genie bestätigen wird.«

»Ich wette, Sie haben gar keine zehn Dollar in der Tasche.« Day verzog sich wieder in seine Koje.

»Auch diese Wette gilt«, sagte Spink, überließ Ward die Brücke und machte sich auf den Weg nach unten.

»Denen werd ich's zeigen«, versprach er sich selbst, und als er schließlich einschlief, war ihm auch eine Idee gekommen, wie er es ihnen zeigen konnte. Nach dem Aufwachen sandte er um den malaysischen Serang.

»Wie ist es, Bootsmann, willst du dir fünf Dollar verdienen?« fragte er leutselig.

»Velly muchee, tuan«, grinste der Malaye, der nur Pidgin-Englisch sprach. »I velly much likee Dollah.«

»Morgen laufen wir in Wladiwostok ein«, teilte ihm Spink mit. »Klar?«

»Velly good, Captain Sahib, velly good.«

Und dann sagte ihm Spink, was zu geschehen habe, sobald die *Swan* vor Anker lag.

Am nächsten Morgen ankerte die *Swan* vor der Stadt Solotoj Rog, und noch bevor die Zollbeamten an Bord kamen, erlebten Day und Ward, die neben Spink standen, ein seltsames Schauspiel: die ganze chinesische Besatzung einschließlich des Stewards und des malaysischen Bootsmanns versammelte sich bei Luke zwei, verbeugte sich zur Brücke hinauf und blickte dann erwartungsvoll die drei Offiziere an.

»Was will denn die verdammte Bande?« fragte Spink scheinheilig.

»Das wüßte ich auch gern«, sagte Day. »He, Bootsmann, was ist los?«

»Oh, Tuan, Chinamen wantchee makee Kotau vor Captain Sahib.« Über des Bootsmanns Gesicht zog ein strahlendes Lächeln.

»Nun mal raus mit der Sprache, Serang«, forderte der Kapitän.

Worauf sich die ganze Besatzung noch einmal verbeugte und dann im Chor zur Brücke hinauf rief: »Captain Sahib velly, velly clevel, velly, velly good ideas!«

»Sagt das noch mal«, verlangte Spink. »Ich hab' euch wohl nicht richtig verstanden.«

Wieder ertönte es im Chor: »Captain Sahib velly, velly clevel, velly good ideas!«

»Danke, Männer. Bin euch sehr verbunden. Steward, gib allen einen Drink.«

Dann wandte sich Spink an Ward und Day, hielt die Hand auf und verlangte: »Zehn Dollar von jedem, meine Herren.«

Day und Ward blickten einander stumm an.

»Na, bin ich nun ein Genie oder nicht?« fragte Spink.

»Bei Gott«, erwiderte Ward. »Das sind Sie!«

Originaltitel: The Ingenuity of Captain Spink

William Hope Hodgson

Das Ungeheuer im Beerentang

Das ewige Mysterium der See hat Schriftsteller seit Generationen in seinen Bann geschlagen. Mit Ausnahme von Herman Melville und Joseph Conrad hat wohl kaum ein anderer mit soviel Talent über Erlebnisse auf See geschrieben wie William Hope Hodgson (1877–1918). Während viele Marineschriftsteller die Schönheit und wilde Großartigkeit der See schilderten, wußten nur wenige die düstere Brutalität des Meeres zu beschreiben. Denn seine Gewalten können wahrhaft Angst und Schrecken verbreiten – und diese Angst und dieser Schrecken gehen nicht nur von den Elementen der sichtbaren Natur aus, sondern auch von jenem Unbekannten, das in den unerforschlichen Tiefen oder dicht unter dem Horizont lauern kann.

Hodgson war seit seiner Kindheit besessen von dem Wunsch, zur See zu fahren. Er riß von zu Hause aus, als er noch ein Junge war, um auf einem Frachter anzuheuern. Obwohl man ihn wieder heimbrachte, gelang es ihm, seinen Vater – einen Pastor – davon zu überzeugen, daß es ihm mit seinem Wunsch ernst war. Und so wurde ihm 1891 – im Alter von 14 Jahren – erlaubt, als Schiffsjunge anzuheuern. Er fuhr acht Jahre zur See, umrundete dabei dreimal die Welt und hatte es schwer an Bord. Dennoch erwies er sich als Seemann von echtem Schrot und Korn. Für die Rettung eines Kameraden vor dem Ertrinken wurde er mit der Tapferkeitsmedaille der Royal Humane Society ausgezeichnet. Doch es war das Geheimnis der See und besonders jene rätselhaften Geschichten um bestimmte Meeresgebiete, die seine Phantasie beschäftigten. Und als er schließlich nach England zurückkehrte, waren es diese Themen, mit denen er seine Karriere als Schriftsteller begann. Seine Bücher hatten zwar nicht auf Anhieb großen Erfolg, sind aber inzwischen zu Klassikern geworden. Ich nenne hier nur drei seiner Titel, nämlich »The Boats of the Glen Carrig« (Die Boote der Glen Carrig) erschienen 1907, »The Ghost Pirates« (Die Geisterpiraten) erschienen 1909, und »Men of Deep Waters« (Männer der Tiefsee), das 1914 unmittelbar vor Ausbruch des Ersten Weltkrieges erschien. In diesem Krieg ist Hodgson 41jährig 1918 in den Gräben von Ypern gefallen.

Das Meer, das William Hope Hodgson mehr faszinierte als jedes andere, war die Sargassosee. Es ist der Teil des westlichen Nordatlantiks südlich der Bermudas, in dem es große Vorkommen von Sargassum, einem Beerentang, gibt. Vielen Legenden zufolge leben in diesem Teil des Atlantiks riesige Ungeheuer, die sich auf jedes Schiff stürzen, das ihnen zu nahe kommt. Hodgson hat über dieses Gebiet und seine Rätsel mehrere Kurzgeschichten geschrieben, und seine beste ist wohl »Das Ungeheuer im Beerentang«. Mich läßt diese packende Geschichte jedesmal wieder erschauern, wenn ich sie lese, und ich möchte niemandem jenes gruselige Gefühl wünschen, das mich beschlich, als ich auf einer Reise in den Südatlantik in einer heißen Sommernacht zum ersten Mal durch dieses Gebiet fuhr. Noch viel weniger aber möchte ich jemals in eine Situation geraten, wie sie Captain Jeldy und seine Männer auf den folgenden Seiten durchleben...

I

Dies ist eine seltsame Geschichte. Wir kamen von Kap Hoorn herauf, und da die Passatwinde uns stärker als üblich abdrängten, hatten wir einige hundert Meilen mehr West gemacht, als ich jemals vorher oder nachher erlebte.

Noch heute erinnere ich mich jener Nacht in all ihren Einzelheiten. Einzelheiten, die ich sonst binnen einer Stunde vergessen hätte. Andererseits habe ich natürlich darüber seither so oft gesprochen, daß es für mich gar kein Vergessen geben konnte.

Zusammen mit dem Ersten Offizier war ich – damals Dritter Offizier an Bord – an der Wetterseite übers Achterdeck gegangen, und wir hatten uns über die abergläubischen alten Seebären lustig gemacht. Es war während der ersten Wache so zwischen vier und fünf Glasen, also zwischen 22.00 und 22.30 Uhr. Plötzlich blieb der Erste stehen, hob den Kopf und schnüffelte. Das wiederholte er mehrfach.

»Da liegt aber ein ganz merkwürdiger Gestank in der Luft«, meinte er schließlich. »Riechen Sie's nicht?«

Ich schnüffelte ein-, zweimal in die leichte Brise, die quer über das Schiff lief, dann ging ich an die Reling, beugte mich darüber und schnupperte wieder. Und plötzlich roch ich es auch: einen üblen

Gestank, nicht allzu stark, aber doch so deutlich, daß er mich an etwas erinnerte.

»Tatsächlich, ich rieche auch was, Mr. Lammert«, sagte ich. »Ich könnte schwören, den Gestank kenne ich, kann aber nicht sagen, woher.« Ich starrte nach Luv hinaus in die Dunkelheit. »Was meinen Sie, wonach es stinkt?«

»Im Augenblick rieche ich überhaupt nichts mehr«, sagte er, kam herüber und stellte sich neben mich. »Es scheint sich verzogen zu haben... Nein! Donnerwetter! Da ist es wieder. Puh!«

Die stinkende Wolke hüllte uns ein und verdrängte die frische Nachtluft. Immer noch hatte der Gestank etwas Bekanntes für mich, blieb aber dennoch seltsam fremd. Kurz: Es stank einfach bestialisch.

Der Mief wurde immer schlimmer, und der Erste beauftragte mich, vorn den Ausguckposten zu fragen, ob auch er etwas gerochen habe. Als ich auf dem Vorschiff angekommen war, rief ich den Mann an.

»Ob ich was rieche, Sir?« antwortete er. »Soll das ein Witz sein? Und ob! Ich bin fast vergiftet von dem Gestank!«

Ich kletterte zu ihm hinauf und tatsächlich, hier war die Luft noch viel verpesteter. Nachdem ich den Gestank ein paar Minuten eingeatmet hatte, fragte ich den Mann, was er davon halte. Ob es sich um einen toten Wal handeln könne? Auf keinen Fall, meinte er. Schließlich sei er fast 15 Jahre auf Walfängern gefahren, und wie ein toter Wal stinke, wisse er deshalb ganz genau. »So sicher, wie man schlechten Whisky sofort am Geruch erkennt, Sir.« Nein, das sei auf keinen Fall ein toter Wal. »Nur Gott allein weiß, was das ist, Sir. Es stinkt, als wäre ein Ertrunkener aus seinem nassen Grab emporgestiegen, um noch mal Luft zu schnappen.«

Ein paar Minuten blieb ich neben ihm stehen und starrte wie er in die Dunkelheit, ohne etwas zu sehen. Aber die Nacht war so pechschwarz, daß wir selbst etwas Großes ganz dicht in unserer Nähe nicht wahrgenommen hätten. Kein einziger Stern war zu sehen, nur ein seltsamer Dunst braute sich über unserem Schiff zusammen.

Ich ging zum Ersten zurück und berichtete, daß auch der Ausguckposten über den Gestank klage, daß es aber weder ihm noch mir gelungen sei, in der undurchdringlichen Finsternis seine Ursache auszumachen.

Mittlerweile hatte sich der merkwürdig ekelerregende Gestank über das ganze Schiff gelegt, und der Erste schickte mich mit dem Auftrag nach unten, sämtliche Bullaugen schließen zu lassen, damit der Gestank wenigstens nicht in die Kabinen und den Salon drang.

Kaum war ich zurück, da schlug der Erste vor, auch die Niedergangstüren zu schließen. Nachdem das geschehen war, gingen wir wieder auf dem Achterdeck hin und her und rätselten weiter über die Ursache des Phänomens. Von Zeit zu Zeit starrten wir suchend durch unsere Gläser in die pechschwarze Nacht, vergeblich.

»Ich will Ihnen sagen, wonach es stinkt, Mister«, meinte der Erste schließlich. »Es riecht wie damals auf dem alten, herrenlosen Wrack im Nordatlantik, als ich an Bord ging. Das Bilgewasser war wohl hundert Jahre alt, dazu kam der Geruch von Toten und verfaultem Seegras. Ich kann mir nicht helfen, aber mir kommt's vor, als hätten wir den Fliegenden Holländer in unserer Nähe.«

»Ist Ihnen aufgefallen, Sir, wie ruhig es in der letzten halben Stunde um uns geworden ist?« fragte ich kurz darauf. »Der Dunst scheint immer dichter zu werden.«

»Das ist fast schon Nebel«, sagte der Erste, trat an die Reling und starrte in die Dunkelheit. »Mein Gott, was war das?« rief er plötzlich.

Irgend etwas hatte ihm die Mütze vom Kopf geschlagen. Sie knallte mir mit Schwung vor die Füße. Plötzlich hatte ich die Vorahnung von etwas ganz Schrecklichem.

»Weg von der Reling, Sir!« rief ich, machte einen Satz und riß den Ersten zurück. »Kommen Sie weg von dieser Seite!«

»Was ist denn los mit Ihnen, Mister?« knurrte der Erste und befreite seine Schulter aus meinem Griff. »Stimmt was nicht? Haben *Sie* mir die Mütze vom Kopf geschlagen?«

Er bückte sich und tastete danach. Noch während er suchte, hörte ich deutlich etwas dort über die Reling kratzen, wo der Erste eben noch gestanden hatte.

»Mein Gott, Sir! Hören Sie nur! Da ist was!« schrie ich.

Der Erste richtete sich auf und lauschte in die Dunkelheit. Es hörte sich an, als ob etwas Hartes nur zwei Meter von uns entfernt über die Reling schurrte.

»Wer ist da?« fragte der Erste scharf. Und als er keine Antwort bekam, brüllte er: »Was, zum Teufel, soll der Quatsch? Antworten Sie!« Er machte einen schnellen Schritt auf die Reling zu, aber ich riß ihn wieder zurück.

»Bleiben Sie da weg, Mister«, bat ich leise. »Das ist keiner von unseren Männern. Ich hole eine Lampe.«

»Ja, aber schnell!« befahl er. Ich lief eilends zum Kompaßhaus und holte die Lampe heraus. Als ich sie packte, hörte ich, wie der Erste in der Dunkelheit erstickt nach mir rief. Ich hörte ein scharfes lautes

Klappern, dann splitterte Holz, und unmittelbar danach brüllte der Erste nach Licht. Seine Stimme überschlug sich fast, es war eher ein Angstschrei als ein Ruf. Darauf folgten noch mehr seltsame Geräusche: zwei dumpfe, aber laute Schläge, und ein unmenschlich schweres Keuchen. Als ich übers Achterdeck hinzurannte, kam von dort das ohrenbetäubende Klirren von zerbrechendem Glas – danach Totenstille.

»Mr. Lammart!« rief ich. »Mr. Lammart!« Als ich die Stelle erreichte, an der er eben noch gestanden hatte, war er verschwunden.

Noch einmal rief ich: »Mr. Lammart!«, wiederholte meinen Ruf, hielt die Lampe hoch über den Kopf und drehte mich schnell um. Dabei rutschte ich auf einer glitschigen Masse aus, fiel der Länge nach hin, die Lampe flog mir aus der Hand, und das Licht erlosch.

Im Handumdrehen war ich wieder auf den Beinen. Einen Augenblick suchte ich tastend nach der Lampe, dann hörte ich die Matrosen vom Hauptdeck rufen und das Getrappel ihrer Füße, als sie näherkamen. Schließlich fand ich die zerbrochene Lampe, sie war nicht mehr zu verwenden. Ich sprang in den Niedergang hinunter und kam mit der großen Salonlampe zurück, die ein helles Licht verbreitete. Mit dieser Lampe lief ich zum Achterschiff und schützte dabei den oberen Teil des Glaszylinders mit der Hand vor Zugluft. Der helle Schein beleuchtete die Luvseite der Poop, als sei es Tag, nur den Nebel, der das Schiff einhüllte, konnte das Licht nicht durchdringen. Er verwischte alle Umrisse in der Nähe.

Dort, wo der Erste gestanden hatte, sah ich Blut auf den Decksplanken, doch den Mann selbst konnte ich nirgends entdecken. Ich lief zur Luvreling und hielt die Lampe hoch. Wieder Blut! Die Reling selbst war wie von einer übermenschlichen Gewalt verdreht und geknickt. Ich streckte die Hand aus und stellte fest, daß sie sich völlig lose schütteln ließ. Da beugte ich mich vor, hielt die Lampe weit über Bord und starrte zum Wasser hinunter.

»Mr. Lammart!« rief ich in die Dunkelheit. »Mr. Lammart!« Doch der Nebel verschluckte meine Stimme.

Ich hörte die Männer hinter mir schnüffeln und schwer atmen, während sie in Lee der Poop warteten. Ich drehte mich schnell zu ihnen um und hob die Lampe.

»Wir haben Lärm gehört, Sir«, sagte Vollmatrose Tarpley, unser Wachführer. »Irgendwas nicht in Ordnung?«

»Der Erste ist verschwunden«, sagte ich perplex. »Auch wir haben was gehört, da bin ich zum Kompaßhaus um die Lampe gelaufen. Er hat noch einmal laut geschrien, dann gab es Kleinholz und Scherben. Als ich zurückkam, war von ihm nichts mehr zu sehen.« Ich wandte mich wieder um und hielt die Lampe abermals über die Reling. Die Männer scharten sich um mich, nicht weniger bestürzt als ich.

»Das ist doch Blut, Sir!« Tarpley wies auf die Reling. Dann deutete sein große, kräftige Hand aufs Meer hinaus. »Da ist was verdammt Komisches da draußen. Davon kommt auch der Gestank...«

Er konnte seinen Satz nicht beenden, denn plötzlich schrie ein anderer in höchster Angst: »Vorsicht, Sir! Vorsicht!«

Aus dem Augenwinkel sah ich eine blitzschnelle Bewegung, und bevor ich mir klarwerden konnte, was ich da erblickt hatte, wurde meine Lampe zerschmettert und flog in tausend Stücken quer übers Achterdeck. Schlagartig begriff ich, wie unglaublich leichtfertig wir uns verhielten. Hier standen wir ahnungslos wie Kinder in der Dunkelheit, während da draußen offenbar etwas Monströses lauerte, dem wir auf Gnade und Barmherzigkeit ausgeliefert waren. Ich fühlte, daß etwas Bedrohliches über uns schwebte – jederzeit bereit zum Zuschlagen. Und ich bekam plötzlich am ganzen Körper eine Gänsehaut.

»Alle zurück von der Reling!« rief ich. In plötzlicher Erkenntnis der Gefahr wichen die Männer laut scharrend zurück, und ich sprang ihnen nach. Noch in der Bewegung streifte etwas Unsichtbares meine Schulter, gleichzeitig stieg mir ein unbeschreiblich ekliger Geruch in die Nase, der von etwas herrührte, das über mir im Finstern schwebte.

»Alle Mann runter in den Salon!« schrie ich. »Los, los! Beeilt euch!«

Die Männer stürzten fluchend über das dunkle Achterdeck und dann Hals über Kopf die Treppe hinunter. Sie stießen einander und fielen mehr als sie liefen. Zuletzt rief ich dem Rudergänger zu, auch er solle machen, daß er unter Deck kam, dann folgte ich als letzter.

In der Dunkelheit unter Deck drängten sich die Männer angstlich zusammen. Die Stimme des Kapitäns füllte den ganzen Salon. Er verlangte zwischen Flüchen zu wissen, was der Grund für diesen Lärm sei. Dann wurde ein Streichholz angerissen, und schließlich erhellte eine Lampe den Salon.

Ich bahnte mir einen Weg zwischen den Männern hindurch und fand den Kapitän in seinem Nachtgewand. Er war schläfrig und wütend zugleich, hielt eine Lampe hoch und ließ ihr Licht auf die zusammengedrängten Männer fallen.

Umgehend informierte ich ihn über die Vorfälle und die unglaublichen Umstände, unter denen der Erste Offizier verschwunden war.

Dabei gab ich meiner Überzeugung Ausdruck, daß etwas Unerklärliches in unserer Nähe lauere, verborgen in Nebel und Finsternis. Auch erwähnte ich den ekelerregenden Geruch und die Vermutung des Ersten, wir seien in der Nähe eines verrotteten Wracks. Noch während ich versuchte, meine Eindrücke in unbeholfene Worte zu fassen, machten sich in meiner Phantasie die fürchterlichsten Bilder breit. Tausend schreckliche Dinge, die mir auf See bisher völlig unmöglich schienen, gewannen plötzlich an Wahrscheinlichkeit.

Kapitän Jeldy machte sich nicht erst die Mühe, sich anzukleiden. Er rannte sofort in seine Kajüte und kam mit zwei Revolvern und einer Handvoll Patronen zurück. Auch der Zweite Offizier war von dem Lärm wach geworden, aus seiner Kammer gekommen und hatte blitzschnell begriffen, worum es ging. Er brachte eilends seine Lampe und einen großkalibrigen Smith-&-Wesson-Revolver, der offensichtlich bereits geladen war.

Der Kapitän drückte mir den einen Revolver in die Hand, dazu ein paar Patronen, und schon luden wir beide Waffen mit fliegenden Fingern. Danach bahnte sich Jeldy einen Weg durch die Wartenden und eilte die Treppe hinauf. Der Zweite und ich folgten ihm.

»Sollen die Männer wieder an Deck kommen, Sir?«

»Auf keinen Fall. Sie sollen kein unnötiges Risiko eingehen.« Er rief über die Schulter zurück: »Verhaltet euch ruhig da unten, Leute. Wenn ich euch brauche, rufe ich, aber dann kommt pronto!«

»Aye, aye, Captain«, antwortete die Wache im Chor.

Hinter dem Kapitän rannte ich den Niedergang hinauf, den Zweiten dicht auf meinen Fersen. Wir erreichten das leere Achterdeck. In der kurzen Zeit, in der ich unten gewesen war, hatte sich der Nebel noch verdichtet, dazu wehte nicht die kleinste Brise. Der Nebel war so dick, daß er uns förmlich niederdrückte und das Licht unserer beiden Lampen fast verschluckte.

»Wo war's?« Die Stimme des Kapitäns war nur ein Flüstern.

»An Backbord, Sir, kurz vor dem Kartenhaus und vielleicht vier Meter von der Reling entfernt. Ich zeige Ihnen die genaue Stelle.«

Wir tasteten uns an der Seite nach vorn, die bei Wind die Luvseite gewesen wäre, und bewegten uns leise und wachsam. Einmal glaubte ich, irgendwo in dem dicken, weißgrauen Dunst etwas zu hören, doch wegen des Knarrens in der Takelage war ich mir keineswegs sicher. Während unser Schiff in der seltsam trägen Dünung leicht rollte, war bis auf dieses Knarren und das Schlagen der Segel kaum etwas zu vernehmen. In meinem verängstigten Zustand schien mir gerade diese Stille besonders bedrohlich zu sein.

»Hier war es, wo ich Mr. Lammart zuletzt gesehen habe, Sir«, flüsterte ich dem Kapitän zu. »Halten Sie bitte Ihre Lampe hoch, dann sehen Sie das Blut auf den Planken.«

Captain Jeldy tat es, und ein kurzes Knurren entfuhr seiner Kehle angesichts dessen, was er zu sehen bekam. Ohne sich um meinen hastigen Warnruf zu kümmern, ging er quer übers Deck zur Reling und hielt seine Lampe am ausgestreckten Arm übers Wasser. Natürlich folgte ich ihm, denn ich konnte ihn doch nicht allein lassen. Auch der Zweite trat mit seiner Lampe zu uns. Wir beugten uns über die Reling und hielten unsere Lampen nach draußen in den dräuenden Nebel: ein nutzloses Unterfangen, das allenfalls die Undurchdringlichkeit der Nacht verdeutlichte. Die Lampen warfen nur zwei gelbe Kreise in den Nebel und akzentuierten lediglich die unendlichen Möglichkeiten der Schrecken, die sich in der Finsternis verbergen konnten. Das ist vielleicht eine sonderbare Art, sich auszudrücken, aber so wirkte es in diesem Moment auf mich. Die ganze Zeit erwartete ich, daß etwas Gräßliches aus dem schwarzen Dunst nach uns greifen würde. Wir waren nur drei hilflose Gestalten, vom wabernden Nebel umhüllt, die nervös in die Dunkelheit starrten.

Mittlerweile war die Sicht so schlecht geworden, daß man nicht einmal mehr die Meeresoberfläche erkennen konnte, wenn man an der Bordwand entlang nach unten sah. Vor und hinter uns verschwand die Reling irgendwo in Nebel und Dunkelheit. Als wir so dastanden, hörte ich, wie sich etwas auf dem Hauptdeck bewegte. Ich faßte Captain Jeldy am Ellenbogen.

»Kommen Sie bloß von der Reling fort, Sir!« Meine Stimme war nur ein Flüstern. In Vorahnung der drohenden Gefahr machte er einen schnellen Schritt zurück und gestattete mir, ihn binnenbords abzudrängen. Auch der Zweite trat zurück zur Mitte des Achterdecks. Da standen wir nun, starrten hinaus in den Nebel und hielten unsere Waffen schußbereit. Die Nebelschwaden kreisten um die Lampen wie schwimmende Kränze.

»Was haben Sie denn gehört, Mister?« fragte der Kapitän nach einer Weile.

»Pst. Da ist es wieder. Irgendwas bewegt sich unten auf dem Hauptdeck.«

Nun hörte es auch der Captain, und wir lauschten angestrengt in die Dunkelheit. Aber wir konnten aus den Geräuschen nicht schlau werden. Dann vernahmen wir plötzlich das Rasseln von Ringbolzen an Deck, es hörte sich an, als ob jemand damit spiele.

»Das ist da unten auf dem Hauptdeck!« schrie der Kapitän plötzlich heiser und nahe an meinem Ohr, doch vom Nebel gedämpft. »Auf dem Hauptdeck! Halt, wer da?«

Doch wir warteten vergeblich auf Antwort. Stumm standen wir drei da, spähten mal in diese Richtung, mal in jene und lauschten in die Dunkelheit. Plötzlich murmelte der Zweite Offizier: »Der Ausguckposten, Sir! Der Ausguck!«

Captain Jeldy reagierte sofort.

»Hallo, Ausguck!« rief er in die Nacht.

Wie von weit weg und sehr gedämpft kam die Antwort des Ausguckpostens, der vorne am Bug stand.

»Sir?«

»Machen Sie, daß Sie ins Focsle* kommen, Mann! Schließen Sie beide Türen und rühren Sie sich ja nicht, bevor Sie gerufen werden!« schrie Captain Jeldy nach vorn in den Nebel. Die Antwort des Mannes: »Aye, aye, Sir!« scholl hohl und schwach zu uns zurück. Anschließend hörten wir das Zuklappen einer Stahltür.

»Damit ist die Crew erst mal in Sicherheit«, sagte der Zweite. Noch während er sprach, wiederholte sich jenes undefinierbare Geräusch auf dem Hauptdeck. Es hörte sich an, als ob sich da unten etwas Unglaubliches mit unnatürlicher Heimlichkeit bewege. »He, ihr da auf dem Hauptdeck, antwortet sofort, oder ich schieße!« brüllte der Kapitän.

Die Reaktion war verblüffend und erschreckend zugleich: ein gewaltiger Schlag auf das Deck, gefolgt von einer langgezogenen, dumpfen Erschütterung, als rolle sich ein schweres Gewicht über die Planken. Danach Stille, drohende, unheilschwangere Stille.

»Mein Gott«, stöhnte Captain Jeldy leise, »was war denn *das*?« Er hob den Revolver, aber ich hielt ihn am Handgelenk zurück. »Schießen Sie nicht, Sir«, flüsterte ich. »Es wäre ein Fehler. Das Ding da – was es auch sein mag –, Sir, muß riesig sein. Ich würde nicht schießen.« Ich war nicht der Lage, meine unbestimmten Ängste in die richtigen Worte zu fassen, aber ich hatte das Gefühl, daß da unten auf dem Hauptdeck ein Wesen von solcher Übermacht lauerte, daß es sinnlos sein mußte, es mit ein paar kleinen Revolverkugeln zu bekämpfen.

---

* Focsle (engl.) für fore-castle, früher die Wohnräume der Mannschaft unter der Back, im Vorschiff.

Plötzlich drang – während ich noch Kapitän Jeldys Handgelenk gepackt hielt – das jämmerliche Blöken unserer Schafe durch den Nebel, gleichzeitig mit dem Krachen berstender Laschings und dem Splittern von Holz. Schlag folgte auf Schlag, immer wieder akzentuiert vom ängstlichen Bähen der Schafe.

»Mein Gott!« seufzte der Zweite. »Der Schafspferch wird an Deck zu Kleinholz geschlagen. Herr im Himmel, was für ein Ungeheuer hat so gewaltige Kräfte?«

Das dröhnende Krachen verstummte, etwas platschte über Bord, und dann wurde es still. Die ganze Atmosphäre schien von gefährlich gespannter Ruhe. Die Stille wurde nur vom schwachen Reißen eines Segels hoch oben unterbrochen – ein einsames Geräusch, das an meinen Nerven zerrte.

»Unter Deck mit euch, schnell!« befahl der Kapitän. »Da bewegt sich etwas, entweder an Bord oder längsseits im Wasser. Vor Tagesanbruch können wir doch nichts mehr unternehmen.«

Wir machten alle drei, daß wir hinunter kamen, und schlossen die Türen des achteren Niedergangs. So trieb unser Schiff in der Weite des Atlantiks, und weder Ruder noch Ausguck waren besetzt. Kein Offizier stand auf der Brücke – und irgend etwas Ungeheuerliches lastete auf dem Hauptdeck und belauerte uns in der Dunkelheit.

II

Einige Stunden saßen wir so in der Kapitänskajüte und besprachen unsere hilflose Lage, während die Männer der Wache auf dem Gang zum Salon in den verschiedensten Stellungen schliefen. Immer noch trugen der Kapitän und der Zweite Offizier ihre Nachtgewänder, und die geladenen Revolver lagen griffbereit vor uns. In gedrückter Stimmung verbrachten wir die Stunden bis Sonnenaufgang.

Als es heller wurde, bemühten wir uns, durch die Bullaugen einen Blick auf die See draußen zu werfen, doch der Nebel war immer noch so dick, daß wir nur in ein graues Nichts blickten. Mit zunehmendem Tageslicht wurde es langsam zu Weiß.

Schließlich sagte Captain Jeldy: »Nun wollen wir doch mal sehen, was an Deck los war.«

Er stieg den achteren Niedergang hinauf und öffnete beide Türflügel. Weiß und immer noch undurchdringlich quoll uns der Nebel entgegen. Eine Weile standen wir drei nur stumm da und lauschten hinaus, die schußbereiten Revolver in Händen. Nichts war zu hören außer dem Knarren der Takelage und dem Ächzen des Rumpfes, der sich auf der Dünung wiegte.

Dann trat der Kapitän vorsichtig hinaus an Deck. Er trug noch seine Pantoffel und konnte sich deshalb völlig geräuschlos bewegen. Ich folgte ihm leise in meinen Gummistiefeln, und der Zweite kam barfuß hinter uns her. Der Alte machte nur ein paar Schritte, da hatte ihn der Nebel bereits verschluckt. »Puh!« hörte ich ihn murmeln. »Das stinkt ja schlimmer als zuvor!« Aus den Schwaden, die uns umkreisten, drang seine Stimme seltsam verzerrt zu uns.

»Nicht mehr lange, dann frißt die Sonne den ganzen Nebel auf«, flüsterte der Zweite an meinem Ellbogen.

Wir folgten dem Kapitän und fanden ihn nur wenige Meter entfernt an Deck stehen und intensiv lauschen.

»Ich höre absolut nichts«, wisperte er. »Laßt uns mal nach vorn gehen bis zur Hütte, aber leise. Daß mir keiner Krach macht!«

Wie drei Schatten schlichen wir vorwärts, und plötzlich stieß Captain Jeldy mit dem Schienbein irgendwo dagegen und fiel mit einem gewaltigen Poltern der Länge nach hin. Fluchend kam er wieder auf die Füße und stand mit uns lauschend da, wartete wie wir, ob ein Monster aus der weißen Wand plötzlich über uns herfallen würde. Einmal glaubte ich ganz sicher etwas zu sehen, das direkt auf mich zukam, und hob schon meinen Revolver. Im letzten Augenblick merkte ich meinen Irrtum: Es war nur Einbildung. Die Anspannung ließ etwas nach, und Captain Jeldy bückte sich nach dem Hindernis, das ihn zu Fall gebracht hatte.

»Der Hühnerstall ist auch weg!« knurrte er. »Aus dem Deck gerissen und zerschmettert!«

»Vielleicht war dies das Krachen, das ich hörte, als der Erste verschwand«, flüsterte ich. »Kurz bevor er nach Licht rief, gab es so ein Bersten wie von zerschmettertem Holz.«

Jeldy wandte sich von den Trümmern des ehemaligen Hühnerstalls ab, und wir drei schlichen auf Zehenspitzen weiter in Richtung Reling. Dort beugten wir uns hinaus und blickten über die Bordwand in den weißen Nebel.

»Ich sehe absolut nichts«, flüsterte der Zweite. Doch genau in diesem Moment glaubte ich, ein leises Kratzen irgendwo unter uns zu vernehmen. Ich zog die beiden Männer am Arm zurück.

»Da unten ist was! Kommt um Himmels willen von der Reling weg«, flüsterte ich ihnen zu.

Wieder verhielten wir uns lauschend, und plötzlich machte sich ein leichter Luftzug bemerkbar, eine Brise, die den Nebel durcheinanderwirbelte.

»Da kommt Wind auf«, sagte der Zweite. »Sehen Sie mal, der Nebel lichtet sich schon.«

Er hatte recht. Die undurchdringliche weiße Wand wurde dünner, und plötzlich konnten wir das Süll der achteren Luke sehen. Binnen einer Minute war das Deck bis zum Großmast frei. Doch nicht das leergefegte Hauptdeck erweckte unser Interesse, sondern das, was sich um unser Schiff herum tat. Wir schwammen in einem riesigen Teppich von Beerentang, der sich zu beiden Seiten ausdehnte, so weit der Blick reichte.

»Tang!« rief der Kapitän. »Beerentang! Seht nur! Bei Gott, jetzt weiß ich, was unserem Ersten zugestoßen ist!«

Er wandte sich um und rannte zur Backbordseite. Auch dort starrte er in den gelben Teppich hinab. Doch plötzlich versteifte er sich und winkte uns heran. Wir liefen hin, stellten uns neben ihn und blickten zusammen in das Feld aus Beerentang.

»Sehen Sie dort?« Seine Stimme war nur ein Flüstern. »Sehen Sie das riesige Scheusal?« Er deutete querab. »Da, dort drüben...«

Zuerst konnte ich außer dem halb unter Wasser schwimmenden Tangfeld nichts erkennen, in das wir offensichtlich im Dunkeln hineingeraten waren. Dann aber, als ich genauer hinsah, registrierte mein Gehirn ein lederartiges Etwas, um einiges dunkler als der es umgebende Tang.

»Mein Gott!« stöhnte Captain Jeldy. »Was für ein Monster! Seht euch das Scheusal nur an! Diese Augen... Das Vieh hat sich unseren Ersten geholt. Eine Kreatur, wie aus der Hölle entsprungen!«

Jetzt erst erkannte ich das Ungeheuer in seinen vollen Ausmaßen. Drei der gewaltigen Fangarme lagen aufgerollt zwischen den Tangklumpen. Schlagartig wurde mir klar, daß die zwei seltsamen Scheiben, die unbewegt und rätselhaft zu uns herüberstarrten, nichts anderes waren als Augen, die knapp unter der Wasseroberfläche lagen. Mir schien, als stierten sie völlig ausdruckslos den stählernen Rumpf unseres Schiffes an. Undeutlich erkannte ich die Umrisse von dem, was wohl der Kopf des Monsters war. »Mein Gott«, murmelte ich, »das ist ein Tiefseekrake, eine Monstrum von Tintenfisch. Welch fürchterliches...«

Ein scharfer Knall unterbrach mich. Kapitän Jeldy hatte auf das Monster geschossen. Im selben Augenblick brodelte es wie ein

Seebeben neben unserer Bordwand. Tonnenweise wurde Tang hochgeschleudert, wohl von den um sich schlagenden Tentakeln des Monsters, und ein großer Teil davon landete an Deck. Das Meer schien zu kochen, schien sich in einen riesigen Kessel voll Wasser und Tang verwandelt zu haben. Die stählerne Bordwand unseres Schiffes erzitterte unter den gewaltigen Schlägen der sich windenden Kreatur. In diesen Mahlstrom aus Fangarmen, Beerentang und Wasser leerten wir drei unsere Trommeln, so schnell wir feuern konnten. Dann luden wir nach und schossen wieder. Ich erinnere mich noch jetzt daran, welch ungeheure Befriedigung es mir bereitete, auf diese Weise den Tod unseres Ersten zu rächen.

Plötzlich brüllte uns der Kapitän zu, wir sollten zurückspringen, und wir gehorchten augenblicklich. Schon stieg eine riesige Menge Tang an die sechs Meter hoch in die Luft, und mehr als eine Tonne davon klatschte auf unser Schiff. Im nächsten Moment umklammerten riesige Fangarme den Rumpf unseres Seglers, der sich unter der Belastung ganz langsam nach Backbord überlegte. Das Monster hatte sich aus dem Meer gehoben und stemmte sich nun gegen unsere Bordwand: ein Wesen von ungeheuren Ausmaßen und lederartigem Äußeren, über und über mit Beerentang behangen und überströmt von Blut und einer merkwürdigen schwarzen Flüssigkeit.

Die langen Tentakeln, die auf dem Hauptdeck lagen, tasteten hierhin und dorthin, und plötzlich ringelte sich einer wie eine Schlange um den Fuß des Großmastes. Das schien die anderen beiden anzulokken, denn plötzlich legten auch sie sich um den Mast, und alle drei begannen, mit derartiger Kraft daran zu rütteln, daß die 45 Meter hohe Spiere wie eine dünne Bohnenstange schwankte. Das Schiff selbst erbebte unter dem gewaltigen Angriff des Kraken.

»Er holt uns den Mast runter, Sir!« keuchte der Zweite. »Mein Gott! Das reißt uns die Bordwand auf!«

»Eine von unseren Sprengladungen!« schrie ich. »Schnell!« Denn mir war ein Einfall gekommen.

»Holen Sie so'n Ding, aber fix, Mann!« Der Kapitän wies zum Niedergang. »Aus der Kajüte! Sie wissen ja, wo die sind.«

Binnen einer halben Minute war ich mit der Sprengladung zurück. Captain Jeldy nahm sein Messer und schnitt die Zündschnur kurz, dann setzte er sie in Brand und hielt das funkensprühende Ding ganz ruhig in der Hand. Ich wich zurück und rief ihm zu, er solle es endlich wegschleudern, denn es konnte nur noch Sekunden dauern, bis das Dynamit explodierte.

Jeldy schleuderte die Sprengkapsel wie eine Wurfscheibe von sich. Sie plumpste auf der dem Schiff abgekehrten Seite des Monsters ins Wasser. Jeldy hatte die Zeit gut berechnet, denn die Ladung explodierte unmittelbar beim Auftreffen, und die Wirkung war beeindruckend. Das Untier fiel förmlich in sich zusammen. Die riesigen Fangarme lösten sich vom Fuß des Mastes und rutschten hilflos über Deck, verschwanden über die Kante, als das Ungeheuer im Beerentang versank. Das Schiff legte sich langsam nach Steuerbord über und stabilisierte sich wieder. »Gott sei Dank!« murmelte ich und sah die beiden anderen erleichtert an. Sie waren blaß, die Gesichter schweißnaß – wahrscheinlich sah ich nicht anders aus.

Wenig später stellte der Zweite fest: »Jetzt kommt Wind auf. Wir machen wieder Fahrt.« Ohne ein weiteres Wort wandte er sich um und eilte zum Ruder achtern, während unser Schiff durch den Tang zu gleiten begann.

»Sehen Sie bloß, wie das Ungeheuer unseren Schafstall zerlegt hat.« Jeldy zeigte auf die Trümmer. »Und hier, auch das Oberlicht der Segellast ist in Stücke geschlagen.«

Er ging hinüber zum Skylight, warf einen Blick durch den Spalt und stieß einen Ruf des Erstaunens aus.

»Hier unten liegt der Erste!« rief er. »Er ist gar nicht über Bord gegangen. Er liegt da unten!«

Er ließ sich durch das offene Oberlicht auf die Segel hinunterfallen, und ich folgte ihm. Unten auf einem Haufen Tuch lag tatsächlich unser Erster Offizier. Er war bewußtlos, hielt aber in der Rechten noch ein scharfes Messer, während seine linke Hand völlig mit Blut verkrustet war. Später schlossen wir daraus, daß er sich selbst verletzt haben mußte, als er das Messer in die Fangarme des Kraken stieß; eine Tentakelspitze war nämlich noch so um seinen Arm gewickelt, wie er sie abgeschnitten hatte. Ansonsten war er nicht verletzt. Das Ungeheuer hatte ihn gepackt und durch das Oberlicht geschmettert, wo er betäubt auf dem Segelhaufen gelandet war.

Wir holten ihn heraus, verfrachteten ihn in seine Koje und überließen ihn der Obhut des Stewards. Als wir auf die Poop zurückkehrten, hatte sich das Schiff aus dem Tangteppich freigesegelt. Der Kapitän und ich starrten über die Heckreling zurück.

Während wir so dastanden hob sich etwas mitten in dem Tangfeld ans Licht: ein langer, spitz zulaufender, riesiger Arm, der uns noch einmal zuwinkte und schließlich in der Dunkelheit des Beerentangs versank, eine furchteinflößende Riesenspinne der Tiefsee, die in dem gelben Netz auf Beute lauerte, das die Natur ihr durch den Wechsel der Gezeiten und Strömungen geschaffen hatte.

Endlich fand uns der Passat, wir segelten nach Norden und ließen die Schrecken der Sargassosee hinter uns zurück.

Originaltitel: The Thing in the Weeds

John Masefield

Don Alfonsos Schatzsuche

In jeder Sammlung von Kapitänsgeschichten muß auch Platz für ein oder zwei Piraten sein – und weil ich stets meine Freude an Seeräuberstories gehabt habe, sind in diesem Buch zwei enthalten, beide von bekannten Seeschriftstellern. Die erste stammt aus der Feder von John Masefield (1878–1967), der von 1930 bis zu seinem Tode als britischer Hofdichter wirkte. In seinen frühen Tagen war Masefield als brillanter Autor von Seegeschichten bekannt. Zunächst sah es tatsächlich so aus, als ob ihm eine Karriere auf See bestimmt sei; denn er wurde Kadett der Handelsmarine auf dem Schulschiff HMS Conway. *Anschließend absolvierte er seine praktische Ausbildung auf einem Windjammer. Die Erlebnisse mit den Menschen an Bord und dem Meer hat er später in Poesie und Prosa verarbeitet. Nur sein schlechter Gesundheitszustand zwang Masefield, der See frühzeitig den Rücken zu kehren. Doch schon in seinem ersten poetischen Werk mit dem Titel* Salt-Water Ballads *(Salzwasser-Balladen) fanden seine Erfahrungen auf See ihren Niederschlag. Sie wurden 1902 veröffentlicht, und ihnen folgten Sammlungen von Kurzgeschichten über bekannte Seeleute und die Liebe zum Meer. Einem dieser Bände, dem 1905 erschienenen* A Mainsail Haul *(Großsegel setzen) habe ich die so farbenreiche Geschichte des Don Alfonso entnommen, der eine Mannschaft und ein Schiff kommandierte und sich aufmachte, den Traum jedes Piraten zu verwirklichen: einen vergrabenen Schatz zu finden.*

In den alten Tagen, als die Schiffe noch nicht mit Dampfantrieb fuhren sondern mit Segeln, lebte in Trinidad ein junger, dunkelhäutiger Spanier namens Don Alfonso. Trinidad wurde damals von ·den Seeleuten gern als »Höllendeckel« oder als »Luke Eins« bezeichnet, denn es war wirklich höllisch heiß. Die Einwohner zeigten Fremden gern eine Stelle, die aussah wie ein riesiger Kessel, aus dem es heiß und

125

schwarz hervorbrodelte. Dabei stank es zum Gotterbarmen. Seeleute fühlten sich davon an den Geruch eines gestrandeten Viehtransporters erinnert.

Die Hitze soll schuld gewesen sein, daß die Einheimischen – vorwiegend spanisch sprechende Mestizen – den lieben langen Tag nichts weiter taten als herumzusitzen. Wenn sie am Morgen erwachten, saßen sie bald beieinander und rollten aus gelbem Papier und Tabakkrümeln Cigarillos. Die steckten sie, wenn sie nicht gleich geraucht wurden, hinter die Ohren wie ein Buchhalter seinen Federhalter. So verging ein heißer Tag nach dem anderen mit Cigarillos rollen, qualmen und über Gott und die Welt schwadronieren. Nur manchmal steckten die Männer – sie waren fast alle recht groß – Blumen an ihre Hüte, rote Rosen oder andere. Und so verrann die Zeit.

Dieser Don Alfonso, von dem ich hier erzählen will, war ein ganz besonders wilder Bursche. Einer, der schnell mit der Faust zuschlug, wenn ihm was nicht paßte, und der soff wie ein Loch; er goß sich alles hinter die Binde, was er kriegen konnte. Alfonsos Mutter war Witwe, und er war ihr einziger Sohn.

Eines Tages saß Don Alfonso mal wieder in der Kneipe und goß den Rum in solchen Mengen und mit einer Geschwindigkeit in sich hinein, wie Sie und ich vielleicht ein Bier trinken. Mit ihm in der *Pulperia*, wie sie auf spanisch die Kneipen nennen, saß eine ganze Bande von Dagos*, und alle schütteten Wein und Rum in sich hinein und machten allerlei Unfug.

Unter ihnen befand sich ein junger Italiener auf Schatzsuche. Er suchte nach Schätzen, die vergraben waren, und reiste dazu mit einem Segler, der zwischen den Inseln verkehrte. Nach Gold suchten er und seine Freunde, das die Piraten vergraben hatten, und sie waren eine fröhliche Crew auf dem Segler. Warum Seeleute ihr Gold vergruben? Die doch nicht, das versteht sich von selbst. Oder habt ihr je gehört, daß ein alter Seemann seine Dollars in einen Karnickelbau steckt?

Na, dieser junge Dago war jedenfalls ganz stolz darauf, daß er von versunkenen und vergrabenen Schätzen wußte. Auf dieser gewissen unbewohnten Insel, so berichtete er, oder auch vor der Küste jener anderen, da gäbe es Gold und Juwelen in Hülle und Fülle. Der Schatz liege kaum tiefer als einen Meter unter dem Sand, und obendrauf ruhe ein Skelett. Denn, so wußte der Italiener zu erzählen, die Piraten

---

* Dago = Spanier, Portugiesen, seltener auch Italiener

hätten die Angewohnheit gehabt, einen Neger zu töten und seine Leiche auf ihre vergrabenen Schätze zu legen. Ein Toter schrecke nämlich Diebe ab, die sich bereichern wollten. Ja, so sei das gewesen.

Mein Gott, was wußte der Dago Aufregendes zu erzählen! Von Gold, Silberdollars und Juwelen und vielem mehr. »Und ich kenne einen Platz, wo all das liegt und nur darauf wartet, ausgegraben zu werden.« Dann holte er eine Karte heraus, in die ein rotes Kreuz eingezeichnet war. Das war die Stelle, wo der Schatz vergraben lag. Wein und Rum flossen in Strömen, und am Ende machte Don Alfonso einen Vorschlag. So kam es, daß die Gang eine Brigantine charterte, und zwar eine mit biblischem Namen, was gar nicht zu den Männern paßte. Und schon segelte man mit großem Geprahle los, um das Gold zu finden, auf dem ein Skelett lag.

Es dauerte auch gar nicht lange, da sahen sie in der Abenddämmerung am Horizont einen dunklen Streifen, und der Ausguck rief: »Land in Sicht!« Und als die Dunkelheit hereingebrochen war, hatten sie sich bis auf eine Meile der Küste genähert. Ein rotes Leuchtfeuer blinkte durch die Nacht.

Der alte Bootsmann kam zu Don Alfonso und erklärte: »Ich kenn' das Land nicht, was da vorn sein soll. Kann mich nicht erinnern, daß hier je Land gewesen ist, und dabei fahr' ich schließlich lange genug zur See. Das rote Leuchtfeuer da – nach allem, was ich weiß, kommt hier vor Sydney kein Feuer mehr, Don Alfonso.«

»Laßt uns trotzdem mal ankern«, ordnete der an. »Wie man sieht, ist da Land, und wo Land ist, da gibt's auch Rum. Also setzt unser Dingi aus, ich will an Land gehen und einen zur Brust nehmen. Du kommst mit, Bootsmann, und noch zwei von den Jungs. Aber ihr wartet im Boot, bis ich nach euch pfeife.« Gesagt, getan. Schon bald ging Don Alfonso mit ein paar Cigarillos an Land, um erst mal einen zu trinken.

Kaum hatte er seinen Fuß an Land gesetzt und das Boot hinter sich gelassen, da marschierte er den Kai entlang, um eine *Pulperia* zu suchen. Es war schon ein recht merkwürdiges Land, das er da betreten hatte. Eine unheimliche Ruhe umgab ihn, die kleinen weißen Häuser sahen aus wie Särge, ein, zwei Lichter brannten, sonst nichts. Man hörte keinen Gesang und kein Geräusch. Doch dann ging ein Leuchten über das Gesicht von Don Alfonso. Er hatte eine kleine Pinte entdeckt, die seewärts lag, und auf der offenen Veranda brannte eine rote Lampe. Don Alfonso marschierte munter hinein. Eigentlich hätte es ihm schon merkwürdig vorkommen sollen, daß statt der Bier- und

Weinfässer in dem kleinen Raum, der von einem Kaminfeuer nur schwach beleuchtet wurde, lediglich Särge standen. Hinter der Bar grinste ein fröhlicher kleiner roter Mann Don Alfonso entgegen und gab ihm die Hand. Don Alfonso setzte sich an die Bar, zündete sich einen Cigarillo an und nahm das Glas, das ihm der kleine rote Mann hingestellt hatte. »Salute«, sagte der kleine Rote, und Don Alfonso goß den Inhalt des Glases in einem Zug herunter. »Trink doch einen mit«, forderte er den Roten auf, und so tranken beide einträchtig einen nach dem anderen. Schließlich begann Don Alfonso zu singen, und der kleine rote Mann schlug den Takt und blies sogar die Melodie auf ein paar hohlen Knochen mit. Und so ging es weiter: Sie tranken, er sang, und der kleine Mann spielte auf immer mehr Knochen.

Schließlich meinte Don Alfonso, nun sei's genug, er müsse wieder an Bord. Doch der kleine Rote sagte, ob er nicht doch noch was trinken wolle. Jedesmal, wenn Don Alfonso aufbrechen wollte, hielt ihn der kleine Mann freundlich zurück. Schließlich dämmerte der Morgen, und plötzlich verwandelte sich der kleine Mann in einen roten Hahn und krähte so laut wie auf dem Misthaufen. In diesem Moment platzten alle Särge auf, und die Skelette purzelten heraus. Zugleich zerfiel die Bar in tausend Stücke, und der Schnaps explodierte in einem einzigen riesigen, zischenden Blaufeuer. Als Don Alfonso wieder zu sich kam, lag er bäuchlings am Strand, und sein Kopf war so schwer, als habe er Mühlräder drin. Die Mühle arbeitete aber auf vollen Touren.

Mühsam rappelte er sich hoch und kühlte seinen Kopf in den Wellen. Dann pfiff er nach dem Dingi. Er pfiff wohl eine Stunde lang, aber das Boot kam nicht, und auf der verankerten Brigantine bemerkte er kein Lebenszeichen. Schließlich sah er ein uraltes Boot im Wasser dümpeln, kletterte hinein und schaffte es, damit bis zur Brigantine zu rudern, bevor der Kahn unter ihm versank.

Als er den Fuß an Bord setzte, erstarrte er. Die Brigantine war heruntergekommen, das Holz morsch, das Deck mit grünem Kraut bewachsen. Sogar Blumen gediehen darin, und die Bordwände waren mit Muscheln übersät. In den Segeln hatten sich Möwen ihre Nester gebaut, die Leinen wehten wie Lianen im Wind, und um die Ruderpinne hatte sich eine rotblühende Kletterrose geschlungen. Und an Deck im Gras, zwischen den Gänseblümchen und anderen Blumen, lagen die bleichen Knochen der Dagos. Sie lagen so da, wie sie gestorben waren, die Weinfässer standen noch nahe bei, und ein verbeulter Blechbecher rollte herum, den sie zum Würfeln benutzt hatten. Die ganze Besatzung war tot. Nichts weiter als weiße Knochen waren geblieben von den Männern, die gestorben waren, während sie auf Don Alfonso warteten, der mit dem kleinen roten Mann beim Rum saß.

Ergriffen kniete Don Alfonso nieder und betete. »Ich allein bin schuld am Tode dieser Männer«, rief er gen Himmel. »Wäre ich doch auch so tot wie sie! Und das alles nur, weil ich das Trinken nicht lassen konnte. Herr, ich rühre niemals wieder einen Tropfen Schnaps an, wenn du dafür sorgst, daß ich wieder nach Hause komme«. Das versprach er, nahm eine Axt und kappte die verrottete Ankerleine.

Er fuhr unendlich lange übers Meer, ernährte sich von den Eiern der Möwen und trank den Tau. Und die ganze Zeit lagen neben ihm die Gebeine der Gefährten auf dem grasbewachsenen, blumenübersäten alten Wrack.

Schließlich erreichte er Port of Spain und signalisierte in der Abendsonne nach dem Lotsen. Dreißig Jahre lang war er fort gewesen. Nun kehrte er als alter Mann mit den gebleichten Gebeinen seiner Kameraden von der Schatzsuche heim. Doch seine uralte Mutter lebte noch, und so verbrachten sie ihre letzten Jahre glücklich an Land. Seinen Schwur hat Don Alfonso gehalten. Nie wieder trank er einen Tropfen Schnaps, nur Wasser und Milch kamen über seine Lippen.

Originaltitel: Don Alfonso's Treasure Hunt

Rafael Sabatini

Der Warnschuß

Eine Captain-Blood-Geschichte

Der wohl berühmteste Bukanier der Seefahrtsliteratur dürfte Captain Peter Blood gewesen sein, ein studierter Arzt, der durch ein Fehlurteil des verruchten Richters Jeffreys zu Sklavenarbeit verurteilt wurde. Doch konnte er der Sklaverei entfliehen und wurde nur deshalb zum Piraten, weil das ihm angetane Unrecht an ihm nagte.

Alle Geschichten, die sich um Captain Blood ranken, schildern mit großer Einfühlsamkeit die Welt der Seefahrt im 17. Jahrhundert. Die Figuren scheinen förmlich aus den Buchseiten herauszusteigen, so hat Rafael Sabatini es verstanden, ihnen Leben einzuhauchen. Zweifellos vor allem deshalb, weil sich in seinem Wesen romantische Phantasie und tiefes Wissen um die See verbanden. Das macht seine Geschichten, die in den zwanziger und dreißiger Jahren veröffentlicht wurden, auch heute noch so lesenswert.

Sabatini (1875–1950) stammte aus einer alteingesessenen italienischen Adelsfamilie und wurde in der malerischen historischen Kleinstadt Iesi geboren. In dieser Umgebung konnte es nicht ausbleiben, daß ihn Romantik und Historie gleichermaßen faszinierten. Seine Liebe zur See wurde gleich durch sein erstes Buch Der Seefalke *belegt, das 1915 erschien und 1924 mit Milton Sills und später noch einmal (1940) mit dem großen Säbelraßler Errol Flynn verfilmt wurde.*

Als Sabatini 1922 Captain Blood erfand, brachte ihm das den großen Durchbruch. Die Buchauflagen erreichten riesige Höhen, unterstützt durch erneute Verfilmungen, 1925 und 1935, die letzte wieder mit Errol Flynn. Den ursprünglich einzeln veröffentlichten Erzählungen mit Captain Blood folgten 1931 der Band Die Chronik von Captain Blood *und 1936* Captain Bloods Schicksal.

Von Sabatinis verschiedenen Garnen um Blood habe ich stets besonders gern jene gelesen, in denen er allen Witz und all seine Schläue gegen seinen großen Gegenspieler, den skrupellosen Captain Easterling, einsetzt. Für dieses Buch habe ich deshalb die Geschichte »Der Warnschuß« ausgewählt, die ein höchst verwegenes Duell zwischen den beiden Männern schildert...

In den Aufzeichnungen, die uns Jeremy Pitt hinterlassen hat, nehmen die Schilderungen des langen Zweikampfes zwischen Peter Blood und Captain Easterling breiten Raum ein. Sicherlich wäre Captain Easterling mit keinem Wort der Nachwelt erhalten geblieben, ginge es nicht auf ihn zurück, daß Peter Blood, dem eine einzigartige Karriere bevorstand, schließlich Freibeuter wurde.

Zweifellos kann das Schicksal eines Mannes zu bestimmten Zeiten von Wind und Wetter beeinflußt werden. Es besteht jedenfalls kein Zweifel daran, daß das damals noch unbestimmte Schicksal jenes Mannes, der Peter Blood hieß, durch einen Sturm im Oktober entschieden wurde, einen Hurrikan, der dazu führte, daß die Sloop* des Captain Easterling, die mit zehn Geschützen bewaffnet war, in die Bucht von Cayona verschlagen wurde. Dieser Easterling – ein Schurke, wie man ihn in der Karibik kein zweites Mal fand – fuhr in seinen Laderäumen einige Tonnen Kakaobohnen, die er einem von den Antillen kommenden holländischen Handelsschiff abgenommen hatte. Dabei wäre der Holländer heil davongekommen, hätte Captain Easterling nur gewußt, wie bescheiden dessen Ladung war. Nun verfluchte Easterling sein Schicksal, das ihm diese armselige Ladung über den Weg geschickt hatte, denn schließlich fiel es ihm angesichts solch bescheidener Erfolge immer schwerer, Männer zu finden, die mit ihm segeln wollten.

In dieser traurigen Lage, aber voller Träume von einer glorreicheren Zukunft brachte er seine Sloop in den Schutz des felsenverseuchten Hafens von Tortuga. Da lag die *Bonaventure* nun, und ihr träumender Kapitän wurde mit einer sehr merkwürdigen Realität konfrontiert. Sie hatte die Gestalt eines großen Schiffes, dessen Rumpf in strahlendem Rot glänzte. Es lag stolz vor Anker und wiegte sich in seiner Pracht inmitten der schäbigen Küstenfahrer wie ein Schwan zwischen Gänsen und Enten.

Als Easterling nahe genug heran war, konnte er den Namen des

---

* Sloop = engl. für Schaluppe, ein relativ kleiner Rahsegler, auch als Korvette bezeichnet.

herrlichen Schiffes lesen. *Cinco Llagas* stand in goldenen Lettern an ihrem Heck und darunter als Heimathafen Cadiz. Easterling rieb sich die Augen, weil er es nicht glauben konnte. Doch es war wirklich die *Cinco Llagas* aus Cadiz. Nachdem ihm dies klar geworden war, suchte er verzweifelt nach einer Erklärung, wie ein so prächtiges spanisches Schiff ausgerechnet in das Piratennest Tortuga verschlagen worden war. Kein Zweifel, dieses Schiff war eine Schönheit – angefangen bei dem vergoldeten Schnabel, über dem die Bronzerohre der Bugkanonen in der Morgensonne glitzerten, bis hin zum hochaufragenden Achterkastell. Dazu kam, daß dieses Schiff mit seinen – wie Easterling mit geübtem Auge trotz der geschlossenen Stückpforten zählte – vierzig Kanonen eine ungeheure Kampfkraft repräsentierte.

Die *Bonaventure* ging in einer Kabellänge Abstand vor Anker, auf zehn Faden Wassertiefe und fast im Schatten der Festung, die den großen Felsen an der Westseite des Hafens krönte. Kaum war sie eingeschwojt, ging Easterling an Land, um die Lösung des Rätsels zu erfahren.

Auf dem Marktplatz, der nicht weit von der Hafenmole entfernt lag, fand Easterling zwischen den Seeleuten, Beachcombers* und Indianern, die hier herumlungerten oder Handel trieben, auch ein paar Halunken, die ihm nur zu gern berichteten, wie es dazu kam, daß dieser edle Spanier aus Cadiz plötzlich so friedlich in der Cayona Bay vor Anker lag.

Die *Cinco Llagas* hatte vor gar nicht langer Zeit einem bekannten spanischen Admiral gehört, der – nach Rache gierend für das Unrecht, das spanischen Siedlern von englischen Freibeutern angetan worden war – einen Angriff auf Barbados unternommen hatte. Es war ihm gelungen, die britische Garnison in Bridgetown zu überwältigen und den Gouverneur gefangenzunehmen, so daß er ein hohes Lösegeld für die Stadt verlangen konnte. In der Nacht aber, als er mit dem größten Teil seiner Besatzung an Land gegangen war, hatte sich eine Gruppe armer Sklaven von den Plantagen an Bord geschlichen und die überraschte und unterbesetzte Wache überwältigt. Am Morgen hatten sie die Kanonen des Schiffes auf die in Booten zurückkommenden Spanier gerichtet. Anschließend waren sie mit ihrer Prise ausgelaufen und hatten so die Freiheit erlangt.

* Beachcomber = Strandräuber

Die Geschichte gefiel Easterling, ja, sie beeindruckte ihn sogar, und er wollte mehr über die Männer erfahren, die sich auf ein derartiges Wagnis eingelassen hatten. Man erzählte ihm, daß es sich um zwanzig Mann handle, politische Sträflinge aus Wales, Rebellen, die nur deshalb dem Galgen entgangen waren, weil man auf den Plantagen in Westindien Sklaven benötigte. Ihr Anführer war ein Mann namens Peter Blood, ein studierter Arzt, der auf Grund seiner Kenntnisse auf der Plantage vom einfachen Sklaven zum Hausarzt aufgestiegen war und deshalb eine gewisse Freiheit genoß. So hatte er die erste Gelegenheit zur Flucht ergreifen können, die sich ihm bot. Zusammen mit seinen Schicksalsgenossen war er nach Tortuga geflüchtet, hatte für das Schiff hier ein gutes Versteck gefunden, und nun warteten sie bereits seit einem Monat, wie es weitergehen würde. Bloods Kameraden nahmen an, daß er mit ihnen nach Frankreich segeln wolle. Doch ein paar seiner rüderen Männer, erfahrene Salzbuckel, waren wild entschlossen, sich der »Bruderschaft der Küste« anzuschließen, wie sich die Bukaniere der Karibik selbst nannten.

Alles das erfuhr Easterling auf dem Marktplatz hinter der Mole, während er mit verkniffenen Augen das schöne, große, rote Schiff betrachtete.

Hätte er die Planken eines solchen Schiffes unter seinen Füßen, wären ihm keine Grenzen mehr gesetzt. Neben seinem würde dann der Ruhm eines Henry Morgan verblassen, bei dem er einst das Handwerk des Piraten gelernt hatte. Diese armseligen entflohenen Sklaven sollten ihm doch wohl ein Schiff verkaufen, das für sie seinen Zweck längst erfüllt hatte, und er würde schon dafür sorgen, daß sie mit ihren Vorstellungen nicht unverschämt wurden. Die Ladung Kakao an Bord seiner *Bonaventure* würde ihm einen Preis bringen, der ihre Forderungen mehr als erfüllte.

Mit einem zufriedenen Lächeln strich sich Captain Easterling den struppigen schwarzen Bart.

Er bahnte sich einen Weg durch die primitive kleine Siedlung, deren Straßen weiß von Korallenstaub waren. So zielstrebig schritt er voran, daß er nicht einmal die Zurufe erwiderte, die ihm aus dem *König von Frankreich* entgegenschallten oder einen Becher Wein mit seiner Besatzung trank, die das Wirtshaus mit ihrer lauten Fröhlichkeit erfüllte. Der Captain war an diesem Morgen geschäftlich unterwegs. Sein Ziel war das Haus von Monsieur d'Ogeron, des Gouverneurs von Tortuga. Ein leutseliger Mann in mittleren Jahren, repräsentierte er die Westindische Handelsgesellschaft Frankreichs mit einer Würde, als sei sie Frankreich selbst.

Captain Easterling wurde in dem schönen weißen Haus mit den grünen Fensterläden mit ausgesuchter Höflichkeit empfangen. Es lag in einem parkartigen Garten mit Pimentbäumen und anderen duftenden Gewächsen, denn der elegante, schlanke Hausherr versuchte, den Eingeborenen von Tortuga wenigstens einen schwachen Hauch von der Raffinesse am Hof von Versailles zu vermitteln.

Nun wies er auf einen Stuhl und widmete sich Captain Easterling. Der Ankauf des Kakaos wurde schnell erledigt. Daß Monsieur d'Ogeron sich keine Gedanken darüber machte, woher die Ware kam, sich aber durchaus über ihren Ursprung im klaren war, das ließ schon der Preis erkennen, den er bot. Er entsprach weniger als der Hälfte, die sonst für Kakao gezahlt wurde. Wieder einmal zeigte sich, daß Monsieur d'Ogeron gewissenhaft die Interessen der Französischen Handelsgesellschaft vertrat.

Easterling versuchte vergeblich, mehr herauszuschlagen, dann akzeptierte er brummend, um zu dem weitaus wichtigeren Thema zu kommen: Er wünsche das spanische Schiff zu erwerben, das unten in der Bucht vor Anker lag. Wäre Monsieur d'Ogeron wohl bereit, den Kauf für ihn zu vermitteln? Soweit ihm bekannt geworden sei, handle es sich bei den gegenwärtigen Besitzern ja nur um eine Gruppe von Sklaven.

D'Ogeron ließ sich Zeit mit der Antwort.

»Es wäre aber möglich«, sagte er schließlich, »daß diese Sklaven ihr Schiff gar nicht verkaufen wollen.«

»Nicht verkaufen wollen?« polterte Easterling los. »Was in Gottes Namen wollen denn diese Vogelscheuchen mit einem so schönen Schiff?«

»Kommen Sie heute abend wieder, dann werden Sie die Antwort auf Ihre Frage erhalten«, beendete Monsieur d'Ogeron das Gespräch.

Als Easterling abends erschien, war Monsieur d'Ogeron nicht allein. Mit dem Gouverneur, der sich zur Begrüßung des Gastes erhob, erhob sich auch ein hochgewachsener Mann Anfang der Dreißig. Aus seinem glattrasierten, von der Sonne gegerbten Gesicht blickten ein paar überraschend blaue Augen; fest und durchdringend musterten sie den Ankömmling. Verkörperte Monsieur d'Ogeron in Kleidung und Auftreten den Hof von Versailles, so war sein Gast ein typischer Vertreter des spanischen Hofes. Nach spanischer Mode war er elegant in Schwarz gekleidet, das reich mit silbernen Litzen besetzt war. Um Hals und Handgelenke kräuselten sich feinste Spitzen. Dazu trug er eine schwere, schwarze Perücke, deren Locken sich bis auf seine Schultern ringelten.

»Captain Easterling, dies ist Mr. Peter Blood, der Ihre Frage selbst beantworten möchte«, stellte der Gouverneur den Fremden vor.

Easterling war völlig aus der Fassung gebracht, so wenig entsprach die Erscheinung seines Gegenübers den Vorstellungen, die er sich von dem Sklavenanführer gemacht hatte.

Mr. Blood richtete das Wort an ihn. Er besaß eine angenehme Stimme, deren metallische Härte durch den irischen Akzent etwas gemildert wurde. Was dieser Mr. Blood allerdings sagte, machte Easterling ungeduldig: Er hatte nicht die mindeste Absicht, die *Cinco Llagas* zu verkaufen.

Der Bukanier baute sich angriffslustig vor dem eleganten Mr. Blood auf, ein vierschrötiger, gefährlicher Mann mit wildem Haar, grobem Hemd und lederner Hose; um den Kopf hatte er ein gelb-rot gestreiftes Tuch gewickelt. Mit lauter Stimme forderte er Peter Blood auf, ihm die Gründe zu nennen, weshalb er sich nicht von einem Schiff trennen wolle, das für ihn und seine Sträflinge nicht mehr den geringsten Nutzen habe.

Bloods Stimme blieb leise und höflich, als er dem Piraten antwortete, doch sie verstärkte nur die Abneigung, die Captain Easterling gegen ihn gefaßt hatte. Easterling mußte sich sagen lassen, daß er von falschen Voraussetzungen ausgegangen sei. Mit großer Wahrscheinlichkeit würden die geflohenen Sträflinge ihr Schiff benutzen, um damit nach Europa heimzukehren, entweder nach Frankreich oder nach Holland.

»Vielleicht haben Sie sich falsche Vorstellungen von uns gemacht, Captain Easterling. Immerhin hat einer meiner Kameraden sein Kapitänspatent, und drei andere haben als Offiziere in der Kriegsmarine des britischen Königs gedient.«

»Bah!« wischte Easterling das beiseite. »Und was wissen Sie von den Gefahren der Karibik? Was, wenn man Sie kapert und Sie wieder in Gefangenschaft geraten? Wie wollen Sie solche Krisen mit Ihrer armseligen Besatzung bestehen?«

Auch jetzt blieb Peter Blood noch gelassen.

»Was uns an Zahl fehlt, das machen wir mit unserer Bewaffnung wett. Vielleicht bin ich nicht in der Lage, ein Schiff über den Ozean zu führen, aber ich habe gelernt, um ein Schiff zu kämpfen. Unter de Ruyter«, fügte er hinzu.

Der Name des berühmten holländischen Admirals machte Eindruck auf Easterling. Die Verachtung verschwand aus seiner Stimme.

»Unter de Ruyter?«

Blood nickte. »Ich war einige Jahre als Offizier bei ihm an Bord.«

Das verblüffte Easterling völlig.

»Ich dachte, Sie seien Arzt?«

»Oh, das bin ich auch«, sagte der Ire schlicht.

Mit blumigen Flüchen machte Easterling seinem wütenden Erstaunen über Blood Luft, bis Monsieur d'Ogeron dem Gespräch schließlich mit den Worten ein Ende machte: »Wie Sie sehen, Captain Easterling, gibt es in dieser Angelegenheit nichts mehr zu sagen.«

Mag ja sein, daß es nichts mehr zu sagen gibt, dachte Easterling verstimmt, während er zur Mole marschierte. Aber es gibt jedenfalls noch eine ganze Menge zu tun. Nachdem er die mächtige *Cinco Llagas* bereits als sein Eigentum angesehen hatte, war er um nichts in der Welt bereit, nun von ihr abzulassen.

Auch Monsieur d'Ogeron war der Ansicht, daß es noch eines Wortes bedürfe, und er sprach mit Peter Blood, nachdem Easterling gegangen war.

»Sie sollten sich vor dem Mann in acht nehmen, Mr. Blood«, sagte er leise. »Er ist skrupellos und gefährlich.«

Blood nahm die Sache leicht.

»Sie brauchen mich nicht vor ihm zu warnen. Selbst wenn ich nicht gewußt hätte, daß er ein Pirat ist, wäre er mir doch gleich als Lump vorgekommen.«

Ein Anflug von Ärger huschte über das feine Gesicht des Gouverneurs von Tortuga.

»Verzeihen Sie, Mr. Blood, aber ein Pirat muß nicht stets ein Lump sein. Außerdem hat er nicht unbedingt Ihre Verachtung verdient. Denken Sie doch nur an die zahlreichen Freibeuter, die Ihrem und meinem Land gute Dienste erweisen, indem sie die Raubgier der Spanier in Grenzen halten – eine Raubgier, die ja erst dazu geführt hat, daß es überhaupt Freibeuter gibt. In diesen Gewässern, wo weder Frankreich noch England eine Flotte stationieren können, hindern nur die Freibeuter das spanische Reich daran, so selbstherrlich aufzutreten, wie es unmenschlich ist. Sie werden doch nicht vergessen haben, daß es Ihr Land war, das Henry Morgan in den Adelsstand erhob und ihn zum stellvertretenden Gouverneur von Jamaika ernannte? Und er war ein mindestens ebenso schlimmer Pirat wie Sir Francis Drake, wie Hawkins, Frobisher oder andere, deren Andenken England durchaus hochhält.«

Im Anschluß an diese Worte gab Monsieur d'Ogeron, der von allen Prisen, die nach Tortuga gebracht wurden, in Form einer Hafengebühr seine Prozente kassierte, Peter Blood den ernstgemeinten Rat, in die Fußstapfen der Freibeuter zu treten und selber einer von ihnen zu werden. Da er einerseits in seinem Land als rechtlos galt, andererseits im Besitz eines herrlichen Schiffes und einer tüchtigen Stammbesatzung war und sich obendrein bereits als Mann von guter Herkunft und hohem Mut erwiesen hatte, werde er zweifellos als Freibeuter großen Erfolg haben.

Mr. Blood zweifelte nicht daran. Er hatte überhaupt niemals Zweifel an seiner Person. Noch aber konnte er sich mit diesem Gedanken nicht so recht anfreunden. Wahrscheinlich hätte er sich auch niemals damit angefreundet, wenn sich nicht das folgende ereignet und obendrein der Großteil seiner Männer ihn dazu überredet hätte.

Unter ihnen waren besonders zwei, Hagthorpe und Pitt, die ihm zuredeten. Daß Blood nach Europa zurückkehren wolle, sei für ihn zweifellos richtig, sagten sie. Er könne als ausgezeichneter Arzt in Frankreich oder in Flandern sicherlich seinen Lebensunterhalt verdienen. Sie aber seien Seeleute, die diesen und sonst keinen Beruf erlernt hätten. Ähnlich äußerte sich auch Dyke, der in der Royal Navy Deckoffizier gewesen war, bevor er sich den Rebellen angeschlossen hatte. Ogle, der Artillerist, wollte schließlich wissen, ob sich Mr. Blood einmal Gedanken darüber gemacht habe, welche Kanonen die Royal Navy wohl einem Artilleristen noch anvertrauen werde, der zu den Rebellen von Monmouth gehörte.

Die Diskussion spitzte sich so zu, daß es für Peter Blood kaum noch eine Alternative gab, als sich von diesen Männern zu trennen, die ihm durch das gemeinsame Unglück ans Herz gewachsen waren. Da sorgte das Schicksal für eine Wende, indem es in Gestalt von Captain Easterling intervenierte.

Drei Tage waren vergangen, seit Captain Easterling mit Blood im Haus des Gouverneurs gesprochen hatte, da erschien er in seiner Barkasse eines Morgens längsseits der *Cinco Llagas*. Während er seinen schweren Körper an Bord wuchtete, waren seine Augen überall. Die *Cinco Llagas* war nicht nur ein wunderbares Schiff, sie befand sich auch in vorzüglichem Zustand. Ihre Decks waren blankgescheuert, die Leinen ordentlich verstaut, alles befand sich dort, wo es hingehörte. Die Musketen staken in ihren Halterungen um den Hauptmast, und das Messing der Beschläge glänzte in der Sonne wie Gold.

Und dann Mr. Blood selbst. Gekleidet in Schwarz und Silber, bot er das Bild eines spanischen Granden. Er nahm zu Easterlings Begrüßung schwungvoll den großen Hut ab, der mit einer weinroten Straußenfeder verziert war. Während er sich verbeugte, berührten sich die äußeren Locken seiner Perücke vor seinem Gesicht wie die Ohren eines Spaniels. Neben Blood stand Nathaniel Hagthorpe, ein angenehmer Herr und etwa so alt wie Blood. Sein offener Blick und sein gutgeschnittenes Gesicht verrieten beste Herkunft. Auch Jeremy Pitt, der flachsblonde Kapitän aus Somerset, stand da, und daneben Nicholas Dyke, der untersetzte Deckoffizier, der unter König James gedient hatte, als dieser noch Herzog von York gewesen war. Alle vier hatten nichts von jener Armseligkeit an sich, die Easterling vorzufinden gehofft hatte.

Nachdem Blood die Männer miteinander bekannt gemacht hatte, lud er den Kapitän der *Bonaventure* in die große Achterkajüte seines Schiffes zu einer Erfrischung ein. Eine Kajüte dieses Ausmaßes und mit so reicher Ausstattung hatte Easterling bisher noch nie gesehen.

Ein schwarzer Steward in blütenweißer Jacke servierte neben dem üblichen Rum, Zucker und den frischen Limonen eine Flasche goldenen Kanarenweins. Sie hatte dem ursprünglichen Besitzer des Schiffes gehört und wurde nun von Peter Blood seinem ungebetenen Gast wärmstens empfohlen.

Sie saßen in eleganten Sesseln um den Tisch aus schwarzer Eiche, und Captain Easterling pries den Kanarenwein in höchsten Tönen. Das gab ihm die Berechtigung, dem Wein immer wieder zuzusprechen. Trotzdem kam er bald auf den Grund seines Besuches zu sprechen: Er wollte von Blood wissen, ob dieser nicht seine Meinung bezüglich des Verkaufs der *Cinco Llagas* geändert habe.

»In diesem Fall«, fügte er mit einem Blick auf Bloods drei Kameraden hinzu, »in diesem Fall würde ich angesichts der Tatsache, daß die Kaufsumme durch vier geteilt werden muß, sehr großzügig sein.«

Er hatte gehofft, mit diesem Angebot Eindruck zu machen, und war deshalb vom Gleichmut seiner Gastgeber verwirrt.

Mr. Blood schüttelte den Kopf.

»Sie verschwenden Ihre Zeit, Captain. Ganz gleich, welchen Beschluß wir über unsere Zukunft fassen, die *Cinco Llagas* werden wir behalten.«

»Ganz gleich, welchen Beschluß Sie fassen?« Easterlings große schwarze Augenbrauen hoben sich. »Haben Sie sich noch nicht für die Reise nach Europa entschieden? Nein? Na, unter diesen Umständen kann ich Ihnen gleich ein Geschäft vorschlagen. Daraus werden Sie sofort ersehen, welches Glück es war, daß Sie mit der *Bonaventure* zusammengetroffen sind. Sie haben in mir sozusagen Ihr Glück vor sich, packen Sie zu, dann gehört es Ihnen.« Er fand seine Worte so witzig, daß er darüber lachen mußte. Dabei entblößte er eine Reihe perlweißer Zähne unter dem schwarzen Bart.

»Es ist eine Ehre für uns«, sagte Blood betont höflich. »Aber wir haben nicht die Absicht, unter die Piraten zu gehen.«

Easterling schien nicht verärgert zu sein. Er fuhr mit seiner riesigen Hand durch die Luft, als wolle er den Einwand wegwischen.

»Ich wollte Ihnen doch keine Piraterie vorschlagen!«

»Was dann?«

»Kann ich Ihnen vertrauen?« wollte Easterling wissen und fixierte die vier Männer.

»Das können Sie keineswegs. Und ich fürchte, Sie vergeuden nur Ihre Zeit.«

Das ermutigte Easterling nicht gerade, aber noch gab er nicht auf. Wie den Herren sicherlich bekannt war, sei er zusammen mit Henry Morgan gefahren. Er habe mit Morgan auch den großen Marsch über die Landenge von Panama mitgemacht. Es sei doch wohl bekannt, daß die Beute aus der geplünderten spanischen Stadt, als man sie teilen wollte, bei weitem nicht so groß gewesen sei, wie Morgans Leute angenommen hatten. Sofort waren Vermutungen laut geworden, daß Morgan seine Leute übervorteilt habe. Und diese Vermutungen seien, das könne Easterling bestätigen, durchaus berechtigt. Morgan habe Perlen und Juwelen von unschätzbarem Wert aus der Stadt San Felipe unbemerkt für sich abgezweigt. Als indessen die Gerüchte nicht verstummen wollten, habe er es mit der Angst zu tun bekommen und etwa auf der Mitte der Marschstrecke über die Landenge den Schatz vergraben.

»Es gibt nur einen einzigen Mann, der die Stelle kennt«, erklärte Easterling seinen gespannten Zuhörern. »Das war der Mann, der ihm beim Vergraben geholfen hat. Ich bin dieser Mann!«

Er legte eine Pause ein, damit seine Worte den richtigen Eindruck machen konnten. Dann erklärte er seinen Vorschlag.

Die *Cinco Llagas* solle ihn auf seiner Expedition nach Darien zur Hebung des Schatzes begleiten. Der würde dann zu gleichen Teilen und entsprechend der unter den »Brüdern der Küste« üblichen Prozente zwischen seinen Männern und jenen der *Cinco Llagas* geteilt.

»Wenn ich sage, daß Morgan fünfhunderttausend Achterstücke vergraben hat, dann ist das sicherlich eine bescheidene Schätzung«, schloß er.

Die Summe war hoch genug, um die Zuhörer zu beeindrucken. Selbst Blood machte ein erstauntes Gesicht, allerdings aus anderen Gründen als seine Kameraden.

»Jetzt bin ich ganz sicher, daß es sich um ein schlechtes Geschäft handelt«, sagte er.

»Was ist schlecht daran, Mr. Blood?«

»Wieviel Mann Besatzung haben Sie an Bord der *Bonaventure?*«

»Knapp zweihundert.«

»Da haben die zwanzig Mann an Bord unseres Schiffes für Sie einen so großen Wert, daß Sie uns diesen Vorschlag unterbreiten?«

Easterling lachte laut. Es war ein tiefes, gutturales Lachen.

»Ich sehe schon, Mr. Blood, Sie haben noch nicht ganz begriffen, worum es mir geht.« Seine Stimme nahm einen vertraulichen Ton an. »Mir fehlen nicht die Männer, aber ich benötige ein kräftiges stabiles Schiff, in dem sich der Schatz gut bewachen läßt, sobald wir ihn ausgegraben haben. Im Bauch Ihres Schiffes wäre er so sicher wie in einer Festung, und schon sein Anblick würde jede spanische Galeone verjagen, die uns belästigen will.«

»Das leuchtet mir ein«, sagte Hagthorpe, und Pitt und Dyke nickten dazu. Doch Bloods durchdringende blaue Augen hingen wie festgenagelt am Gesicht des stämmigen Piraten.

»Wie Hagthorpe sagt, ist das einleuchtend. Aber ein Zehntel der gesamten Beute – und mehr würde ja, gemessen an unserer Zahl, nicht auf uns entfallen – ist entschieden zu wenig.«

Easterling blies die Wangen auf und machte eine großzügige Handbewegung.

»Dann schlagen Sie die Höhe Ihres Anteils vor!«

»Darüber muß ich nachdenken. Aber weniger als zwanzig Prozent sollten es auf keinen Fall sein.«

Das Gesicht des Freibeuters blieb ausdruckslos. Er neigte den grell aufgeputzten Kopf.

»Kommen Sie mit Ihren Freunden hier morgen an Bord meiner *Bonaventure* zum Dinner. Dann setzen wir den entsprechenden Vertrag auf.«

Einen Augenblick schien Blood zu zögern, doch dann bedankte er sich höflich für die Einladung.

Doch kaum war der Pirat von Bord gegangen, da dämpfte er die Zufriedenheit seiner Kameraden.

»Man hat mich gewarnt, daß Captain Easterling ein gefährlicher Mann sei. Aber das war wohl eher ein Kompliment für ihn. Denn um gefährlich zu sein, muß ein Mann clever sein. Und Easterling ist wahrlich nicht clever.«

»Welcher Wurm bohrt nun schon wieder unter deiner Perücke, Peter?« fragte sich Hagthorpe.

»Ich denke über den Grund nach, den er uns für unsere Zusammenarbeit genannt hat. Etwas Besseres hätte ihm schon einfallen sollen.«

»Eigentlich könnte der Grund doch gar nicht vernünftiger sein.« Hagthorpe war der Meinung, daß Blood die Dinge unnötig erschwerte.

»Vernünftig?« lachte Blood. »Geradezu bestechend, wenn man will. Solange jedenfalls, bis man der Sache auf den Grund geht. Ein Schiff, das so stark ist wie eine Festung, soll eine halbe Million Goldstücke befördern. Und diese Festung befindet sich in unserer Hand? Für einen Schurken ist dieser Easterling recht vertrauensselig.«

Sie bedachten Bloods Einwände, und nur Pitt war noch immer nicht überzeugt.

»In seiner Not muß er unserer Ehrenhaftigkeit eben vertrauen.«

Blood blickte ihn zornig an.

»Ich kannte bisher noch keinen Mann mit solchen mißtrauischen Augen wie Easterling. Für den zählt nur Besitz, sonst nichts. Falls er die Absicht hat, seinen Schatz in unserem Schiff zu verstauen, dann aber nur, wenn er zu diesem Zeitpunkt im Besitz unseres Schiffes ist. Ehrenhaftigkeit! Dieser Mann denkt nicht im Traum daran, daß Ehrenhaftigkeit uns daran hindern könnte, bei Nacht mit seinem Schatz zu verschwinden. Und was sollte uns davon abhalten, sein Schiff mit ein paar Kugeln zu versenken? Dein Gerede von der Ehrenhaftigkeit war ganz schön einfältig, Jeremy.«

Doch auch für Hagthorpe war die Sache noch nicht völlig erledigt.

»Warum sollte er uns dann aber einladen, mit ihm zu fahren, um den Schatz zu heben?«

»Den Grund hat er uns doch selbst genannt: Er will unser Schiff. Hat er nicht zuerst versucht, die *Cinco Llagas* zu kaufen? Er will sie um jeden Preis haben. Mit uns wird er dann sehr schnell fertig, darauf könnt ihr euch verlassen.«

Und doch faszinierte sie immer noch der Gedanke an den riesigen Schatz und das Angebot, einen Teil davon zu erhalten. Blood mußte sich den Vorwurf gefallen lassen, er hege ein Vorurteil gegen Easterling, weil Monsieur d'Ogeron ihn vor dem Piraten gewarnt hatte. Vielleicht hatte der Gouverneur ja durchaus berechtigte Gründe dafür gehabt. Sie konnten jedoch wenigstens mit Easterling dinieren und sich seine Vorschläge anhören.

»Und wer garantiert uns, daß wir dabei nicht vergiftet werden?« wollte Blood wissen.

Das war denn doch zuviel. Die Männer verspotteten Blood nach Strich und Faden. Wie sollten sie wohl mit Speisen und Getränken vergiftet werden, die Easterling mit ihnen teilen mußte? Und wie würde sich der Pirat dann in den Besitz der *Cinco Llaga* setzen?

»Indem er mit seinen Raufbolden an Bord ausschwärmt und unsere nichtsahnenden Männer überwältigt, während niemand da ist, der sie anführt.«

»Was?« schrie Hagthorpe. »Hier in Tortuga? In dieser Hochburg der Bukaniere? Mach's halblang, Peter! Einen gewissen Ehrbegriff kann man sogar unter Dieben voraussetzen.«

»Kann man. Ich aber setze lieber anderes voraus. Ich hoffe, daß mir niemand den Vorwurf der Überängstlichkeit macht. Trotzdem ließe ich mich lieber ängstlich schimpfen als unbedacht.«

Die Mehrzahl der Meinungen wandte sich jedoch gegen ihn. Nachdem erst bekanntgeworden war, was sich da anbahnte, stimmte die ganze Mannschaft genauso für Easterlings Angebot wie die drei Unterführer.

Und so fuhren die vier Männer trotz Bloods Bedenken am nächsten Abend hinüber zur *Bonaventure*. Easterling empfing seine Dinnergäste mit großem Pomp. Seine ganze Mannschaft von Schurken hatte sich versammelt. An die 160 Mann hielten sich an Deck auf, besetzten Vorschiff und sogar Poop, und alle waren bewaffnet. Dies und die höhnischen Gesichter der Galgenvögel waren für Bloods drei Kameraden Anlaß, sich zu fragen, ob sie nicht in eine Falle getappt waren.

Doch für eine Umkehr war es zu spät. Unter der Poop, vor dem Kajüteingang stand Easterling und machte eine einladende Handbewegung.

Blood verharrte einen Moment und warf noch einen Blick zum klaren Himmel über den Mastspitzen, wo Möwen ihre Kreise zogen. Dann blickte er hinüber zur Mole, die in der Hitze wie leergefegt dalag, und schließlich über das kristallklar schimmernde Wasser zur *Cinco Llagas*, die groß und rot in ihrer ganzen majestätischen Pracht herübergrüßte. Seine bedrückten Kameraden glaubten, er frage sich, woher notfalls Rettung und Hilfe zu erhoffen seien. Dann folgte Blood Easterlings Einladung und betrat die düstere Kajüte. Die drei anderen folgten ihm.

Wie das übrige Schiff auf den ersten Blick schäbig und verdreckt wirkte, so ließ auch die Kajüte bei weitem keinen Vergleich mit der stattlichen *Cinco Llagas* zu. Sie war obendrein so niedrig, daß großgewachsene Männer wie Blood und Hagthorpe darin kaum stehen konnten. Auch die Möblierung war dürftig und bestand aus wenig mehr als aus einigen mit Kissen bedeckten Kisten um einen groben Tannenholztisch. Die Tischplatte war schmutzig und wies viele Beschädigungen auf.

Auch das Dinner entsprach der Umgebung. Das frische Schweinefleisch und das Gemüse waren beim Kochen verdorben worden, und Bloods anspruchsvoller Magen drehte sich fast um, als er sich zum Essen zwang. Die Tischgenossen Easterlings paßten voll und ganz zu ihm: Ein halbes Dutzend Galgenvögel diente ihm als Ehrengarde. Wie er erklärte, waren sie von der Besatzung ausgewählt worden, um ihre Zustimmung zu dem noch zu schließenden Vertrag zu geben. Außer ihnen gab es noch einen jungen Franzosen namens Joinville, der als Sekretär d'Ogerons vorgestellt wurde. Er vertrete, so hieß es, den Gouverneur und solle der Vertragsunterzeichnung einen rechtmäßigen Anstrich geben. Falls die Anwesenheit dieses ausdruckslosen, blassen jungen Mannes Blood beruhigen sollte, war sie ein Fehlschlag; sie befremdete ihn noch mehr.

Eingezwängt zwischen Easterlings Leute, wurden Blood und seine Kameraden so plaziert, daß nicht zwei von ihnen nebeneinander saßen. Blood und Easterling saßen einander gegenüber.

Die geschäftliche Angelegenheit wurde erst nach dem Dinner in Angriff genommen. Während des Essens sorgten die Männer der *Bonaventure* für lärmende Tischgespräche und rissen gepfefferte Witze. Doch zu guter Letzt wurde der Tisch von allen leeren Flaschen geräumt und Papier und Tinte hereingebracht. Der Kapitän der *Bonaventure* eröffnete die Vertragsverhandlungen, und Peter Blood hörte sich zum erstenmal als »Captain Blood« angesprochen. Easterling teilte ihm mit, daß seine Forderung von 20 Prozent von seinen Männern als zu hoch abgelehnt würde.

Sogleich stiegen Captain Bloods Hoffnungen wieder.

»Lassen Sie uns deutlich werden, Captain. Das bedeutet also, daß Ihre Männer dem Vertrag nicht zustimmen?«

»Was sonst?«

»In diesem Fall, Captain, können wir uns nur noch verabschieden und Ihnen für die freundliche Bewirtung danken. Und besonders dafür, daß wir unsere Bekanntschaft vertiefen konnten.«

Die ausgesuchte, hier aber befremdliche Höflichkeit, mit der Blood sprach, schien auf den pompösen Easterling keinen Eindruck zu machen. Seine kleinen Schlitzaugen starrten sein Gegenüber an.

»Sie wollen sich schon verabschieden?« Ein höhnischer Unterton schwang in seiner gutturalen Stimme mit. »Leider muß ich Sie ersuchen, noch zu bleiben. Glauben Sie wirklich, daß wir das Geschäft so einfach sausen lassen?« Zwei oder drei seiner Männer murmelten ein drohendes Echo.

Captain Blood – wir wollen ihm nun diesen Titel lassen – gab sich den Anschein, als sei er eingeschüchtert. Er zögerte und blickte seine Kameraden an, als erwarte er ihre Unterstützung. Aber sie warfen ihm nur beunruhigte Blicke zu.

»Wenn Sie unsere Bedingungen unannehmbar finden«, er zog jedes Wort in die Länge, »dann muß ich doch annehmen, daß Sie nicht weiter mit uns verhandeln möchten. Deshalb bleibt uns nichts weiter übrig, als uns zu verabschieden.«

Seine Stimme verriet einen Mangel an Selbstvertrauen, den seine Kameraden bisher nicht an ihm kannten. Bei Easterling bewirkte sie nur ein höhnisches Lächeln.

»Im Vertrauen, Doktor«, sagte er, »Sie täten wirklich besser daran, zu Aderlaß und Schröpfköpfen zurückzukehren und die Führung von Schiffen Männern zu überlassen, die etwas davon verstehen.«

Die blauen Augen Bloods blitzten kurz auf, doch sein dunkelhäutiges Gesicht behielt den Ausdruck mangelnden Selbstvertrauens bei. Währenddessen hatte sich Easterling zum Vertreter des Gouverneurs umgewandt, der rechts von ihm saß.

»Was halten Sie denn von der Sache, Musjö Joinville?«

Der blonde, weichliche junge Franzose lächelte liebenswürdig in Bloods ängstliches Gesicht.

»Meinen Sie nicht, daß es richtig wäre, erst einmal den Vorschlag anzuhören, Sir, den Captain Easterling Ihnen unterbreiten will?«

»Natürlich möchte ich ihn hören. Aber...«

»Ihr Aber können Sie später vorbringen, Doktor«, schnitt ihm Easterling das Wort ab. »Meine Bedingungen entsprechen dem, was ich Ihnen schon genannt habe: Unsere Männer teilen zu gleichen Prozenten mit Ihren.«

»Aber das würde doch bedeuten, daß die *Cinco Llagas* nicht mehr als zehn Prozent erhält.« Nun wandte sich auch Blood an Joinville. »Halten Sie das für gerecht, Sir? Ich habe Captain Easterling schon erklärt, daß wir zwar weniger Leute sind, dafür aber über umfangreichere Bewaffnung verfügen. Und unsere Kanonen werden von einem Stückmeister bedient, der sein Handwerk besser versteht als jeder andere in der Karibik. Ned Ogle ist wirklich ein Meister seines Fachs. Wenn Sie gesehen hätten, wie er zwischen die Spanier im Hafen von Bridgetown gehalten hat, würden Sie nicht die mindesten Zweifel an seiner Tüchtigkeit hegen.«

Er wollte Ned Ogle noch weiter preisen, doch Easterling unterbrach ihn schon wieder.

»Zur Hölle mit Ihrem Stückmeister, Mann! Einer mehr oder weniger zählt überhaupt nicht.«

»Vielleicht hätten Sie recht, wenn es sich um einen normalen Stückmeister handelte. Doch dieser Mann hat ein magisches Augenmaß. Kanoniere wie Ogle erinnern mich an Poeten. Sie sind mit dem Talent für ihr Handwerk geboren worden. Ogle setzt seine Kugeln so akkurat an Ihre Wasserlinie, wie Sie in Ihren Zähnen stochern.«

Easterling schlug auf den Tisch.

»Was hat das alles mit uns zu tun?«

»Oh, es könnte sehr viel mit uns zu tun haben. Schließlich schildere ich Ihnen nur, welchen Wert meine Besatzung für Sie hat.« Und wieder pries Blood die Vorzüge seines Stückmeisters. »Er wurde in der Marine des Königs ausgebildet, und es war ein herber Verlust für sie, als Ned Ogle beschloß, sich den Rebellen anzuschließen.«

»Hören Sie endlich mit Ogle auf«, forderte ein Offizier der *Bonaventure*, ein Raufbold namens Chard. »Hören Sie auf, sag' ich, sonst vergeuden wir noch den ganzen Abend mit nutzlosem Gewäsch.«

Easterling stimmte ihm mit groben Worten zu. Blood war es klar, daß die Piraten nicht mit Beleidigungen sparen würden, und seine Befürchtung hinsichtlich ihrer schlimmen Absichten bekam neue Nahrung.

Joinville versuchte zu vermitteln.

»Könnten Sie nicht mit Captain Blood zu einem Kompromiß kommen? Immerhin hat er einige gute Argumente. Er könnte ja auch hundert Mann an Bord nehmen und müßte dann natürlich einen größeren Anteil erhalten.«

»In dem Fall wäre er ihn auch wert!« war Easterlings unversöhnliche Antwort.

»Das gilt auch jetzt schon, wie die Dinge liegen.« Blood blieb fest.

»Ach was!« Easterling schnippte mit den Fingern.

Blood begann zu ahnen, daß Easterling ihn veranlassen wollte, einen Streit vom Zaun zu brechen. Dann würde man ihn und seine Männer an Ort und Stelle abschlachten, und Joinville würde anschließend dem Gouverneur gegenüber bezeugen müssen, daß die Gäste aufsässig geworden seien. Wahrscheinlich war das überhaupt der wahre Grund für die Anwesenheit des Franzosen.

Doch da erhob Joinville Protest.

»Jetzt hören Sie mal zu, Captain Easterling! So kann es doch nie zu einem Vertrag kommen. Captain Bloods Schiff bietet Ihnen große Vorteile, und dafür müssen Sie eben zahlen. Können Sie ihm nicht wenigstens ein Achtel oder ein Siebtel als Anteil zusichern?«

Easterling beruhigte seine Truppe, die unwillig zu murmeln begann, und fragte beinahe höflich: »Was sagen Sie dazu, Captain Blood?«

Peter Blood schien einen Augenblick zu überlegen, dann zuckte er die Schultern.

»Ich kann nur sagen, daß ich nichts sagen kann, bevor ich nicht mit meiner Mannschaft gesprochen habe. Wir werden die Vertragsverhandlungen also verschieben müssen.«

»Zum Teufel!« brüllte Easterling. »Glauben Sie denn, Mann, Sie könnten uns zum Narren halten? Haben Sie nicht Ihre Offiziere mitgebracht? Sind die nicht in der Lage, für Ihre Leute zu sprechen so wie meine für unsere? Wenn wir hier etwas festlegen, dann hat das für alle Gültigkeit. So ist es Sitte bei den ›Brüdern der Küste‹, und das erwarte ich auch von Ihnen. Ich habe das Recht dazu, und Sie werden es ihm bestätigen können, Musjö Joinville!«

Der Franzose nickte düster, und Easterling bramarbasierte weiter: »Wir sind doch keine Kinder! Und wir sitzen auch nicht aus Spaß hier, sondern um einen Vertrag aufzusetzen. Ich garantiere Ihnen, daß wir das tun, noch bevor Sie unser Schiff verlassen!«

»Oder auch nicht. Es kommt ganz darauf an«, sagte Blood ruhig. Und alle Anwesenden stellten fest, daß er plötzlich sehr selbstsicher sprach.

»Oder auch nicht? Was wollen Sie damit sagen?« Easterling kam mit einer Geschwindigkeit auf die Füße, die – so glaubte Blood – Absicht war, um in der Komödie, die hier gespielt wurde, zu provozieren.

»Nur einfach das, was ich gesagt habe.«

Blood war der Meinung, daß es nun an der Zeit sei, den Piraten Einhalt zu gebieten. »Falls es uns nicht gelingt, einen entsprechenden Vertrag zu schließen, dann bedeutet das eben das Ende unserer Verhandlungen.«

»Oho! Das Ende unserer Verhandlungen? Sie werden sich wundern, aber jetzt fangen wir erst richtig an.«

Blood lächelte ihm ins Gesicht und stellte mit eiskalter Stimme fest: »Das habe ich erwartet. Aber welchen Anfang meinen Sie denn, Captain Easterling?«

»Jawohl, jawohl«, rief Joinville. »Was meinen Sie damit, Captain?«

»Was ich damit meine?« Easterling starrte den Franzosen wütend an. »Was ich damit meine?« Erregt wiederholte er die Frage. »Nun hören Sie mal zu, Musjö: Dieser Blood hier, dieser Doktor, dieser entflohene Sträfling, hat uns glauben gemacht, daß er mit uns einen Vertrag schließen wolle, nachdem er mir das Geheimnis um den Schatz von Henry Morgan entlockt hatte. Und nun, seit er die Fundstelle kennt, macht er uns wegen des Vertrags Schwierigkeiten. Jetzt will er sich zurückziehen. Dabei ist doch klar, weshalb, Musjö Joinville, so klar, daß ich es nicht zulassen kann.«

»Ein wertloser Einwurf!« höhnte Blood. »Was weiß ich denn von seinem Schatz, abgesehen davon, daß er irgendwo vergraben liegen soll?«

»Nicht irgendwo, Blood! Sie wissen ganz genau, wo! Ich war dumm genug, es Ihnen zu sagen!«

Blood begann laut zu lachen. Dieses Lachen erschreckte seine Kameraden, die sich der gefährlichen Situation voll bewußt waren.

»Irgendwo auf der Landenge von Panama, bei Darien. Das ist wahrlich eine genaue Ortsangabe! Mit der Information kann ich sofort zur richtigen Stelle gehen und die Hand darauf legen. Und was den Rest angeht, Monsieur Joinville, möchte ich Sie doch bitten, die Dinge genau zu betrachten. Nicht ich bin es, der hier Schwierigkeiten macht. Unter der Voraussetzung, daß es wie abgesprochen bei einem Fünftel blieb, war ich durchaus gewillt, mich mit Captain Easterling zu einigen. Doch jetzt habe ich die Bestätigung, daß ich mit falschen

Erwartungen hergekommen bin. Nach allem, was ich hier erlebt habe, würde ich nicht einmal für fünfzig Prozent des Schatzes mit ihm zusammenarbeiten – immer vorausgesetzt, daß dieser Schatz überhaupt existiert.«

Wie auf einen Wink sprangen plötzlich alle Männer der *Bonaventure* auf und redeten laut durcheinander, bis Easterling sich Ruhe verschaffte. In der Stille erklang die hohe Stimme Joinvilles.

»Sie sind ein höchst unbesonnener Mann, Captain Blood.«

»Mag sein«, sagte Blood munter. »Wir werden ja sehen, was die Zeit bringt. Das letzte Wort ist noch nicht gesprochen.«

»Dann wird es hiermit gesagt.« Miene und Stimme Easterlings waren finster. »Ich habe Ihnen ja bereits angekündigt, daß ich Sie erst von Bord lasse, wenn der Vertrag unterzeichnet ist, weil Sie über wertvolle Informationen verfügen. Da Sie Ihre Absichten nun so klar zu erkennen geben, haben Sie wohl meine Warnung in den Wind geschlagen.«

Von seinem Platz am Tisch, von dem er sich nicht erhob, musterte Blood die finsteren Raufbolde Easterlings, und die drei Männer von der *Cinco Llagas* bemerkten erstaunt, daß er dabei lächelte. Zuerst überzog nur ein leichtes Grinsen sein Gesicht, doch dann wurde es so provozierend, daß sie nicht mehr wußten, was sie davon halten sollten. Hagthorpe machte sich zu ihrem Sprecher.

»Was meinen Sie, Kapitän Easterling? Was haben Sie mit uns vor?«

»Ich werde Sie in Eisen legen und in die vordere Luke bringen lassen, wo Sie keinen Schaden mehr anrichten können.«

»Mein Gott, Sir...« stammelte Hagthorpe, doch die klare, freundliche Stimme von Blood unterbrach ihn.

»Und das würden Sie ohne weiteres zulassen, ohne jeden Protest, Monsieur Joinville?«

Der spreizte die Hände und schob die Unterlippe vor, dann sagte er schulterzuckend: »Sie haben sich selbst in diese Lage gebracht, Captain Blood.«

»Und dazu sind Sie auch hier: um dies Monsieur d'Ogeron zu berichten? Gut, gut«, lachte Blood mit einiger Bitterkeit.

In diesem Moment knallte in der mittäglichen Stille ein Kanonenschuß und ließ alle Anwesenden zusammenfahren. Danach erklang der vielstimmige Schrei aufgeschreckter Möwen und dann Easterlings Stimme: »Was zum Teufel ist das nun wieder?«

Blood beantwortete die Frage mit einem liebenswürdigen Lächeln.

»Lassen Sie sich nur nicht beunruhigen, mein Lieber. Das ist nur ein

Salutschuß, den mein Stückmeister Ogle zu Ihren Ehren abgefeuert hat – von der *Cinco Llagas*. Ich habe Ihnen ja schon von diesem hochtalentierten Artilleristen erzählt, oder?« Bei dieser Frage beobachtete er die Männer um Easterling.

»Ein Salut?« wollte der wissen. »Wieso ein Salut?«

»Nun, als kleine Höflichkeit. Und es ist natürlich auch eine Aufforderung für uns und eine Warnung für Sie. Uns will er daran erinnern, daß wir bereits eine Stunde bei Ihnen an Bord sind und daß wir Ihre Gastfreundschaft nicht weiter ausnutzen sollten.« Er stand auf und verneigte sich in seiner eleganten schwarzen Kleidung. »Wir wünschen Ihnen noch einen guten Tag, Captain.«

Aus der Fassung gebracht, griff Easterling nach der Pistole an seinem Gürtel.

»Sie wollen mich bluffen! Auf keinen Fall verlassen Sie dieses Schiff!«

Aber Captain Blood verlor sein Lächeln nicht.

»Das würde sehr schlimm für Ihr Schiff und Ihre Besatzung ausgehen, den einfallsreichen Monsieur Joinville eingeschlossen, der wohl immer noch glaubt, daß Sie ihm den versprochenen Anteil auszahlen werden – wenn er vor dem Gouverneur falsche Aussagen macht, damit Sie sich die *Cinco Llagas* aneignen können. Sie sehen, daß ich in bezug auf Sie nicht die geringsten Illusionen hege, mein lieber Kapitän. Als Pokerspieler sind Sie zu leicht zu durchschauen.«

Easterling stieß obszöne Flüche aus und fuchtelte mit seiner Pistole. Nur das herausfordernde Benehmen seines Gastes hielt ihn noch davon zurück, auf den Mann zu schießen.

»Wir verlieren kostbare Zeit«, unterbrach ihn Blood. »Sie dürfen mir glauben, daß jede Minute wirklich kostbar ist. Mein Befehl an Ogle lautet nämlich, daß er – sollten wir nicht spätestens zehn Minuten nach dem Salut die *Bonaventure* verlassen haben – einen gezielten Schuß auf Ihr Vorschiff abgibt, und zwar unmittelbar in der Wasserlinie. Und er wird so lange weiterschießen, bis Ihr Schiff gesunken ist. Dazu wird er nicht viele Kugeln benötigen, denn ich erzählte Ihnen ja schon, daß er ein wahrer Meisterschütze ist.«

In der kurzen Stille rief Joinville weinerlich: »Um Himmels willen, lassen Sie mich hier raus! Damit will ich nichts zu tun haben!« Er sprang auf.

»Hören Sie auf mit Ihrem armseligen Gejammer, Sie französische Ratte!« brüllte Easterling verwirrt. Dann ließ er seine Wut an Blood aus. »Sie gemeiner Blutsauger! Sie hätten wirklich besser bei Schröpfköpfen und Aderlaß bleiben sollen!«

Mordlust sprach aus seinen Augen und Gebärden, doch Blood war schneller als er. Noch bevor jemand begriff, was er vorhatte, packte er die vor ihm stehende Weinkaraffe am Hals und schlug sie mit aller Kraft gegen Easterlings linke Schläfe.

Als der Kapitän der *Bonaventure* umsank, verbeugte sich Blood leicht vor ihm.

»Tut mir wirklich leid, daß ich keinen Schröpfkopf bei mir habe«, sagte er. »Aber Sie sehen, daß ich einen Aderlaß auch mit einer Flasche vornehmen kann.«

Easterling sackte am Schott zu einer unförmigen Masse zusammen, und dieser Anblick brachte seine Offiziere in Wut. Drohend bedrängten sie Blood, schrien erregt auf ihn ein, und einer legte sogar Hand an ihn. Doch Bloods laute Stimme übertönte den Aufruhr.

»Ich warne Sie! Die Zeit vergeht schnell, die zehn Minuten sind gleich um, und wenn meine Freunde und ich nicht umgehend an Deck erscheinen, werden wir alle zusammen versenkt.«

»Um Gottes willen! Besinnen Sie sich!« rief Joinville und schob sich zur Tür.

Einer der Seeräuber, der leidlich praktisch dachte, ergriff ihn und drängte ihn zurück.

»Sie da!« rief er Captain Blood zu. »Sie und Ihre Männer gehen zuerst. Und beeilen Sie sich gefälligst, wir haben schließlich keine Lust, wie die Ratten zu ersaufen.«

Sie taten, was man von ihnen verlangte, während ihnen Verwünschungen und Flüche nachgerufen wurden. Captain Easterling werde noch mit ihnen abrechnen, brüllte einer.

Die Piraten an Deck waren entweder in Captain Easterlings schurkisches Vorhaben nicht eingeweiht worden, oder ein Mann von Autorität hatte ihnen verboten, Captain Blood am Verlassen des Schiffes zu hindern.

Als sie im Ruderboot saßen und sich zwischen den beiden Schiffen befanden, war es Hagthorpe, der als erster seine Sprache wiederfand.

»Auf Ehrenwort, Peter, einen Augenblick lang dachte ich tatsächlich, unser letztes Stündlein sei gekommen.«

»Das stimmt«, gab Pitt voll Inbrunst zu. »Es war wirklich knapp.« Er wandte sich zu Peter Blood um, der im Heck des Bootes saß. »Stell' dir mal vor, wir wären aus diesem oder jenem Grund innerhalb der zehn Minuten nicht aus dem Schiff herausgekommen, und Ogle hätte ernsthaft geschossen. Was dann?«

»Oh«, sagte Blood, »die wahre Gefahr für uns lag darin, daß er es nicht getan hätte.«

»Aber du hattest es ihm doch befohlen?«

»Genau das habe ich vergessen! Der einzige Befehl, den ich ihm gab, lautete, daß er einen Warnschuß abfeuern sollte, wenn eine Stunde vergangen war. Ich hielt das für ganz nützlich, gleichgültig, wie sich die Dinge entwickeln würden. Und zum Glück hat es auch gewirkt. Mein Gott!« Er nahm seinen Hut ab und wischte sich die Stirn. »Ich frage mich, ob es die Hitze ist, die mich so schwitzen läßt.«

Originaltitel: The Blank Shot

»Taffrail«

Das Glück der *Tavy*

Wenige britische Schriftsteller haben mit mehr Dramatik und größerer Authentizität in diesem Jahrhundert über den Seekrieg geschrieben als jener Mann, der sich selbst Taffrail *nannte. Mein Freund Douglas Reeman hat einmal gesagt, wieviel er diesem Mann an Dank schuldet, und da ich selbst seine Bücher mit großem Interesse lese, gibt es also zwei gute Gründe, eine seiner Geschichten in diesen Band aufzunehmen. Taffrails wirklicher Name war Captain Henry Tapprell Dorling (1883–1968), und der Grund, weshalb seine Geschichten so überzeugend geschrieben sind, ist einfach der, daß er sein Leben von Jugend an auf See verbrachte und eine Menge Seekriegserfahrung aus erster Hand gewann.*

Captain Dorling erhielt seine Ausbildung auf der HMS Britannia *und diente danach an Bord der ganz zutreffend benannten HMS* Terrible *(deutsch:* Furchtbar*), die in Südafrika und China stationiert war. Auf ihr nahm er an der Befreiung von Peking während der Boxer-Aufstände teil (1900). Während des Ersten Weltkriegs kommandierte er verschiedene Zerstörer und erhielt 1917 die Goldmedaille der schwedischen Regierung für die Errettung von Seeleuten. Auch die britische Regierung belohnte seine Tapferkeit. Er wurde in verschiedenen Kriegsberichten namentlich erwähnt und mit dem Distinguished-Service-Orden (DSO) ausgezeichnet. 1929 trat er in den Ruhestand, um sich fortan nur noch dem Schreiben zu widmen; doch 1939, bei Ausbruch des Zweiten Weltkriegs, wurde er reaktiviert. Wieder ging er an Bord, diesmal auf sehr unterschiedlichen Schiffen. Von 1942 bis 1945 gehörte er dem Stab des Oberbefehlshabers Mittelmeer an. Nach Kriegsende war Captain Dorling Mitarbeiter des Rundfunks für Marinefragen und obendrein Marinekorrespondent der Tageszeitung* The Observer*. Außerdem schrieb er unter dem Pseudonym* Taffrail *seine Bücher. Zu seinen bekanntesten Werken gehören* Sea, Spray and Spindrift *(1917),* Men o' War *(1929),* The Navy in Action *(1940) und* Battle of the Atlantic *(1946). Aus diesem großen Angebot* *habe ich das* Glück der Tavy *ausgewählt. Die Erzählung ist typisch für das Leben eines Kommandanten während des Ersten Weltkriegs auf See, und überdies hat die zentrale Figur dieser Geschichte viel Ähnlichkeit mit Captain Dorling selbst.*

Es war eine verdammt stockdunkle Nacht, daran gab es keinen Zweifel. Sub-Lieutenant* Patrick Munro auf Ihrer Majestät Torpedoboot-Zerstörer *Tavy* kroch hinter die Persenning auf der Brücke, um wenigstens etwas Schutz vor dem Spritzwasser zu finden. Er fühlte sich äußerst miserabel.

Das lag nicht nur daran, daß er ziemlich seekrank war; der Zerstörer bahnte sich einen Weg durch das aufgewühlte Wasser des Ärmelkanals und lief genau in einen zunehmenden Südweststurm. Kein Seemann kann Sturm leiden, aber die auf den ranken Zerstörern hassen ihn geradezu.

Der Seegang war stark, und wenn die *Tavy* ihren Bug in eine Welle steckte, dann schlugen Tonnen von Wasser über das Vorschiff, und Kaskaden sprühten über die Brücke.

Die Nacht war wirklich stockfinster, und der Himmel war eine einzige Wolkendecke. Der Wind schnitt wie mit Messern, und trotz seines Ölzeugs, seines Südwesters, mehrerer wollener Schals und entsprechender Unterkleidung war der Leutnant fast naß bis auf die Haut. Er fror bis ins Mark.

Er hatte die Mittelwache von Mitternacht bis vier Uhr morgens erwischt, und da es eben gerade 01.30 Uhr war, standen ihm also noch zweieinhalb Stunden auf der Brücke bevor. Erst dann würde er vom Artillerieoffizier abgelöst werden und konnte sich in seine warme Koje zurückziehen.

Daß er dort etwas Schlaf finden würde, war indessen recht zweifelhaft, denn die *Tavy* rollte und stampfte abscheulich. Überdies hatte sie von Zeit zu Zeit die Angewohnheit, ihr Achterschiff auf der Spitze eines Wellenbergs in die Luft zu werfen und es zu schütteln wie einen Hundeschwanz. Milde ausgedrückt: Diese Angewohnheit war enervierend.

Der Zerstörer lief ganz allein durch die Nacht, man sah kein einziges Licht über dem Wasser. Irgendwo hinter dem nördlichen Horizont lag die Südküste Englands. Doch weil Krieg war, waren die Lichter dort schon lange gelöscht. Sie wären zu gute Hinweise für feindliche U-Boote gewesen.

* Der Sub-Lieutenant entspricht dem deutschen Leutnant zur See

Der Krieg dauerte nun schon über achtzehn Monate, doch weder die *Tavy* noch ihr junger Leutnant hatten bisher einen Schuß im Ernst abgegeben. Sie waren zwar durch Minenfelder gefahren, hatten viele Trümmer im Wasser treiben sehen, und als sie Zeugen geworden waren, wie ein Handelsschiff in die Luft flog und sank, hatten sie dessen Überlebende gerettet.

Einmal hatten sie auch einen Zeppelin* gesichtet, der viele Meilen von ihnen entfernt am Horizont entlangfuhr**. Er sah aus wie eine übergroße Wurst, der man Leben eingehaucht hatte. Immer wieder hatte man den Zerstörer zur U-Boot-Bekämpfung ausgesandt, doch er hatte weder ein U-Boot bekämpfen können, noch war es ihm möglich gewesen, einen scharfen Schuß oder einen Torpedo abzufeuern. Die Enttäuschung fraß sich in die Herzen der Offiziere und Mannschaften, und sie beneideten ihre Kameraden, die draußen in der Nordsee oder in den Dardanellen eingesetzt waren. Dort war wenigstens was los.

Mit zunehmender Nacht verschlechterte sich das Wetter immer mehr. Waren sie zuerst noch mit zwanzig Knoten gelaufen, so mußten sie schon bald auf fünfzehn heruntergehen. Nun liefen sie nur noch zwölf Knoten, weil sie fürchteten, daß die schweren Brecher, die über das Vorschiff donnerten, alles in Stücke schlagen und mit sich reißen könnten.

Oberleutnant Travers, der Kommandant des Zerstörers, versuchte vergebens, auf der gepolsterten Seekiste im Kartenhaus unter der Brücke eine Mütze voll Schlaf zu nehmen. Er war bis eine halbe Stunde nach Mitternacht auf der Brücke gewesen, und sein letzter Befehl an Munro lautete, daß man ihn zu Beginn der nächsten Wache um vier Uhr wecken solle – auf jeden Fall aber sofort, sobald sich ein Licht zeigte.

Die Zeit verrann, und es war gegen zwei Uhr, als sich der Leutnant etwas besser fühlte und überlegte, ob er nicht einen Schluck heißen Kakao aus der Thermosflasche nehmen sollte. Plötzlich hörte er einen Ausruf des Signalgasten, der Ausguck hielt.

»Was ist los?« wollte Munro wissen.

»Ich meinte eben, ein Aufblitzen oder so was am Horizont gesehen zu haben, Sir. An Backbord voraus«, antwortete der Mann aufgeregt und blickte angestrengt in die von ihm angegebene Richtung.

»Was für ein Aufblitzen?«

»Es sah aus wie der Abschuß eines Geschützes, Sir.«

---

* Zeppelin-Luftschiffe wurden von der deutschen Marine eingesetzt.
** Luftfahrzeuge, die »leichter als Luft« sind, fliegen nicht, sondern fahren.

Nun blickten sie beide angestrengt in die angegebene Richtung und versuchten dem Wasser auszuweichen, das wie ein Sprühregen über ihnen zusammenschlug. Doch sie sahen nichts.

»Wenn es ein Schuß gewesen wäre, hätte man eigentlich was davon hören müssen«, meinte Munro schließlich. »Die Richtung, aus der Sie den Blitz gesehen haben, ist ja wohl eher Luv, oder?«

»Genau kann ich das nicht sagen, Sir«, antwortete der Signalgast. »Vielleicht war es nur ein kleines Kaliber, und man konnte deshalb nichts hören.«

Kaum hatte er das gesagt, da stieg ein rubinroter Blitz rechts vor ihnen aus der Dunkelheit. Das war ganz zweifellos der Abschuß eines Geschützes, etwa fünf Meilen entfernt. Der junge Leutnant strengte seine Ohren an, doch er hörte nichts außer dem Rauschen des Meeres.

Einen Augenblick später zerriß der feurige Schweif einer Leuchtrakete in derselben Richtung die Dunkelheit. Er stieg im Bogen auf und barst in einem Sternenregen, der die See in mehreren Meilen Umkreis zu erleuchten schien.

Das Gefunkel erstarb, doch zuvor hatte es die dunkle Silhouette eines Schiffes sichtbar gemacht. Soweit Munro sehen konnte, führte es keine Lichter, und er konnte auch nicht erkennen, um was für ein Schiff es sich handelte. Eines jedenfalls stand fest: Dort war ein Schiff.

»Signalgast, machen Sie Meldung an den Kommandanten!« befahl Munro erregt. »Läufer, alarmieren Sie die Geschützbedienungen!«

Beide Männer verschwanden, um die Befehle auszuführen.

Es waren noch keine fünf Sekunden vergangen, da stand Travers auf der Brücke, und kaum hatte ihm der Leutnant berichtet, was er gesehen hatte, da gab der Kommandant über Maschinentelegraph Anweisung, die Fahrt auf fünfzehn Knoten zu erhöhen.

»Mehr als fünfzehn können wir bei diesem Seegang nicht laufen«, meinte er. »Wie weit, glauben Sie, ist das Schiff entfernt?«

»Etwa fünf Meilen, Sir.« Der Sub und der Signalgast sprachen wie mit einer Stimme.

»Gut«, nickte der Kommandant. »Dann sollten wir es in etwa zwanzig Minuten erreicht haben, ganz gleich, um wen es sich handelt. Sub, lassen Sie alle Männer auf Gefechtsstationen gehen, alle Geschütze und die Torpedorohre feuerbereit machen. Wahrscheinlich handelt es sich nur um einen Trampdampfer, aber man weiß ja nie. Diese Hunnen sind allesamt verschlagen.«

»Aber was soll man von dem Aufblitzen der Abschüsse halten, Sir?« warf der Sub-Lieutenant ein.

»Hm ja«, sagte der Kommandant langsam. »Das macht die Sache kompliziert, zugegeben. Ich kann mir beim besten Willen nicht denken, daß einer mitten in der Nacht nur zum Spaß Geschütze abfeuert. Da ist wohl jemand ganz schön eingeschüchtert worden, denke ich mir. Auf alle Fälle lassen Sie die Leute auf Gefechtsstationen antreten.«

Die Männer, die wie stets auf See in ihrer Kleidung geschlafen hatten, kamen taumelnd hoch. Und nur dreißig Sekunden später gab es eine neue Entwicklung, als plötzlich der Funker auf die Brücke hetzte. Er duckte sich unter einem Schwall Gischt, der wie eine Garbe kleinkalibriger Schüsse gegen die Windschutzscheiben prasselte.

»Ich muß den Captain sprechen«, rief er aufgeregt.

»Hier bin ich, Funker, was ist los?«

»Vor etwa einer Minute habe ich den SOS-Ruf eines Schiffes aufgefangen, Sir. Der Ruf ging zweimal raus, dann war plötzlich Funkstille! Aber es sind noch andere Funksignale im Äther, ich kann mir bloß keinen Vers darauf machen. Irgend etwas tut sich da, Sir.« Er schien sehr aufgeregt.

Der Kommandant stieß einen erregten Pfiff aus. »Na, da kommen wir ja wohl doch noch auf unsere Kosten, was? Aus welcher Entfernung kamen die Signale nach Ihrer Meinung, Sparks*?«

»Eigentlich waren sie recht deutlich, Sir. Ich würde sagen, zehn Meilen oder weniger.«

»Gut, gehen Sie wieder an Ihr Gerät und horchen Sie verstärkt in den Äther. Sobald Sie etwas hören, geben Sie mir sofort Bescheid. Donnerwetter, Sub«, Travers rieb sich die Hände und wandte sich an Munro, »es scheint, daß wir doch zu tun bekommen, oder?«

»Ganz offensichtlich, Sir.«

Während die *Tavy* sich durch das Wasser kämpfte, schien die Zeit quälend langsam zu vergehen. Fünf Minuten ... zehn Minuten ... eine Viertelstunde.

»Wenn das Schiff keine Fahrt macht, sollten wir eigentlich nur noch weniger als eine Meile von ihm entfernt sein«, murmelte Travers mißmutig, »aber ich sehe nichts. Nicht die geringste Spur!«

Zwanzig Minuten vergingen, fünfundzwanzig. Immer noch kam nichts in Sicht.

Der Kommandant murmelte Unverständliches vor sich hin.

»Wo in aller Welt kann sie denn bloß sein?« rief er schließlich.

---

* Sparks wird an Bord englischer Schiffe der Funker genannt (spark = Funke).

»Schieben Sie den Hebel auf siebzehn Knoten Fahrt, Sub. Sie wird's wohl aushalten.« Langsam wurde er wirklich unruhig.

Munro schob den Griff des Maschinentelegraphen vor, bis das Zifferblatt die entsprechenden Umdrehungen anzeigte.

Der Zerstörer wurde schneller, das Wasser gischtete noch stärker über das Vorschiff hinweg, aber erst nach fünfunddreißig Minuten entdeckte der Oberleutnant einen schwachen Schatten. Er wischte sein Nachtglas sorgfältig ab und preßte es wieder gegen die Augen.

»Da haben wir ihn!« rief er. »Er scheint in südwestlicher Richtung zu laufen. Sieht so aus, als ob wir ihn schnell einholen. Steuermann, legen Sie das Ruder etwas nach Steuerbord. So kann's bleiben!«

Es dauerte nicht mehr lange, da konnten sie den Rumpf des unbekannten Schiffes mit bloßem Auge erkennen. Ganz offensichtlich handelt es sich um ein großes Schiff, das noch einige Meilen entfernt war und mit etwa zwölf Knoten lief. Die *Tavy* kam ihm schnell näher.

»Geben Sie das Signal: ›Stoppen Sie sofort!‹ Und fragen Sie nach Namen und Zielhafen!« befahl Travers seinem Signalgasten.

Der ließ seine Signallampe mit kurzen und langen Lichtblitzen im Morsealphabet aufleuchten. Ohne zu stoppen wiederholte er das Signal zehn Minuten lang, doch eine Antwort erhielt er nicht. Schließlich waren die beiden Schiffe nur noch eine Meile voneinander entfernt. Vorausgesetzt, der Fremde, der jetzt einwandfrei als Schiff mit einem Schornstein und zwei Masten zu erkennen war, hatte keinen Blinden im Ausguck, mußte man drüben die Signale des Zerstörers bemerkt haben. Doch nichts geschah.

»Offensichtlich legen die Brüder Wert darauf, versenkt zu werden«, brummte Travers. »Wir werden ihnen mal einen Schuß rüberschicken, damit sie aufwachen.«

Das Geschütz wurde abgefeuert, ein Blitz erleuchtete das Dunkel, ein Knall – und das Geschoß schlug ein paar hundert Meter vom Frachter entfernt ins Wasser.

Der fremde Kapitän konnte sich nicht leisten, diese Aufforderung unbeachtet zu lassen. Drüben wurde Ruder gelegt, das Schiff vollzog eine Wendung und steuerte den Zerstörer direkt an.

»Geben Sie noch einmal: ›Stoppen Sie sofort‹!« befahl Travers. Er bemerkte, daß sich das Schiff schnell seinem Zerstörer näherte.

Kaum hatte er diese Worte geprochen, da ging der Feuerzauber los.

Der Frachter drehte abrupt nach Backbord, dichte Rauchwolken quollen aus seinem langen Schornstein, während er mehr Fahrt aufnahm. Und dann – das Schiff war kaum noch eine halbe Meile entfernt – leuchtete an seiner Bordwand der grellrote Blitz eines Abschusses auf.

Die Männer an Bord des Zerstörers hörten den Knall und unmittelbar darauf das infernalische Heulen der Granate, die nicht weit von ihnen eine große Wasserfontäne aufwarf. Noch bevor sie wieder in sich zusammengefallen war, feuerten weitere Geschütze an der Backbordseite des fremden Schiffes. Zwar war es als Handelsschiff gebaut worden, doch man hatte es ganz offensichtlich mit schwerer Bewaffnung versehen; seine Geschütze feuerten unablässig.

Der Angriff kam überraschend, doch die Männer an Bord der *Tavy* waren auf alles vorbereitet.

»Feuer auf Feindziel eröffnen!« rief Travers heiser und schob den Maschinentelegraphen auf »Voll voraus«.

»Ich laufe hinter ihm her, Sub. Gehen Sie runter und machen Sie sich bereit, das vordere Torpedorohr abzufeuern, sobald Sie das Schiff im Visier haben!«

Die Geschütze der *Tavy* feuerten pausenlos, und wenn auch die ständigen Bewegungen des Zerstörers und die See, die immer wieder in Brechern das Schiff überrollte, das Zielen nicht einfach machte, schienen ihre Granaten immer näher am Ziel zu liegen.

Immer noch feuerte der Frachter, bis die Luft angefüllt war von einem unheimlichen Winseln. Doch zuerst lagen die Schüsse nicht sonderlich gut. Vielleicht deshalb, weil der Zerstörer nur ein kleines Ziel bot, vielleicht waren auch die feindlichen Geschützbedienungen nicht besonders erfahren – die meisten Granaten jedenfalls fielen in die See, ohne Schaden anzurichten.

Die ganze Angelegenheit war schnell vorbei. Die Schiffe kamen auf entgegengesetzten Kursen aufeinander zu und würden in einer Entfernung von etwa achthundert Metern aneinander vorbeilaufen.

Jetzt fielen die feindlichen Granaten dichter. Travers hörte eine laute Explosion von achtern, und als er sich umdrehte, sah er die grelle Flamme einer Explosion dicht am hinteren Schornstein. Irgendjemand schrie, Splitter flogen jaulend durch die Luft. Ganz offensichtlich war der Zerstörer beschädigt worden, denn seine Geschwindigkeit nahm schnell ab. Immerhin machte er noch Fahrt durchs Wasser.

Eine weitere Granate verfehlte den Zerstörer nur knapp und explodierte etwa zwanzig Meter von ihm entfernt im Wasser. Eine riesige Fontäne stieg auf, fiel zischend über dem Vorschiff des Zerstörers zusammen und sorgte dafür, daß alle Männer an Deck und auf der Brücke bis auf die Haut durchnäßt wurden. Der starke Luftzug riß Travers die Mütze vom Kopf und schleuderte sie über Bord.

Sekunden später hatte der Sub-Lieutenant den Hilfskreuzer im Visier des vorderen Torpedorohrs und zog an einem Hebel.

Wie ein großer silberner Fisch schoß der Aal aus dem Rohr und landete klatschend im Wasser. Das fremde Schiff schien bemerkt zu haben, was geschah, denn plötzlich lief es einen Kreisbogen, um dem Treffer zu entgehen. Trotzdem feuerten seine Geschütze weiter.

Wieder sorgte eine feindliche Granate, die nahe beim Zerstörer im Wasser detonierte, dafür, daß Splitter pfeifend über das Vorschiff flogen. Zwei Männer des vorderen Geschützes fielen getroffen an Deck. Aber die anderen schoben sie zur Seite, luden neu und feuerten, so schnell sie nur konnten.

Das feindliche Schiff bot aus dieser geringen Entfernung ein riesiges Ziel. Die Waffen des Zerstörers mochten zwar ein geringeres Kaliber haben als die des Hilfskreuzers, doch sie verfehlten ihn kaum noch. Salve auf Salve wurde herausgejagt, und jede war ein Treffer, denn die Männer konnten die leuchtend roten Blitze sehen, wenn die Granaten einschlugen. Das Feuer des Gegners nahm angesichts der zahlreichen Treffer beträchtlich ab.

Dann stieg plötzlich eine riesige Wasserfontäne, die mit Rauch und Flammen vermischt war, an der Bordwand des feindlichen Schiffes empor. Unmittelbar darauf folgte der furchtbare Knall einer gewaltigen Explosion. Der Torpedo hatte sein Ziel getroffen.

Als sich der Lärm gelegt hatte, war auch das Geschützfeuer des feindlichen Schiffes verstummt. Der Torpedo mußte das Vorschiff getroffen haben, denn der Bug lag nun tief im Wasser, während das Heck in die Luft ragte und die beiden Propeller immer noch langsam liefen. Das Schiff schien schnell zu sinken.

Travers starrte immer noch wortlos hinüber, da kam der Sub-Lieutenant fröhlich auf die Brücke.

»Dem hab' ich's gegeben!« rief er und wies auf das sinkende Schiff. »Herrschaften, ich hab' ihn erwischt!«

Der Kommandant sagte nichts. Ihn quälte der furchtbare Verdacht, daß er möglicherweise ein englisches Schiff versenkt hatte.

Zwar stimmte es, daß das Schiff mit dem Beschuß angefangen hatte, aber würde ihn das entlasten, wenn er tatsächlich ein britisches Schiff versenkt hatte?

Fünf Männer der *Tavy* waren durch den Granatentreffer auf dem

Achterschiff getötet, zwei weitere am vorderen Geschütz verwundet worden. Der Zerstörer hatte ein Leck und war schwer beschädigt. Als der Chief* wenig später auf der Brücke erschien, mußte er berichten, daß ein Kessel völlig außer Betrieb war, und die Steuerbordmaschine hatte so schwere Schäden davongetragen, daß sie nicht mehr zu verwenden war. Außerdem hatte eine Granate die Bordwand achtern dicht unterhalb der Wasserlinie durchschlagen. Zwar war sie nicht explodiert, doch durch das Loch war Wasser eingedrungen und hatte verschiedene Abteilungen lahmgelegt. Mittlerweile, so setzte der Chief guten Mutes hinzu, sei das Loch bereits abgedichtet, und dank ihrer verbliebenen Maschine könnten sie mit etwa zehn Knoten Fahrt den Heimathafen erreichen.

Der Bug des fremden Schiffes lag inzwischen unter Wasser, es versank schnell über Kopf. Die Männer der *Tavy* konnten sehen, wie sich drüben Matrosen an den Rettungsbooten zu schaffen machten, und sie fuhren näher heran, um Hilfe zu leisten.

Doch noch bevor sie heran waren, wurde das Heck hochgerissen. Sekundenlang hing das Schiff achtern in der Luft, dann verschwand es in Wolken, Rauch und Dampf und unter dem Krachen der berstenden Schotts und Spanten so schnell unter Wasser, als würde es von einem riesigen Magneten angezogen.

Der Zerstörer kam heran und stoppte seine verbliebene Maschine. Die Wasseroberfläche war mit Trümmern und einem Ölfilm bedeckt, der das Wasser glättete. *Tavy* schaltete Scheinwerfer ein, die Männer des Zerstörers suchten nach Überlebenden. Ein Rettungsboot wurde ausgesetzt, und nach langer Suche zwischen den Trümmern konnten schließlich zwanzig Mann geborgen werden. Einige von ihnen waren schwer verwundet. Alle übrigen waren mit dem Schiff untergegangen.

Nervös wartete Travers auf die Rückkehr des Bootes. Angenommen, es hatte sich tatsächlich um ein britisches Schiff gehandelt? Dann war er dafür verantwortlich, daß eine große Zahl seiner Landsleute hatte ertrinken müssen.

Aber der Sub-Lieutenant, der das Anbordnehmen der Überlebenden überwacht hatte, kam kurz darauf auf die Brücke. Aufgeregt sprudelte er los, kaum daß er neben Travers stand: »Es war der deutsche Hilfskreuzer *Pelikan*, Sir!« Er schrie es fast.

»Die *Pelikan*!« stieß Travers hervor, und eine Welle der Dankbarkeit durchfuhr ihn. »Sind Sie sicher, Mann?«

* Chief = Leitender Ingenieur

»Völlig, Sir. Ich weiß es von den Gefangenen. Erinnern Sie sich an die Blitze, die wir als erstes sahen?«

»Ja.«

»Das war ein britischer Dampfer, den *Pelikan* versenkt hat.«

»Ein britischer Dampfer!« Der Kommandant reagierte wie ein Echo. »Haben die Deutschen denn wenigstens seine Leute gerettet?«

»Nein, Sir«, erwiderte der Sub-Lieutenant haßerfüllt. »Das haben sie nicht. Sie ließen sie schwimmen oder ertrinken. Das Wetter sei zu schlecht gewesen, um Boote auszusetzen.«

»Zu schlechtes Wetter für sie! Aber wir haben unser kleines Beiboot ausgesetzt!« Travers ballte die Fäuste vor Wut. »Diese verdammten Feiglinge! Ich bin froh, daß wir wenigstens einige von ihnen auf den Grund des Meeres schicken konnten. Ich hätte nicht übel Lust, den Rest über Bord zu schmeißen, aber leider kann ich das nicht. Kümmert sich jemand um sie?«

»Ja«, grinste Munro. »Gegenwärtig sitzen sie in der Kombüse und trinken heißen Kakao.«

»Wir sind einfach zu weichherzig«, stellte Travers verbittert fest.

Gut fünfzehn Stunden später lief die *Tavy* in ihren Stützpunkt ein. Ihr hinterer Schornstein fehlte, und auch sonst sah sie recht angeschlagen aus. Die Nachricht von ihrem Erfolg war bereits über Funk bekanntgeworden, und als sie langsam in den Hafen einlief, um in die Werft zu gehen, drängten sich die Besatzungen der anderen Schiffe an Deck und jubelten ihnen zu.

Am übernächsten Tag erschien eine kurze Meldung der Admiralität in den Morgenzeitungen:

Am vergangenen Donnerstag ist der deutsche Hilfskreuzer *Pelikan*, der zuvor einige britische Frachter auf den atlantischen Schiffahrtswegen versenkt hatte, im Kanal vom Zerstörer HMS *Tavy* (unter Oberleutnant z. S. Robert H. Travers, RN) gestellt und nach kurzem Kampf durch einen Torpedotreffer versenkt worden. Ein Offizier und zwanzig Mann wurden gerettet, drei von ihnen sind inzwischen ihren schweren Verletzungen erlegen. HMS *Tavy* erlitt nur leichte Verluste.

Originaltitel: The Luck of the Tavy

Albert Richard Wetjen

Pflichterfüllung

Das wohl größte Vergnügen beim Zusammenstellen einer solchen
Sammlung ist – neben der Chance, dem Leser eine Reihe besonders
schöner Geschichten vorzulegen – die Tatsache, daß man sich dabei
auch solcher Schriftsteller annehmen kann, die sonst immer verkannt
werden. Das will ich hier mit einer Erzählung von Albert Richard
Wetjen tun, dessen Werk mich schon fast ein halbes Jahrhundert erfreut.
Er schreibt von der See mit derselben Überzeugung wie Melville, so
authentisch wie Joseph Conrad und in den gleichen lebendigen Farben
wie Jack London. Aber wer kennt ihn heute noch? Kaum jemand. An
seine Bücher ist nur schwer heranzukommen, und ich wage zu bezwei-
feln, daß innerhalb der letzten zwanzig Jahre überhaupt eine Kurzge-
schichte von ihm gedruckt worden ist. Dennoch haben wir es hier mit
einem Mann zu tun, der als Meister der Seegeschichten zu gelten hat.

Ich habe von Wetjen (1903–1966) erstmals in Zeitschriften wie Wide
World, Collier's *und* Sea Stories *gelesen. Dann stieß ich auf die sechs*
Novellen, die er über einen robusten, einfallsreichen Kapitän namens
Shark Gotch geschrieben hat und die zwischen den beiden Weltkriegen
erschienen sind. Seine Biographie habe ich allerdings erst etliche Jahre
später kennengelernt. Als Sohn einer Seefahrerfamilie wurde er in
London geboren und ging mit vierzehn Jahren selbst zur See. In den
folgenden zwei Jahren überlebte er zwei Untergänge von Schiffen; der
erste, in der Fundy-Bucht zwischen Nova Scotia und dem Festland, war
auf Feuer an Bord zurückzuführen. Beim zweiten Mal lief sein Schiff
bei Nebel am Cape Race vor Neufundland auf eine Untiefe, und es
dauerte fünf Wochen, bevor Rettung kam. Diese Erlebnisse veranlaßten
ihn, im Alter von achtzehn Jahren mit dem Schreiben zu beginnen.
Weitere Erfahrungen für seine schriftstellerische Arbeit sammelte er bei
Reisen um die ganze Welt und während des Ersten Weltkrieges bei der
britischen Handelsmarine. Wetjen (sein Name ist norwegischen Ur-

sprungs) hat stets behauptet, er habe das Schreiben nur deshalb angefangen, weil ihm harte Arbeit zuwider sei. Doch die nachfolgende Erzählung beweist, daß er handwerkliche Fähigkeiten mit dem Talent des geborenen Erzählers vorzüglich zu vereinbaren weiß. Ich hoffe deshalb sehr, daß Wetjen doch noch eine stärkere Beachtung findet.

Captain Todd lag im Sterben. Eigentlich war es ein Wunder, daß er noch lebte, denn er lag seit sechs Tagen bei glühender Hitze in dem offenen Rettungsboot, seit seine *Semiramis* Feuer gefangen hatte und untergegangen war. Er war schon verletzt gewesen, als man ihn gewaltsam aufs Achterschiff geführt hatte. Von dort hatte ihn eine Explosion ins Wasser geschleudert. Seine linke Seite sah böse aus, sein grauer Schnurrbart war angesengt, sein kühner Kopf blutverschmiert und mit Brandblasen bedeckt. Dennoch hatte er sich bemüht, bei Bewußtsein zu bleiben. Angetrieben von einer inneren Kraft und einem lebenslangen Instinkt, hatte er die Befehlsgewalt nicht aus der Hand gegeben. Kein Wunder, daß ihm die vierzehn anderen Überlebenden auch jetzt noch ehrfurchtsvollen Respekt zollten. Dabei waren die meisten von ihnen selbst harte Männer.

Mr. Evans, der Dritte Offizier, kniete neben dem Kapitän in der glühenden Tropenhitze und bemühte sich, seine Bestürzung über Todds Zustand zu verbergen.

»Möchten Sie etwas trinken, Sir?«

Captain Todd schüttelte leicht den Kopf und brachte es fertig zu lächeln.

»Das Wasser ist knapp... Hat keinen Zweck, daß Sie's für mich verschwenden.«

Er atmete plötzlich schwer, und das Boot begann zu schaukeln, weil sich die Männer ihrem Kapitän zuwandten, um Zeuge seines Endes zu werden. Der Bootsmann erhob sich, eine vierschrötige Gestalt mit grobem Gesicht, das von harten Linien durchfurcht wurde. Hochaufgerichtet sah er die beiden Offizieren im Heck des Bootes an.

»Es geht zu Ende, oder?« fragte er und wischte sich mit der behaarten Hand den Mund. Der Dritte gab keine Antwort, aber Todd lächelte wieder.

»Stimmt, es geht zu Ende, Bootsmann.« Der Alte blickte seinen jungen Dritten Offizier an. »Sie werden das Kommando übernehmen, Mr. Evans. Sie haben als einziger Offizier überlebt. Ihre beste Chance besteht darin, die afrikanische Küste zu erreichen. Also steuern Sie immer nach Osten. Sie haben Karte, Sextant und alles, was Sie benötigen.«

»Ich schaffe es bestimmt, Sir«, versprach Evans heiser. Er war erst neunzehn Jahre alt und sein Selbstvertrauen noch nicht gefestigt. Dies wurde nun sein erstes Kommando – ein offenes Rettungsboot mit dreizehn Mann. Er versuchte, sich die trockenen Lippen zu lecken, und zitterte.

»In meiner Tasche steckt eine Blechdose«, sagte der Kapitän mit schwacher Stimme. »Außerdem finden Sie da die Schiffspapiere und Geld. Die Blechdose enthält Juwelen, die den Eigentümern des Schiffes gehören. Ich habe versprochen, sie Mr. Welsh, dem Juniorpartner der Reederei, zu überbringen. Sie sind etwas ganz Besonderes. Falls Sie ... Sobald Sie es nach Afrika geschafft haben, Evans, liefern Sie die Dose ungeöffnet ab.«

»Das werde ich tun, Sir.«

»Gut.« Captain Todd versuchte, die Schulter seines Dritten zu berühren. »Dann übernehmen Sie jetzt das Kommando.«

»Ich übernehme, Sir.«

Der Bootsmann fuhr sich erneut mit der Hand über den Mund und warf einen Blick auf die Männer, die sich aufmerksam um Todd geschart hatten. Er sagte nichts. Der Captain wies den Dritten mit einer Handbewegung an, ihm die Taschen zu leeren. Dann seufzte er erleichtert auf.

»Das wär's dann, Evans. Alles Gute!«

Er starb kurz nach Einbruch der Dunkelheit, nachdem er noch ein oder zweimal gehustet hatte. Zuletzt war er ganz still geworden. Evans starrte die schwarze Blechschachtel an, die mit den in Segeltuch gehüllten Schiffspapieren und dem Geld in seinem Schoß lag. Daneben lag auch der schwere Revolver, der bisher dem Kapitän gehört hatte. Evans war so versunken in Gedanken an das Kommende, daß der Bootsmann sich schließlich zu ihm herunterbeugte und ihn schüttelte.

»Ist wohl besser, wenn wir ihn jetzt über Bord gehen lassen, oder?« meinte er und wies mit dem Daumen zum Heck.

Der Dritte nickte mit aschfahlem Gesicht, seine Augen waren schreckgeweitet.

Der Bootsmann schob sich an ihm vorbei, bückte sich ächzend, hob den Toten an und ließ ihn klatschend ins Wasser fallen. Der Dritte erschauerte und schloß die Augen. Der Bootsmann wischte sich geräuschvoll die Hände ab, dann setzte er sich neben Evans.

»Lassen Sie das Zeug doch mal sehen«, forderte er. »Das sorgt wenigstens für Zeitvertreib.«

Er nahm die Schachtel aus den zitternden Händen des Offiziers, fand einen Schlüssel, der an dünner Kette mit der Dose verbunden war, und rief laut nach der Sturmlaterne.

»Ich wußte gar nicht, daß unser Alter einen Schatz besaß«, murmelte er. »Her mit der Lampe!«

Die Männer rückten gierig näher, bis der Bootsmann ihnen Ruhe befahl, damit das Boot nicht kenterte. Ein Mann hielt die Laterne hoch, und der Bootsmann öffnete die Schachtel. Verschiedene Schmuckstücke lagen darin, in Seidenpapier gehüllt. Als der Bootsmann einige Päckchen öffnete, fiel das Licht der Laterne auf Perlenstränge, Diamantspangen, Smaragdnadeln und ähnliches. Unter den Männern erhob sich ein Gemurmel, und das war es schließlich, was den Dritten aus seiner Erstarrung riß.

Er blickte auf, bemerkte, daß sich die Männer um ihn geschart hatten, begriff plötzlich, daß sie die Blechdose mit den Juwelen geöffnet hatten und dabei waren, mit schwieligen Fingern nach ihrem Inhalt zu greifen.

»Jetzt reicht's aber!« rief er schrill. »Los, zurück auf eure Plätze!«

Der Bootsmann sah ihn seltsam an, ihm schien etwas durch den Kopf zu gehen.

»Das ist aber 'ne ganze Menge wert, Sir.«

»Und was geht das Sie an? Es gehört dem Schiffseigner.«

Einen Augenblick blieb es still, die Augen der Männer glänzten im Licht der Laterne. Noch zögerte der Bootsmann, dann packte er den Schmuck langsam wieder in die Schachtel, verschloß sie und legte sie zurück zu den anderen Sachen.

»Eine anständige Pütz voll Trinkwasser wäre mir jetzt mehr wert als der ganze Plunder«, sagte er mit grimmigem Humor.

Ein Mann beugte sich zu ihm und flüsterte ihm etwas ins Ohr, doch er gebot ihm, ruhig zu sein. »Noch nicht«, sagte er gepreßt.

»Sagten Sie was, Bootsmann?« wollte Evans wissen. Er zog sich auf die Heckducht des Bootes zurück und erschauerte wieder.

»Nur über Wasser, Sir«, meinte der Bootsmann. »Sie wissen ja selbst, daß uns mit Wasser jetzt besser geholfen wäre als mit Juwelen.«

»Da haben Sie recht, Bootsmann.« Der Dritte schob die Schachtel in seine Tasche und griff zur Ruderpinne. »Trimmen Sie lieber das Segel. Der Nachtwind kommt.«

Er war erschöpft und hatte Angst. Seine Stimme klang verzerrt, ihm selbst fiel ihr unnatürlicher Ton auf. Die Männer zogen sich von ihm zurück und sprachen leise miteinander, doch er konnte sie nicht verstehen. So vieles ging ihm durch den Kopf, trotzdem mußte er seine Gedanken beisammen halten und sich zur Ruhe zwingen. Bisher hatte er stets ältere Vorgesetzte gehabt, nach deren Anweisungen er handelte. Sie hatten die Dinge in die Hand genommen, wenn etwas falsch lief. Nun stand er ganz allein da und war doch erst seit einem Jahr Offizier. Bisher hatte er sich stets für clever gehalten, doch nun sah er sich der harten Realität gegenüber und machte sich schmerzlich seine Unerfahrenheit bewußt. Er war ja noch nicht mal ein richtiger Mann, nur der Gedanke an seine Seefahrerfamilie gab ihm etwas Halt.

Er umklammerte die Ruderpinne mit zittrigen Fingern und hielt Ostkurs. Es war keineswegs sicher, daß sie die afrikanische Küste überhaupt erreichten. Selbst wenn der günstige Wind durchstand und sie trieb, brauchten sie mindestens vier Tage. Und in diesen Breiten pflegte sich der Wind nicht lange zu halten. Obendrein würde das letzte Wasser am nächsten Tag zu Ende gehen.

Die Verantwortung lastete schwer auf Evans' Schultern. Er hatte noch nicht im entferntesten begriffen, was sie bedeuten konnte, auch nicht damals, als ihm der Kapitän die Wache übertragen und ihn zum ersten Mal allein auf der Brücke gelassen hatte. Wenn er jetzt daran dachte, packte ihn die Wut. Es war einfach nicht fair, daß Captain Todd gestorben war, daß der Erste und der Zweite im Feuer umgekommen waren. Nur er war übrig und mußte nun mit allem allein fertig werden. Es gab keinen Ausweg: Er war der einzige Offizier, der noch lebte, und ihm war das Kommando übertragen worden. Also mußte er sehen, wie er klarkam.

In der Morgendämmerung wurde der östliche Himmel milchig-weiß und öffnete sich rasch zum Zenit hin. Rosa- und goldfarbene Punkte flimmerten am Horizont. Das Wasser wechselte die Farbe: vom düsteren Violett der Nacht zum leuchtenden Purpur des Tages, und auf den Kämmen der kleinen Wellen tanzten goldene Lichter. Plötzlich schien der Horizont in Flammen zu stehen, der Rand der Sonne trat hervor und glühte in dunklem Rot. Dort, wo sie sich aufmachte, den Himmel zu erobern, schimmerte das Meer wie Blut. Der Nachtwind löste sich zu Nichts auf.

Die Männer erwachten langsam, gähnten, kratzten sich und murmelten mit ausgetrockneten Lippen vor sich hin. Sie setzten sich auf und blickten zunächst gespannt nach Osten, dann aber wurden sie mürrisch, und tiefe Linien der Verbitterung gruben sich in ihre Züge.

Auch der Bootsmann erhob sich, streckte und reckte sich und versuchte vergeblich auszuspucken. Er musterte den Horizont.

»Nicht ein einziges verdammtes Segel zu sehen«, meinte er schließlich. »Und der Wind hat sich auch gelegt.«

Evans sagte nichts; er starrte den Bootsmann an, denn er hatte die unterschwellige Drohung in seiner heiseren Stimme durchaus vernommen.

»Wir haben nicht die mindeste Chance«, brummte einer.

Der Bootsmann rieb sich das unrasierte Kinn.

»Nicht die mindeste Chance«, stimmte er zu. »Und ich bin völlig ausgedörrt. Wir können den letzten Schluck Wasser ebensogut jetzt gleich trinken. Brauchen gar nicht erst bis nachmittags zu warten.« Er hörte, wie sich die Männer hinter ihm erhoben, und sein Blick, der auf Mr. Evans gerichtet war, wurde hart. »Kommt, Jungs!«

Er beugte sich über die Wasserflasche und hatte den Stöpsel schon halb herausgezogen, da sprang Evans auf. Sein Fuß trat die Hand zur Seite, zornig funkelte er die Männer an.

»Haut ab!« brüllte der Dritte. »Haut ab, verdammt noch mal! Und laßt die Flasche in Ruhe. *Ich* bestimme, wann wir trinken!«

Er richtete den schweren Revolver des Kapitäns auf die Männer, und der Bootsmann starrte fasziniert in den schwarzen Lauf. Die anderen bewegten sich nicht, beobachteten nur voll Interesse, was sich abspielte. Evans' Gesicht war rauh und rissig, seine Augen brannten. Seine Lippen zitterten leicht, doch er hielt die Waffe fest in der Hand.

Der Bootsmann gewann sein Selbstvertrauen zurück, stand auf, grinste höhnisch und hakte die Daumen in den Gürtel.

»Willste'n bißchen verrückt spielen Junge? Schon gut, Kleiner, ist ja noch'n weiter Weg zur Küste.«

»Ich habe hier das Kommando«, beharrte Mr. Evans. »Und wir verfahren genau nach dem Plan, den Captain Todd festgelegt hat.«

Der Bootsmann starrte ihn einen Augenblick an, dann zuckte er mit den Schultern. Er begab sich zu den anderen in der Mitte des Bootes und sprach so leise mit ihnen, daß Evans nichts verstand. Schließlich entspannte sich der Dritte, setzte sich im Heck zurecht und schob den Revolver in die Tasche. Zwar hatte er höllische Angst, aber irgendwie doch das Gefühl, richtig gehandelt zu haben. Er hatte seine Autorität unter Beweis gestellt. Als sein Blick auf den schmalen goldenen Streifen auf seinen Ärmelaufschlägen fiel, fühlte er sich bestätigt. Es war zwar nur ein einziger schmaler Streifen, aber er machte eben den Unterschied aus.

Am Nachmittag tranken sie den letzten Schluck Wasser. Jeder einzelne Mann kam nach hinten und erhielt seine Ration aus der Hand des Dritten. Für ihn selbst blieben nur wenige Tropfen übrig. Nachdem er sie getrunken hatte, verschloß er die Wasserflasche wieder sorgfältig. Die Männer beobachteten ihn mit brennenden, wilden Augen, in denen die ersten Anzeichen des Wahnsinns standen. Die fast unerträglich heiße Sonne quälte sie, die Zeit schleppte sich dahin. Ohne Wind saßen sie bewegungslos in der Flaute und dümpelten auf der glatten See.

Zwei schreckliche Tage später, als die Sonne wieder einmal rotglühend aus dem Meer stieg, wurde Evans plötzlich von einem Knarren aus seinem Dämmerzustand gerissen. Die Ruderpinne bewegte sich in seiner Hand, ein Windhauch kühlte seinen Rücken. Er zwang sich, die Augen zu öffnen. Als er um sich sah, stellte er fest, daß sich der Himmel mit Wolken bezogen und die See mit Katzenpfoten bedeckt hatte. Wind füllte das Segel, und am Bootsrumpf murmelte das Wasser. Die Männer bewegten sich und wurden lebendig; der Wind frischte auf, Böen trieben dunkle Wolken vor sich her.

Als endlich Regenschleier näherkamen, benahmen sich die Männer wie Verrückte. Aber es hatte den Anschein, als wollten die Götter mit ihnen spielen und sich an ihren Leiden ergötzen. Die Regenbö rauschte an ihnen vorbei. Ein Mann sprang mit heiserem Schrei über Bord und versuchte, auf die Wasserwand zuzuschwimmen, die höchstens hundert Meter entfernt war – so nahe, daß die Frische, die von ihr ausging, im Boot deutlich zu spüren war. Doch der Mann kam nicht weit. Eine scharfe Schwanzflosse durchfurchte das Wasser, und der Schwimmer verschwand.

Als wären die Götter mit dem Opfer endlich zufriedengestellt, begannen die ersten Regentropfen nun auch auf sie zu fallen. Der Regen strömte vom Himmel und überflutete das Boot. Die verdurstenden Männer sprangen auf und rissen sich die Kleider vom Leib, um das Wasser auch mit ihrer ausgetrockneten Haut einzusaugen. Gleichzeitig hoben sie die Köpfe und öffneten die Münder. Sie lachten krächzend, aber nur der Dritte dachte daran, die Wasserflasche aufzufüllen. Er formte aus Segeltuch einen primitiven Trichter und hielt ihn so in die Flasche zwischen seinen Beinen, daß der Regen hineinlaufen konnte.

Doch die Natur ging noch verschwenderischer mit ihren Gaben um. Kaum war die Regenbö über das Boot hinweggezogen, da segelte es plötzlich mitten durch einen Schwarm von Fischen. Es waren Meerbarben. Die Wasseroberfläche schien zu kochen, so viele waren es.

Ganz offensichtlich fühlten sie sich von einem Feind verfolgt und suchten ihr Heil in der Flucht. Dutzende von ihnen sprangen aus dem Wasser direkt ins Boot; die Männer benutzten ihre Mützen und Hemden, um weitere zu fangen. In weniger als einer halben Stunde war der Boden des Bootes voll mit nach Luft schnappender Nahrung. Dann zog der Schwarm weiter.

Die Männer verschlangen die Fische roh und aßen dazu den wenigen noch vorhandenen Schiffszwieback. Danach mußten sie sich übergeben, doch anschließend aßen sie erneut. Als später die Sonne wieder durchkam, nahmen sie einige Fische aus und trockneten sie. Sie machten auch mehr oder weniger erfolgreiche Versuche, Fisch über der Flamme der Sturmlaterne zu kochen. Danach schliefen sie oder dösten vor sich hin, und das Brackwasser schwappte um ihre Körper. Das Boot hatte nur leichte Schräglage und lief gut vor dem Wind, der es zur afrikanischen Küste bringen würde. Evans war sehr zufrieden, als er – die leicht zuckende Ruderpinne in der Hand – auf die See starrte.

Ein paar Tage noch, dann hatten sie es geschafft.

Er fühlte sich wieder erstarkt. Obwohl die beiden vergangenen furchtbaren Tage ihre Spuren bei ihm hinterlassen hatten, leuchtete sein Gesicht auf, wenn er an den Regen und den Schwarm Meerbarben dachte. Er steuerte den ganzen Morgen hindurch, und allmählich begannen die Männer aufzuwachen. Sie dehnten ihre Glieder und unterhielten sich.

»Wir machen gute Fahrt«, rief Evans fröhlich. »Sie könnten mich mal an der Pinne ablösen, Bootsmann!«

Die Männer wandten sich ihm zu und blickten ihn an, als rede ein Geist zu ihnen. Dann erhob sich der Bootsmann und kam nach achtern. Er schnallte seinen Gürtel fester und wirkte mit seinem wilden Bart und dem kräftigen Körper recht gefährlich.

»Halten wir auf die afrikanische Küste zu?« fragte er langsam und sorgfältig artikuliert, wobei er auf den Dritten hinunterblickte. Mr. Evans nickte lächelnd.

»Ich kann zwar nicht genau sagen, wo wir ankommen, Bootsmann, aber nach meinen Berechnungen sollten wir Sierra Leone erreichen.«

»Also Freetown, was?«

»Wahrscheinlich stoßen wir etwas nördlich davon auf die Küste. Es ist jedoch kein Problem, von dort aus nach Freetown hinunter zu segeln. Aber warum...« Er merkte plötzlich, daß ihn die Männer sehr intensiv anstarrten, mit einem eigenartigen Ausdruck in den Augen. Er brach ab.

Der Bootsmann wandte sich um und sah seine Männer an. Dann blickte er wieder auf Evans nieder, wobei ein Grinsen über sein Gesicht zog.

»Südlich von Freetown ist die Küste ziemlich menschenleer, oder?«

Evans warf ihm einen überraschten Blick zu. »Keine Ahnung. Ich war noch nie dort. Warum?« Der Bootsmann zuckte mit den Schultern.

»Aber ich war schon da. Also angenommen, wir würden an Freetown vorbeisegeln und ein Stück weiter südlich rauskommen...«

Evans wurde plötzlich klar, daß sich hinter alldem etwas verbarg. Die Männer verhielten sich jetzt wie unmittelbar nach Captain Todds Tod. Zwischendurch hatten Hunger und Durst sie lahmgelegt, doch jetzt waren sie wieder gesättigt, ihr Durst war gestillt... Was mochten sie vorhaben?

»Sind Sie verrückt geworden?« wollte Evans wissen. »Weshalb sollten wir nicht nach Freetown gehen? Wir alle wären doch froh, endlich wieder an Land zu sein.«

Ein paar Männer lachten.

»Nun stellen Sie sich doch nicht so dumm, Jungchen!« sagte einer.

Erst jetzt bemerkte der Dritte, wie fest der Bootsmann seinen Blick auf die schwarze Blechschachtel gerichtet hatte, die etwas aus seiner Tasche hervorsah. Sein Gesicht wurde dunkelrot.

»Daraus wird nichts!« sagte er heftig. »Wir laufen direkt nach Freetown.«

Der Bootsmann zuckte mit den Schultern.

»Was, zum Teufel, soll das? In der Dose da ist eine Menge Schmuck. Wir können ihn aufteilen, niemand muß davon wissen. Lassen Sie uns an einer einsamen Küste landen, später können wir uns nach Freetown durchschlagen. Dann erzählen Sie ihnen einfach, alles sei mit dem Schiff untergegangen.«

»Reden Sie lieber nicht so mit mir, Bootsmann«, warnte Evans.

Einige der Männer machten ihrem Herzen Luft:

»Vertrödle doch keine Zeit mit ihm!« – »Tu das, was nötig ist, Bootsmann!« – »Mit verdammten Offizieren ist doch nicht zu reden!«

Aber noch ließ sich der Bootsmann nicht beeinflussen. Halb schmeichelnd, halb erklärend meinte er:

»Warum nicht? Unser Schiff ist untergegangen, wir haben alles verloren. Dafür steht uns doch eine Entschädigung zu. Niemand außer uns weiß von den Juwelen...«

Evans' Gesicht war bleich und angespannt. Seit Captain Todds Tod war er härter geworden, hatte unnötigen Ballast abgeworfen und Kraft gesammelt. Deshalb war er jetzt auch keineswegs verärgert, sondern nur erstaunt.

»Vergessen Sie das!« fuhr er den Bootsmann an. »Sie sind wohl völlig übergeschnappt? Dieser Plunder ist überhaupt nichts wert!«

Der Bootsmann spuckte bedächtig über Bord und balancierte die Bewegungen des Bootes aus; der Wind fuhr in sein Hemd und durch sein struppiges Haar. Er lachte laut.

»Hat vielleicht darum unser Alter den Schmuck so gut unter Verschluß gehalten? Warum reden Sie solchen Quatsch? Von wegen nichts wert! Nun hören Sie mal zu, Jungchen...«

»Ich habe hier das Kommando, Bootsmann. Und ich verbiete Ihnen, in diesem Ton mit mir zu reden!«

Der andere zuckte besänftigend mit den Schultern.

»Gut, gut. Dann hören Sie mal zu, *Sir*! Nehmen wir eben an, wir laufen direkt nach Freetown. Wir können den Schmuck ja untereinander aufteilen und halten schön die Klappe. Sollte es wirklich Vernehmungen geben, brauchen Sie bloß zu erklären, es wäre keine Zeit mehr gewesen, etwas zu bergen. Niemand wird auf den Gedanken kommen, völlig erschöpfte Seeleute zu durchsuchen. Das ist so sicher wie's Amen in der Kirche.«

»Selbstverständlich bekommen Sie alle Ihre Heuer«, sagte Evans fest und blickte den Männern gerade in die Augen. »Selbstverständlich erhalten Sie, was Ihnen zusteht, und auch für Ihre Rückreise wird gesorgt. Ich nehme sogar an, daß Ihnen von der Reederei zusätzlich Ersatz für Ihre verlorene Ausrüstung gestellt wird und daß Sie gleich auf anderen Schiffen anmustern können. Was indessen das Eigentum des Schiffes anbelangt... Da scheinen Sie wirklich nicht zu wissen, wovon Sie reden. Außerdem versichere ich Ihnen noch einmal, daß dieser Schmuck wirklich keinen Wert hat. Nicht den geringsten...«

»Unsere Heuer?« höhnte der Bootsmann, spuckte zur Seite und lachte böse. »Seien Sie doch kein Dummkopf, Sir! Was ist denn das bißchen Heuer angesichts der Werte, die Sie da in der Tasche haben? Und Sie sollen ja denselben Anteil erhalten wie wir.«

Evans wurde die ganze Hoffnungslosigkeit bewußt, den Männern klarzumachen, was er meinte. Er wurde immer ärgerlicher.

Der Bootsmann zupfte an seiner Hose und machte noch einen

Schritt vorwärts. Da schob Evans die freie Hand in die Tasche und tastete nach Captain Todds Revolver.

»Sie bleiben, wo Sie sind, Bootsmann!« zischte er den Mann an. »In der Mitte des Bootes! Dieser Schmuck und das Geld aus der Bordkasse werden Freetown unberührt erreichen.«

Der Bootsmann zögerte, fuhr sich mit der Zunge über die Lippen und starrte auf die schwere Waffe nieder.

»Sagten Sie nicht eben, ich soll Sie an der Ruderpinne ablösen?« Seine Stimme klang milde. »Sie wollen doch sicherlich auch mal schlafen.«

»Ich habe es mir überlegt«, sagte Evans. »Gehen Sie in die Mitte und bleiben Sie dort.«

Nach einer kurzen Pause zuckte der Bootsmann mit den Schultern.

»Na schön, Jungchen.« Jetzt klang seine Stimme unverschämt. »Schließlich ist es deine Beerdigung.«

Er zog sich zu seinen Kumpanen zurück und unterhielt sich lange mit ihnen. Ihr leises Gemurmel drang unheilverkündend nach achtern zu dem jungen Offizier. Der biß die Zähne zusammen und wischte sich verstohlen den kalten Schweiß von der Stirn. Zum hundertsten Male wünschte er, daß Captain Todd nicht gestorben oder daß wenigstens der Erste Offizier am Leben geblieben wäre. Sie hätten jetzt gewußt, was zu tun war. Sollte er den Männern tatsächlich die Dose mit dem Schmuck überlassen, nur um Streit und Ärger zu vermeiden? Sollte er ihnen auch die Schiffskasse aushändigen – und dann darüber Meldung machen, sobald sie wieder in die Zivilisation zurückgekehrt waren? Nein, das ging auch nicht. Wenn er es tat, würden ihn die Männer sofort durchschauen, das fühlte er instinktiv. Sie würden ihm nicht trauen, denn schließlich war er Offizier.

Er raffte sich auf und richtete seine ganze Aufmerksamkeit auf den Kompaß, der ihm die Richtung zur afrikanischen Küste wies. Er konnte nichts weiter tun, als stur Kurs halten. Der Tag verging, die Nacht sank aufs Meer herab, und es kam Evans hart an, weiterhin die Augen offenzuhalten.

Kurz vor Tagesanbruch fielen sie über ihn her. Sie glitten leise über die Bodenplanken heran und hatten ihn schon fast erreicht, als er durch die veränderten Bewegungen des Bootes aus seinem Halbschlaf gerissen wurde. Er sprang auf und begann, hysterisch und voller Angst zu schreien. Einen Mann erschoß er. Mit der Ruderpinne, die er aus ihrer Halterung gerissen hatte, schlug er den nächsten nieder. Er kämpfte wie eine Wildkatze und schrie dabei laut vor Verzweiflung.

Verdrossen fluchend, zogen sich die Männer schließlich zurück. Es war schlecht gegen ihn anzukommen, weil er im Rücken den Heckspiegel hatte.

»Na gut«, sagte der Bootsmann schließlich in der Dunkelheit, »gut, Jungchen. Du kannst jetzt einige Zeit schlafen.«

Was sich in den nächsten Stunden wirklich abspielte, wurde Evans niemals völlig klar. Er erinnerte sich nur daran, daß er kaum noch aufrecht sitzen konnte, auch nicht, wenn er die Ruderpinne als Stütze benutzte. Er schwankte bei jeder Bewegung des Bootes, und manchmal fiel er nach vorn oder zur Seite. Es war, als hätten seine Muskeln jede Spannkraft verloren. Seine Augen brannten wie Feuerbälle, die Lider fielen ihm zu, und er mußte sich immer wieder auf die Lippen beißen, um sich am Einschlafen zu hindern. Sein ganzer Körper war todmüde, aber sein Kopf wurde nur von dem einen Gedanken beherrscht: Du darfst nicht einschlafen!

Er erinnerte sich an die Gesichter der Männer, die ihn anstarrten, und hatte Visionen von wartenden Geiern, von höhnisch grinsenden Fratzen. Er verlor jegliches Zeitgefühl und wußte auch nicht, daß schon wieder ein Tag vergangen und die Nacht hereingebrochen war, während das Boot weiterhin eifrig die See durchschnitt. Ihm wurde nur bewußt, daß plötzlich wieder Sterne am Himmel standen und daß ein kälterer Wind aufkam. Und daß das Boot plötzlich schwankte, als die Männer wieder zum Heck drängten.

»Verschwindet!« rief er, stand auf und hob seine Waffe. Das steuerlose Boot schlug quer und legte sich in ein Wellental, aber das schien keinen zu stören. Später war Evans geneigt zu glauben, daß er den Kampf nur geträumt hatte, daß er schließlich doch eingeschlafen war. Er konnte sich nämlich nur an die unsinnigsten Dinge erinnern. Zum Beispiel, daß ein Mann vor seinem Gesicht zwei Reihen scharfer Zähne fletschte, daß sich eine Faust riesengroß vor seinen Augen schüttelte und daß ein anderer plötzlich aufhörte, in der Nase zu bohren. All das schien vor seinem Blick zu verschwimmen. Aber die ganze Zeit beherrschte ihn das Gefühl, daß er wachbleiben und das Schiffseigentum verteidigen müsse, das Captain Todd ihm übergeben hatte. Selbst in seinen wildesten Träumen wehrte er sich noch gegen die Männer und verspürte erst Schmerzen, nachdem sie ihn überwältigt und auf den Boden des Bootes geworfen hatten. Dabei hagelte es Schimpfworte und Flüche.

Evans kam zu sich und entdeckte, daß er auf dem Rücken lag; der Schatten des Segels glitt über sein Gesicht, hinter dem Tuch spannte sich blauer Himmel. Zunächst starrte er nur nach oben, dann merkte er, daß er sehr durstig war. Er versuchte, sich aufzurichten.

»Na, wieder unter den Lebenden?« Die Stimme des Bootsmanns war nicht unfreundlich. »Sie hätten sich auch den ganzen Ärger ersparen können. Dann wären Sie bequemer davongekommen.«

Evans versuchte, sich die trockenen Lippen zu lecken.

»Wie lange...« Er blickte den Bootsmann an, der ihn jetzt ganz freundlich angrinste.

»Sie haben länger als einen Tag geschlafen. Kein Wunder nach diesem Schlag auf den Kopf. Larry hat Ihnen eins übergezogen.«

Einige lachten und schienen sich zu amüsieren.

»Verstehe«, sagte Evans heiser. Erst jetzt wurde er sich seiner starken Kopfschmerzen bewußt und fühlte das getrocknete Blut in seinem Haar und auf seinem Gesicht. Der Bootsmann beugte sich nach vorn, packte seine Schulter und half ihm, sich aufzusetzen.

»Durst?« Er füllte einen Becher aus der Wasserflasche und hielt ihn Evans hin. Einer der Männer, die hinter dem Segel saßen, beobachtete das mit finsterem Blick.

»Es ist absolut nicht nötig, ihn so zu verwöhnen. Schmeiß ihn über Bord, sag' ich!«

»Du hältst deine Schnauze!« knurrte der Bootsmann und sah plötzlich wieder sehr gefährlich aus. »Ich führe euch jetzt, und wir lassen niemanden außenbords gehen. Es sei denn, wir bringen ihn beim besten Willen nicht mehr durch.«

»Den hier brauchen wir sogar«, brummte ein anderer Matrose. »Nämlich für die Navigation, oder?«

»Und vor allem will ich euch am Galgen hängen sehen«, fuhr Evans sie an. »Ihr seid nämlich Meuterer!«

»Nun mal langsam, Kleiner«, besänftigte ihn der Bootsmann. »Sei ein guter Junge, dann darfst du auch zu Mama.« Alle lachten, und Evans spürte, daß er rot im Gesicht wurde. Er biß sich auf die Lippen und ließ den Kopf hängen. Er hatte das Gefühl, seine Pflicht aufs Miserabelste versäumt zu haben, und er konnte sich einfach nicht vorstellen, daß Captain Todd den Männern so etwas hätte durchgehen lassen.

Nachmittags brachten sie ihn dazu, die Sonne zu »schießen«. Er gab ihrem Drängen eigentlich nur nach, weil er selber neugierig auf ihre Position war. Die Küste Afrikas war nun schon als feine purpurfarbene Linie zu erkennen. Er überprüfte ihre Position auf der Karte und stellte zu seiner Überraschung fest, daß sie erheblich weiter nördlich ankommen würden, als er geglaubt hatte. Es war einfacher, Dakar im französischen Senegal anzulaufen als Freetown in der britischen Kolonie Sierra Leone. Doch davon sagte er einstweilen nichts.

»Wir sind nördlich von Freetown«, erklärte er dem Bootsmann mürrisch, als die Männer nach der Position fragten.

»Das ist gut. Wir wollen an Land gehen und uns etwas zu essen besorgen, und danach ruhen wir uns aus. Anschließend entscheiden wir, ob wir die Küste hinunter nach Süden segeln oder nicht.«

»Und was werden Sie mit mir machen?« wollte der Dritte wissen.

Der Bootsmann zuckte die Schultern. »Da bleibt uns ja keine große Wahl. Es sei denn, Sie werden vernünftig und kommen mit uns. Selbstverständlich kriegen Sie einen gerechten Anteil. Ich verspreche Ihnen, daß es keine krummen Touren geben wird.«

Evans blickte ihn und die anderen Männer lange an. Einige waren knochenharte Burschen, die vor nichts zurückschrecken würden, das war ihm klar. Aber andere waren durchaus ehrenhafte Seeleute, eher Mitläufer, die von der Aussicht auf plötzlichen Reichtum geblendet wurden. Angesteckt von jener Verrücktheit, die die Massen überkommt, wenn es an Autorität mangelt.

In Gedanken zögerte Evans. Was ging ihn die Bordkasse, was gingen ihn die Juwelen eigentlich an? Bestimmt würde der Bootsmann ihm helfen, wenn er sich seinen Vorschlägen geneigt zeigte. Obendrein würde niemand etwas davon erfahren. Er brauchte wirklich nur anzugeben, mit der *Semiramis* sei alles untergegangen. Dann konnte er nach Hause fahren, auf einem anderen Schiff anmustern, und die ganze Sache war vergessen. Eigentlich hinderte ihn doch nichts... Aber plötzlich gingen seine Gedanken in eine andere Richtung. Als er den Arm hob, um sich den Schweiß von der Stirn zu wischen, traf sein Blick auf das matte Glitzern des einen schmalen goldenen Streifens am Jackenärmel. Nein, ihn hinderte wirklich nichts, abgesehen von der Tatsache, daß er der einzige überlebende Offizier war und Captain Todd ihm gesagt hatte... Nein, was auch geschah: Es gab noch immer einen Moralkodex.

»Ich bin doch kein Dieb«, sagte er verbittert. »Schert euch zur Hölle!«

»Verdammter Esel!« explodierte der Bootsmann. »Ich habe einige hier nur mit Mühe davon abhalten können, Sie über Bord zu schmeißen, weil ich glaubte, Sie würden zur Vernunft kommen. Zur Hölle mit Ihnen! Ihre Heuer als Dritter macht Sie doch auch nicht zum reichen Mann!«

»Sie wollen sich am Eigentum des Schiffes vergreifen«, sagte Evans ausweichend. »Und ich habe Befehl, darauf aufzupassen. Das kann man doch nicht einfach ignorieren.«

Das Blut schoß dem Bootsmann ins Gesicht, seine Augen wurden wütend.

»Das müssen Sie schon uns überlassen. Sie wollen also nicht mitmachen?«

»Ich kann nicht«, sagte Evans heiser. »Sehen Sie das denn nicht ein? Ich kann nicht!«

Einen Augenblick herrschte gespannte Ruhe. Sie verstanden ihn einfach nicht. Dann sagte jemand: »Ist doch alles verlorene Zeit. Wenn ihr auf mich gehört hättet . . .«

»Schnauze!« zischte der Bootsmann wütend. »Wir machen ihn nicht kalt – jedenfalls noch nicht. Laßt ihn erst mal in Ruhe. Er ist ja nur ein grüner Junge, und es besteht überhaupt kein Grund, warum wir seinetwegen hängen sollten.«

Evans blickte ihn an und hielt sich den pochenden Kopf.

»Was wollen Sie denn sonst mit mir machen?«

Der Bootsamnn spuckte in hohem Bogen aus.

»Nichts weiter, Jungchen. Wir lassen Sie einfach an der Küste zurück.«

Schieres Entsetzen packte den jungen Offizier: allein an der afrikanischen Küste, Meilen entfernt von jeder Zivilisation, ja von jedem Eingeborenendorf! Ohne Nahrungsmittel und ohne Waffen. Und er verstand überhaupt nichts vom Dschungel, wußte nur, daß es in der dünn besiedelten Küstenregion wilde Tiere gab und nicht weniger wilde Menschen. Der Mund blieb ihm offenstehen, sein Gesicht wurde aschfahl.

»Das ist Mord«, sagte er bebend. »Dann könnt ihr mich auch gleich töten.«

»So haben Sie noch eine Chance«, gab der Bootsmann zu bedenken. »Sie können sich nach Freetown durchschlagen.«

Innerlich wurde der Bootsmann selbst von Zweifeln gequält, andererseits war er aber halsstarrig. Nun, da er am Ziel seiner Wünsche war und im Besitz der Juwelen, bekam er doch Skrupel. Angesichts des Todes, der sie draußen auf See bedroht hatte, war ihm alles so einfach erschienen. Jetzt aber, da die Küste immer näher kam und Sicherheit verhieß, wo es aber auch Polizei und Kanonenboote gab, witterte er Gefahr. Angenommen, einer der Männer betrank sich in Freetown, redete zuviel oder zeigte etwas von der Beute herum? All das mußten sie einkalkulieren, und solange der Dritte so vernagelt blieb, konnten sie ihn nicht mitnehmen. Dieser aufsässige junge Idiot! Ließ sich den Kopf vernebeln mit Ideen vom perfekten Offizier! Andererseits konnte der Bootsmann den Jungen nicht einfach kaltblütig umbringen. Ihm wurde klar, wie kompliziert es war, Führungseigenschaften unter Beweis zu stellen. Doch er hatte auch Verständnis für seine Kumpane.

»Sie kriegen Ihre Chance«, wiederholte er, »wir setzen Sie an der Küste aus.« Er blickte die anderen Männer an, ihre Mienen spiegelten Unmut und Wut. »Bis er's geschafft hat, den Dschungel zu durchqueren, sind wir längst weg«, erklärte er ihnen.

»Wenn er's überhaupt schafft«, sagte einer trocken. Ein paar andere lachten, die Spannung lockerte sich. Sie waren also einverstanden.

Nach einiger Zeit beugte sich der Bootsmann in einem unbeobachteten Moment vor und klopfte dem Dritten leicht auf die Schulter.

»Falls wir noch da sind, wenn Sie in Freetown auftauchen, dann erinnern Sie sich daran, daß ich es war, der Ihnen die Chance gegeben hat, ja?« Der Bootsmann wollte sich offensichtlich eine Hintertür offenhalten, das verriet sein unsteter Blick. »Schließlich kann ich nichts dafür. Das ist ein wilder Haufen, und die Juwelen...«

Evans starrte ihn an.

»Jetzt begreife ich erst, was Sie für ein Schwein sind!« schrie er ihn an. »Entweder übergeben Sie mir sofort die Juwelen, oder Sie tragen alle Konsequenzen. Seien Sie doch nicht so stur, Mann, dieser Schmuck ist wirklich nichts wert...«

»Halt den Mund!« knurrte der Bootsmann. »Ich laß' mich nicht für dumm verkaufen. Du wirst an der Küste ausgesetzt, und ich hoffe nur, du verreckst.«

Der Nachmittag verstrich, und kurz vor Einbruch der Dämmerung erreichte das Boot eine kleine sandige Bucht, von Palmen und Urwald umstanden. Eine niedrige Landzunge bot ihnen Schutz. Es gelang ihnen, das Boot auf den Strand zu setzen, nachdem sie lange gegen die Brandung hatten ankämpfen müssen und nur mit großer Mühe einem halb unter Wasser verborgenen Felsenriff entkommen waren.

Die Männer taumelten an Land, lachten ausgelassen und liefen auf ungelenken Beinen hin und her. Sie reckten und streckten sich. Nach den furchtbaren Tagen auf hoher See waren sie nun endlich in Sicherheit. Selbst der Bootsmann benahm sich wie ein kleiner Junge, rannte zu den Bäumen, pflückte ein paar Hände voll Blätter und dazu rauhes Gras und rieb sie gierig zwischen den Händen. Evans, den man sich selbst überlassen hatte, kletterte steifbeinig aus dem Boot.

Kurzfristig überlegte er, ob er nicht einfach versuchen sollte, das Boot ins Wasser zu schieben und allein davonzusegeln. Aber er machte sich klar, daß seine Kräfte dazu nicht ausreichten. Und selbst wenn es ihm gelang, das Boot ins Wasser zu bringen, hätte er es allein niemals durch Riffe und Brandung ins offene Wasser geschafft. Obendrein war der Bootsmann im Besitz der Schiffspapiere, des Geldes und der Schachtel mit dem Schmuck. Widerstrebend, voller Wut und mit dem demütigenden Gefühl, daß man ihn besiegt hatte, ging er langsam den Strand hinauf, wo der Bootsmann eben dabei war, Anweisungen für das Entzünden eines Feuers zu geben.

Sie brieten die letzten noch vorhandenen Fische und ein paar Krabben, die sie gefunden hatten. Dazu aßen sie wie bittere Orangen schmeckende Früchte, die sie von den Sträuchern gepflückt hatten. Dann drehten sie sich unförmige Zigaretten aus trockenen Blättern und geröstetem Seegras, weil ihr Verlangen nach Tabak groß war. Der beißende Rauch verätzte ihre Lungen und ließ sie gequält husten, aber sie waren trotzdem zufrieden. Die Nacht sank nieder wie ein Vorhang, brachte Wind und damit etwas Abkühlung.

»Wir würden gern mal 'n Blick auf die Juwelen werfen, Bootsmann! Mach doch mal die Schachtel auf«, forderte einer.

»Hat keinen Zweck, daß wir uns jetzt schon drüber hermachen, Jungs«, warnte der Bootsmann. »Wir können noch nicht teilen, sonst fangt ihr bloß an, alles zu verspielen, und dann gibt's 'nen Haufen Ärger und Streit. Sobald Freetown in Sicht kommt, wird geteilt.«

Einige murrten zwar ärgerlich, aber die meisten waren der gleichen Ansicht. Doch forderten sie, daß er sie wenigstens einen Blick auf den Inhalt der schwarzen Blechschachtel werfen lasse und das Geld in der Bordkasse zähle. Der Bootsmann lehnte zwar zunächst ab, zog aber schließlich doch die Schachtel und die Segeltuchhülle mit Papieren und Geld heraus. Es entstand ein Gedränge, als die Männer dichter zusammenrückten.

Evans war völlig in Vergessenheit geraten. Er saß mit gekreuzten Beinen außerhalb ihres Kreises und musterte nervös die dunkle Mauer des Dschungels, aus der das Rascheln des Windes zu vernehmen war, dazu schwache Schreie von Tieren. Das alles kam ihm fürchterlich vor. Hinter ihm lauerte ganz Afrika mit seinen Geheimnissen. Einmal drang ein leises, eigenartiges Trommeln an sein Ohr, dann wieder stieß ein größeres Tier schrille Schreie aus. Evans erschauerte vor

Angst. Er starrte die Schatten der am Feuer hockenden Männer an, und seine Angst wich augenblicklich dem Zorn auf sie. Darüber würde er niemals hinwegkommen. Man hatte sich auf ihn verlassen, und er hatte versagt. Wenn er nicht einmal in der Lage war, ein so kleines Boot und seine Besatzung zu kommandieren, konnte er nicht erwarten, daß man ihm jemals ein großes Schiff anvertrauen würde. Er stand auf und schüttelte sich, fiebernd vor Verbitterung. Er mußte etwas unternehmen!

Der Bootsmann bemühte sich vergebens, den Schlüssel ins Schloß der Schmuckschachtel zu stecken. Er war bei den Balgereien um die Dose verbogen worden. Niemand hörte Evans herankommen, alle starrten wie hypnotisiert die Schachtel an, im Ohr nur das Prasseln des Feuers. Dann geschah es. Später wußte Evans nicht zu sagen, wie es ihm überhaupt gelungen war. Er wußte nur noch, daß er plötzlich außerordentlich wütend auf die Männer war. Es war eine geradezu kindische Wut darüber, daß sie sich da so ruhig zusammengesetzt und ihn völlig ignoriert hatten. Ihn, den einzigen Offizier, den sie aber überhaupt nicht zur Kenntnis nahmen, über dessen Jugend sie sich höchstens lustig machten.

Er tat einen kühnen Sprung, riß dem Bootsmann Segeltuchtasche und Blechschachtel vom Schoß, und dann war er verschwunden. Er rannte hinunter zum Strand und hinein in die Dunkelheit.

Ungläubiges Erstaunen hielt die Männer am Boden fest; zunächst begriffen sie gar nicht,was geschehen war. Geblendet vom Feuerschein, hatten sie nur mitgekriegt, daß etwas oder irgendwer aus der Nacht heraus mitten unter sie gesprungen und mit ihrem Schatz verschwunden war. Der Bootsmann war der erste, der die Wendung erfaßte. Brüllend wie ein Stier kam er auf die Füße und fluchte fürchterlich.

»Dieser verdammte Idiot!« stieß er hervor und riß den Revolver des Kapitäns heraus, konnte aber in der Dunkelheit kein Ziel sehen. Der Mann neben ihm rempelte ihn hart an und rief: »Das hast du davon, daß du diesen Kerl mit an Land gebracht hast!«

Der Bootsmann schlug den Mann nieder, und es gab ein kurzes Handgemenge, das kostbare Zeit verschlang, bevor der andere Vollmatrose es schließlich beenden konnte. Danach schwärmten sie aus und machten sich fluchend daran, Strand und Urwaldrand nach Evans abzusuchen. Doch kaum aus dem Lichtkreis des Feuers heraus, sahen sie nichts mehr, liefen im Kreis herum und waren unfähig zu sinnvollem Handeln. Nachdem ihr erster Zorn verflogen war, wurde auch ihnen das Unheimliche des Dschungels mit seinen seltsamen Geräuschen bewußt. Zuletzt liefen sie zum Feuer zurück, drängten sich zusammen und blickten den Bootsmann an, der mit funkelnden Augen von einem zum anderen sah.

Evans lief, bis er völlig außer Atem und erschöpft war. Dann entdeckte er, daß er mitten in undurchdringlicher Dunkelheit stand. Er konnte nicht einmal einen Stern sehen, selbst die Luft schien dick und schwer zu sein. Ganz gleich, welchen Weg er einschlug, stets landete er in dichtem Unterholz, auf den harten Rinden von Baumstämmen. Einmal mußte er heftig schlucken, als ein Paar leuchtender Augen plötzlich vor ihm erschienen und dann wieder verschwanden. Irgendein Tier fletschte ganz in seiner Nähe die Zähne und knurrte, daß ihm die Haare zu Berge standen. In Panik rannte er weiter. Schließlich fiel er halb bewußtlos zu Boden, preßte Blechschachtel und Segeltuchtasche an sich und sank in einen todesähnlichen Tiefschlaf.

Stunden später erwachte er, als der Morgen grau dämmerte und den Dschungel geisterhaft durchdrang. Evans hörte Stimmen, die einander etwas zuriefen, hörte Männer weit entfernt auf der Suche nach ihm durch das Unterholz brechen. Da erhob er sich, zitternd vor Erschöpfung und Hunger, und arbeitete sich weiter voran. Dabei verhielt er sich so leise wie möglich. Einmal hörte er einen Schuß. Wahrscheinlich hatte der Bootsmann auf einen Schatten oder ein Tier geschossen.

Schließlich umgaben ihn nur noch die Geräusche des Dschungels. Der Lärm seiner Verfolger blieb immer weiter zurück und erstarb zuletzt ganz. Evans setzte sich und dachte lange nach. Dann machte er aus den Resten seines Jacketts eine grobe, aber brauchbare Tragetasche, packte die Blechschachtel und das Segeltuchbündel hinein und befestigte alles auf seinen Schultern. Natürlich wußte er, daß er den Weg, den er gekommen war, nicht wieder zurückgehen konnte. Der Bootsmann und die übrigen würden sicherlich tagelang nach ihm suchen, denn sie hatten bestimmt Angst, daß ihm die Flucht gelingen und er über ihre Meuterei berichten könne. Obendrein mußten sie außerordentlich wütend sein, daß sie alle Schätze losgeworden waren.

Da er mit der Küste nicht besonders vertraut war, vom Urwald aber überhaupt nichts verstand, warf sich der Dritte der *Semiramis* in die Brust, richtete sich nach dem Stand der Sonne und marschierte zunächst in Richtung See. Nachdem er sie in Sicht hatte, wanderte er an der Küste entlang nach Norden.

Der britische Konsul in Dakar, Französisch-Senegal, hatte schon die merkwürdigsten Geschichten gehört, doch so etwas war ihm noch nicht untergekommen. Zunächst war ein französischer Beamter bei ihm erschienen und hatte ihm berichtet, Eingeborene hätten viele Meilen südlich der Stadt einen jungen Briten gefunden, der offensichtlich geistesgestört war, und in die Stadt gebracht.

Dieser junge Mann, so erfuhr der Konsul, sei ohne Nahrung und Waffen an der Küste entlangmarschiert, habe eine schwarze Blechdose bei sich gehabt und ständig von Meuterern und einem gesunkenen Schiff geredet. Gegenwärtig liege der junge Mann im Hospital und könne keinen Besuch empfangen, doch später... Der Konsul nickte, sandte einige Telegramme ab und vergaß die ganze Angelegenheit drei Wochen lang. Dann aber las er in Windeseile noch einmal einen kurzen Bericht durch, der ihm von den Behörden übermittelt worden war, und starrte plötzlich überrascht einen hageren jungen Mann an, den sein Sekretär ins Zimmer führte.

»Sie also sind der Dritte Offizier der *Semiramis*, die mitten im Atlantik Feuer fing und sank? Dann erzählen Sie mir doch mal Ihre Geschichte.«

Der hagere Junge setzte sich. Er trug einen zerknitterten weißen Anzug, offensichtlich nur geliehen, und drehte verlegen einen geborgten Tropenhelm zwischen den vernarbten Händen. Seine blauen Augen hatten die Farbe der See, stellte der Konsul fest. Offene Augen, denen nichts zu entgehen schien und die offensichtlich schon viel gesehen hatten. Seine Wangen waren eingefallen, bedeckt mit zahllosen Narben, die ihm der Dschungel geschlagen haben mochte. Sein kurzes Haar wies an den Schläfen erste graue Strähnen auf, und um seinen Mund waren feine Linien eingegraben. Dem Konsul wurde etwas unbehaglich zumute, und er schickte drei andere Besucher fort, um sich von diesem Jungen die Geschichte der *Semiramis* erzählen zu lassen. Während er sie vernahm, spielte er wie abwesend mit jener rostigen Blechschachtel, die zusammen mit einem verfilzten Segeltuchbündel vor ihm auf dem Schreibtisch lag.

»Ich erinnere mich an vieles nicht mehr«, sagte Mr. Evans, nachdem er mit seiner Geschichte zu Ende war. »Vor allem, nachdem ich mich auf den Marsch gemacht hatte. Schließlich haben mich ein paar Eingeborene gefunden.«

Der Konsul blickte ihn an und verscheuchte eine Fliege.

Ganze neunzehn! Ein Junge von neunzehn Jahren, Dritter Offizier auf einem Frachter, der sich durch diesen furchtbaren Landstrich gekämpft hatte. Er war entsetzt.

»Ich habe nach Freetown telegraphiert«, sagte er langsam. »Sobald Ihre Matrosen dort eintreffen, werden sie festgehalten, bis wir weitere Erkundigungen eingezogen haben.« Ein leichtes Lächeln überzog sein Gesicht, dann machte er sich daran, die zerbeulte Blechdose zu öffnen. »Die haben Sie die ganze Zeit bei sich getragen?«

»Captain Todd hat mir aufgetragen, dafür zu sorgen, daß sie abgeliefert wird. Es handelt sich um Eigentum des Schiffes.«

Der Konsul nickte.

»Sie hätten wahrscheinlich dasselbe Aufheben von der Sache gemacht, wenn es sich um ein Stück Tau oder eine Sturmlaterne gehandelt hätte: Eigentum des Schiffes.«

Evans verstand nicht, was er meinte.

»Captain Todd hat mir das Kommando übertragen«, sagte er. »Ich weiß nicht, was ich sonst hätte tun sollen.«

Der Konsul lachte und griff in die Schachtel, worauf der Schmuck auf die Schreibtischplatte fiel.

»Ich habe deswegen ein Telegramm nach Sydney gesandt«, sagte er langsam. »Kaum, daß mir die Franzosen diese Dinger übergeben hatten. Der ganze Krempel ist keine zehn Dollar wert. Ihre Reederei hatte die Absicht, Modeschmuck nach Afrika einzuführen, und hierbei handelt es sich um eine Musterkollektion.«

Evans nickte. »Das weiß ich, Sir«, sagte er würdevoll.

»Wie bitte?« fragte der Konsul und versteifte sich. Mehrere Male unternahm er den Versuch, etwas zu sagen, aber er brachte kein Wort heraus.

Evans runzelte die Stirn. »Ich habe ja mehrfach versucht, es den Männern zu erklären, aber sie glaubten mir nicht. Natürlich kann ich das verstehen... Sie hielten mich eben für einen Lügner.«

»Ich begreife...« Der Konsul sprach langsam. »Aber es war Schiffseigentum, also mußten Sie...«

»Es auf jeden Fall abliefern«, ergänzte Mr. Evans.

»Sie verdammter junger Dummkopf!« rief der Konsul. Dann lehnte er sich zurück und lachte hysterisch.

Eine leichte Röte überzog Mr. Evans' Gesicht, und in seinen Augen stand eine Frage.

»Ich verstehe wirklich nicht, Sir«, sagte er steif. »Vielleicht bin ein

Dummkopf... Ach, Sie meinen, weil es sich um Kunstschmuck handelt? Aber was hätte ich denn sonst tun sollen?«

Der Konsul hörte plötzlich auf zu lachen und starrte den Offizier an. Ein Lächeln umspielte seinen Mund, doch innerlich verspürte er einen leichten Schmerz. Neunzehn Jahre alt, aber an den Schläfen vorzeitig ergraut, das Gesicht gezeichnet. Harte, zuverlässige blaue Augen. Ein so ernster Junge. Mein Gott, was verstanden sie denn von den Realitäten des Lebens?

Mr. Evans preßte die Lippen zusammen.

»Tut mir leid, wenn Sie glauben...«

Eine Handbewegung des Konsuls hieß ihn schweigen. War es nicht trotz allem das Prinzip, das zählte? Wo würde die Welt hinkommen, wenn es nicht solche Dummköpfe gäbe, denen Pflichterfüllung über alles ging? Er blickte zur Seite und gewahrte sein Bild in einem Wandspiegel, etwas müde, etwas fahl, mit Linien im Gesicht und leicht gebeugt. Zwanzig Jahre Afrika hatten das bewirkt. Und dann blickte er wieder diesen Mr. Evans an, der erst neunzehn Jahre alt und dennoch bereits vom Leben gezeichnet war. Für eine Schachtel mit wertlosem Schmuck, ein paar Schiffspapiere und ein paar Pfund in Gold. Nur mit neunzehn Jahren konnte man das alles so ernst nehmen.

Und dann zog dem Konsul eine ganz verrückte Sentimentalität durch den Kopf. Er sah die Figur des Centurionen vor sich, den die Asche in den Ruinen von Pompeji begraben hatte. Der Soldat stand da in seinem Harnisch, hielt den Speer noch immer in der Hand und war offensichtlich auf seinem Posten geblieben, während die Stadt unterging. Er hatte sich nicht weggerührt, weil er keinen Befehl dazu erhalten hatte. Die Aufgabe der Legion war Pflichterfüllung, sonst nichts. Der Kosul mußte lachen.

»Wissen Sie, was ich denke, Mr. Evans?« fragte er schließlich. »Ich denke, Mr. Evans, daß Sie das Zeug dazu haben, ein ganz vorzüglicher Kapitän zu werden!«

Norman Reilly Raine

Wer zuletzt lacht...

Eine Geschichte mit »Tugboat-Annie«

In der Seefahrt sind weibliche Kapitäne recht selten anzutreffen, und in der maritimen Literatur gibt es meines Wissens nur eine – sie aber ist eine wirklich bemerkenswerte Frau. Es handelt sich um »Tugboat-Annie«, Annie Brennan, die einen Hochseeschlepper kommandiert. Zäh wie ein Mann, dabei einfallsreich und mit allen Wassern gewaschen, führt sie die Narcissus *in einer Weise, die jedem Mann Respekt abverlangt. Und das gilt ganz besonders für jene, die versuchen, sie übers Ohr zu hauen!*

Annie ist die Schöpfung von Norman Reilly Raine (1898–1960), einem ehemaligen Heizer, der zum Schriftsteller wurde und spät in seinem Leben zu einem der gefragtesten Drehbuchautoren Hollywoods. Das Gerücht ist nie verstummt, daß seine »Tugboat-Annie« keineswegs eine Erfindung war, sondern eine lebensechte Figur, mit der Raine einst zu tun hatte. Offensichtlich sind die beiden nie besonders gut miteinander ausgekommen, und als es Raine nicht mehr gelang, sie zu überlisten, schwor er Rache, indem er die eigenwillige Lady zur Hauptfigur einer Erzählung machte. Die Leserschaft war von dieser Figur so begeistert, daß sich Raine entschloß, aus der Frau, die er eigentlich als verrückte Alte darstellen wollte, die mutig genug war, ihr eigenes Schiff zu kommandieren, eine Heldenfigur zu machen. Das gelang ihm mit so großem Erfolg, daß 1933 sogar ein Film über sie gedreht wurde – mit Marie Dressler in der Hauptrolle. Mögen die Erzählungen von »Tugboat-Annie« heute nicht mehr die Verbreitung finden wie früher, so lebt ihr Name doch immer noch fort. Hier also eine Erinnerung an die gute Dame in ihren besten Zeiten...

Eine steife Brise, übriggeblieben von den Schneestürmen, die eine Woche lang unablässig getobt hatten, wehte die Georgia-Straße hinunter und wirbelte das Wasser des Puget-Sundes in Gischtfahnen empor. Die Aufbauten des Hochseeschleppers *Narcissus* waren weiß von Schnee und gefrorenem Salzwasser. Der Schlepper bahnte sich seinen Weg durch das tosende Wasser in die Geborgenheit des Hafens von Secoma.

Annie Brennan, Kapitän des Hochseeschleppers und dienstältester Schiffsführer der Reederei Secoma Deep-Sea Towing and Salvage Company, hob ihre mit Frostbeulen überzogene Hand und wischte sich mit dem Handrücken über die Augen. Die waren von Schlafmangel und ständigem Ausschauen auf die sturmzerzauste, schneeverhüllte See entzündet. Durch die Fenster des Steuerhauses erblickte sie die hügeligen Straßen im Licht der Laternen, die ihr an diesem Winterabend sehr willkommen waren. Sie tätschelte das Ruderrad und sagte zu dem dickbäuchigen Peter, ihrem Steuermann, der mit hängenden Schultern kaugummikauend und phlegmatisch hinter ihr stand: »Unser altes Mädchen hat's mal wieder geschafft.«

»Hat Zeiten gegeben, da hab' ich stark dran gezweifelt, daß wir's jemals schaffen würden, Annie«, gab Peter zurück. »War 'ne lange Reise von Vancouver Island herunter. Aber wir haben keinen Pott verloren.«

»Wär' ja auch noch schöner. Die *Narcissus* hat noch keinen Job versaut. Also red' nicht solchen Unsinn«, wies sie ihn zurecht.

Gelassen legte sie Ruder – wie sie das machte, verriet langjährige Erfahrung – und brachte die *Narcissus* um den Molenkopf herum an ihren Liegeplatz. Vor und hinter ihr lagen die anderen Schlepper der Reederei – *Asphodel, Daisy, Pansy* und wie sie hießen –, und alle arbeiteten schwer in dem groben Seegang, der aus dem Vorhafen hereinstand.

Tugboat-Annie schauderte vor Kälte, als sie den Kai entlangging und dabei den Schnee von ihrem alten Sweater klopfte. Dann hatte sie das Büro der Reederei erreicht. Sie erklomm die Treppe und riß die Bürotür auf. Ein Wolke Schnee und eisige Luft fegte in den Raum, während sie grinsend im Flur stand und sich die kalten Hände rieb.

»So, Leute, da bin ich wieder!« rief sie in die Runde.

»Halt bloß die Klappe, Annie«, sagte der Disponent scharf, »und mach die Tür zu.«

Tugboat-Annie blickte sich mit einigem Erstaunen um. Unter dem Büropersonal herrschte gespannte Stimmung. Und in der unheilgeladenen Stille konnte sie die Stimme von Alec Severn, ihrem Chef, hören, der hinter der Glaswand seines kleinen Büros telefonierte. An seinem Ton erkannte sie augenblicklich, daß die Situation kritisch sein mußte.

Sie schloß die Tür so sorgfältig und leise, daß nur die Fenster leicht zitterten, dann ging sie schwerfällig auf Zehenspitzen in die Mitte des Büros und drehte ihr unförmiges Hinterteil wärmesuchend dem altmodischen Kanonenofen zu.

»Es geht um einen dicken Bergungsauftrag, Annie«, informierte sie der Buchhalter mit leiser, heiserer Stimme. »Einen der größten, den wir je hatten. Unterhalb des Kaps ist 'n dicker Dampfer im Schneesturm auf Grund gelaufen. Hör zu.« Alec Severns Stimme drang zu ihnen.

»Die *Narcissus* ist gerade eben eingelaufen... Ja, sie ist groß genug für den Job und entsprechend ausgerüstet. Jawohl, Sir!«

Tugboat-Annie hatte alle Müdigkeit vergessen und stand da wie ein Schlachtroß, das den Kampf wittert. Wieder war die aufgeregte Stimme ihres Chefs zu hören.

»Miss Walker!«

»Ja, Sir?«

»Rufen Sie Kapitän Arthur Hofstead an und sagen Sie ihm, er möchte sofort zu mir kommen. Er soll die *Narcissus* übernehmen. Und dann sagen Sie Tugboat-Annie, daß ich sie sprechen möchte. Ich nehme an, daß die Fetzen fliegen, wenn ich mit der störrischen Alten...«

Er brach plötzlich ab und bekam einen roten Kopf, denn Annie ragte drohend und entrüstet in der Tür seines Büros auf.

»Hm-mph!« ließ sie sich vernehmen.

»Oh, hallo, Annie!« sagte er mit gezwungener Herzlichkeit.

»Selber hallo, du pelzköpfige Sprotte! Was höre ich da über Art Hofstead? Der soll mit meiner *Narcissus* auslaufen?«

»Nun warte doch mal, Annie...«

»Ich warte«, sagte sie grimmig. »Leg los!«

»Also, du hast doch nun 'ne schwere Reise hinter dir und brauchst Ruhe. Und das hier wird ein harter Job. Sei vernünftig, Annie, so jung bist du schließlich auch nicht mehr, und...«

»Ich bin zweimal so jung, wie du jemals gewesen bist«, sagte Annie schwer atmend. »Aber davon woll'n wir gar nich' reden. Du willst darauf hinaus, daß ich nicht mehr gebraucht werde.«

»Also, das stimmt auf keinen Fall, Annie«, protestierte Severn verzweifelt. »Es ist...«

»Könnte aber sein, nich'?« Annie erwärmte sich an ihren Worten. »Hab' ja auch erst vierzig Jahre Berufserfahrung auf dem Buckel und versteh' vom Bergungsgeschäft rein gar nichts. Wahrscheinlich wird's das sein.«

»Halt endlich den Mund!« schrie Severn. »Mir ist noch nie so ein dickköpfiger Teufel wie du untergekommen. Ich hab' nur an dein Wohl gedacht...«

Annies granitharte Gesichtszüge schmolzen zu einem Grinsen.

»Um mein Wohl und meine Gesundheit brauchst du dir überhaupt keine Sorgen zu machen, du alter Pfuscher. Glaubst du wirklich, daß ich auf so ein Gewäsch reinfalle? Was bist du nur für ein Dummkopf, Alec. Du weißt doch ganz genau, daß jedem außer mir, der mit meiner *Narcissus* ausläuft, die Diesel um die Ohren fliegen. Also, was gibt's zu tun?«

Severn fügte sich ins Unvermeidliche. Er lehnte sich zurück, sein gutmütiges rotes Gesicht nahm einen gespannten Ausdruck an.

»Der Frachter *Utgard*, mit Stückgut aus dem Fernen Osten unterwegs, ist bei La Push, unterhalb von Cape Flattery, auf einen Felsen gelaufen und sitzt fest. Er ist heute gegen zwei Uhr im Schneesturm gestrandet, und seine Versicherer haben uns den Bergungsauftrag erteilt.«

»Was kommt für uns dabei heraus?«

»Hundertzehntausend Dollar – vorausgesetzt, wir können ihn bergen.«

Annie nickte.

»Und wenn uns das nicht gelingt, gibt's wie üblich nichts. Wie schwer hat es ihn denn erwischt?«

»Noch werden die Pumpen mit dem eindringenden Wasser fertig, hat der Funker mitgeteilt. Die große Gefahr ist, daß sich das Wetter verschlechtert und die *Utgard* auseinanderbricht. Das heißt also, daß du dich beeilen mußt, Annie. Nimm die *Pansy* und die *Buttercup*...«

Annie schüttelte den Kopf.

»Hat keinen Sinn, Alec. Die sind für so eine Bergung nicht stark genug, besonders dann nicht, wenn das Wetter umschlägt.«

»Aber wir haben keinen größeren Schlepper. Und die *Narcissus* wird's allein nicht schaffen.«

»Warum haben die denn nicht die *Salvage Prince*, den starken Bergungsschlepper aus Victoria, zu Hilfe gerufen? Der ist doch näher dran...«

»Liegt aber gerade im Trockendock. Welchen anderen Schlepper könnten wir noch bekommen, Annie? Ich will den Auftrag nicht verlieren.«

Annies Bulldoggengesicht war von Furchen durchzogen, als sie über eine Antwort nachdachte; dann trat ein angriffslustiges Glitzern in ihre rotgeränderten Augen.

»Ich koche förmlich, wenn ich auch nur daran denke, Alec, aber es wird uns nichts übrigbleiben, als den Job mit diesem verdammten Säufer da drüben zu teilen.«

»Du meinst...«

»Genau den – Bullwinkle! Seine *Salamander* ist der einzige Schlepper in Secoma, der kräftig genug für den Job ist. Ich denke, ich werde mal zu ihm rübergehen und die Bedingungen aushandeln. Der wird sich ganz bestimmt freuen, wenn er mich sieht.«

Zögernd und widerwillig stimmte Severn zu.

»Behandle ihn nicht zu unfreundlich und sieh zu, daß du einigermaßen gute Bedingungen herausholst. Du weißt ja, daß er uns nicht leiden kann.«

»Ich werd’ ihn schon zu nehmen wissen, Alec.«

Sie polterte die Treppen hinunter, und nachdem sie kurz noch mal bei der *Narcissus* vorbeigeschaut hatte, um ihrer Crew mitzuteilen, daß sie sich bereithalten solle, machte sie sich auf den Weg zur anderen Seite der Pier, um sich der Hilfe ihres schärfsten Konkurrenten zu versichern. Das war der große Bergungsschlepper *Salamander*, der Captain Horatio Bullwinkle gehörte.

Mr. Bullwinkle hatte es sich auf der Polsterbank seiner hübschen Kajüte gemütlich gemacht und las die Abendzeitung, als Tugboat-Annie nach mehrfachem lautem Klopfen den Kopf zur Tür hereinsteckte.

»Hallo, Bullwinkle, du tauber Schellfisch«, begrüßte sie ihn in der diplomatischsten Weise, die ihr möglich war. »Nun erzähl mir bloß, daß du lesen kannst!«

Horatio Bullwinkle setzte sich gerade und betrachtete sie mit Abscheu. »Mach daß du rauskommst, du mistiges Weibsstück!«

»Nun hör doch erst mal zu, Kamerad...«

»Bevor ich dich eigenhändig rauswerfe«, setzte er lauter hinzu.

Tugboat-Annie erinnerte sich an ihr Vorhaben, und es gelang ihr, ein fröhliches Lachen ertönen zu lassen, während sie die Tür von innen schloß.

»Sieh mich nicht so säuerlich an. Ich bin gekommen, um dir einen Gefallen zu tun.«

»Bist du betrunken?«

Ohne auf diese Beleidigung einzugehen, unterbreitete Annie ihm ihren Vorschlag.

»So also sieht die Sache aus«, schloß sie und gab sich alle Mühe, ihre Stimme unbesorgt klingen zu lassen. »Was sagst du dazu?«

Mr. Bullwinkles kleine schwarze Knopfaugen betrachteten sie lauernd.

»Ihr braucht mich also dringend, richtig? Nun, in diesem Fall lautet mein Angebot sechzig zu vierzig.«

Tugboat-Annies Herz sank. Aber sie tat, als habe sie Bullwinkle mißverstanden.

»Das ist wirklich anständig von dir, Bullwinkle. Ich hab' ja gewußt, daß du keineswegs so ein Ausbeuter bist, wie es dir die Leute nachsagen. Sechzig zu vierzig – das wollte ich dir auch vorschlagen...«

»Genau«, sagte Bullwinkle ruhig. »Sechzig Prozent für mich und vierzig Prozent für euch.«

Tugboat-Annies Lachen war messerscharf.

»Du bist vielleicht 'n Witzbold, Bullwinkle. Aber gut, ich will fair sein. Sagen wir 55 Prozent für uns und 45 Prozent für dich. Na, wie isses?«

Mr. Bullwinkle widmete sich wieder seiner Zeitung.

»Gute Nacht«, sagte er nur.

Tugboat-Annie beherrschte sich mit Mühe.

»Na schön, wenn du keine Lust hast, den Job mit zu übernehmen, dann holen wir die *Salvage Prince* aus Victoria dafür«, sagte sie munter.

»Halt mich doch nich' für 'n Dummkopf.« Mr. Bullwinkle grinste verschlagen. »Wenn ihr die kriegen könntet, hättet ihr sie längst.« Er ließ seine Zeitung sinken. »Nee, Annie, du stehst mit'm Rücken an der Wand. Wenn Severn mit meinen Bedingungen nicht einverstanden ist, soll er's bleiben lassen. Natürlich«, fügte er großmütig hinzu, »macht es mir absolut nichts aus, den Job selbst zu übernehmen.« Er breitete wieder seine Zeitung aus.

»Sitzt du nicht auf'm reichlich hohen Roß?« gab Annie mit verzweifelter Jovialität zurück. »Dann sagen wir eben fifty-fifty...«

Mr. Bullwinkle sah von seiner Zeitung hoch.

»Knall die Tür nicht zu, wenn du gehst«, sagte er.

Die Schmähungen und ihre Zwangslage verfehlten ihre Wirkung nicht. Bullwinkles störrisches Verhalten führte schließlich dazu, daß sie nachgab.

»Und ich möchte die Vereinbarung schriftlich«, forderte er.

»Ist dir mein Wort nicht mehr gut genug?«

»Nein«, beschied er sie. »Was passiert, wenn du im falschen Moment tot umfällst?«

Und so hielt er schon bald eine von ihr unterschriebene Vereinbarung in der Hand, wonach der Bergelohn für die *Utgard* bei Erfolg des Unternehmens folgendermaßen geteilt wurde: Vierzig Prozent für die Secoma Deep Sea Towing und Salvage Company und sechzig Prozent für Horatio Bullwinkle. Er faltete das Papier sorgfältig zusammen und steckte es in seine Tasche.

»So was wie dich findet man, wenn man nasse Planken umdreht«, sagte Annie verbittert.

Der Anbruch des stürmischen Tages in der Straße von Juan de Fuca sah *Narcissus* und *Salamander* im Kampf mit Seegang und Wind, der von vorn kam. Als sie mit gebührendem Abstand Cap Flattery gerundet hatten, wachte Tugboat-Annie aus einem unruhigen Schlaf von drei Stunden auf. Sie rieb sich die Müdigkeit aus ihren Augen und erhob sich steif und ächzend von der Koje. Während sie die Seestiefel anzog, blieb ihr Blick an dem hinterlistigen Schmunzeln ihres verblichenen Ehemanns, Captain Terry, hängen, dessen Bild in ovalem Samtrahmen an der Wand hing.

»Was grinst du mich so an, du Affe?« murmelte sie. »Du hast's vielleicht gut, hängst an der Wand und hast nichts mehr zu tun! Ähem... Mein Mund schmeckt wie das Gedärm eines toten Pelikans. Möchte bloß wissen, wie Bullwinkle zurechtkommt.« Noch einmal richtete sie den besorgten Blick auf das Porträt an der Wand. »Du warst zwar 'ne verdammte Last, Terry – aber jetzt wollte ich, du wärst wieder da. Manchmal bin ich's verdammt müde, so ganz allein zu kämpfen. Da brauchst du gar nicht zu lachen. Verdammt, wo ist denn jetzt der zweite Stiefel? Ach so, Mist, hab' ihn schon an.«

Sie watschelte zum Fenster und murmelte: »Hm, Schnee und Nebel, so dick wie mein Schädel. Da geh' ich mal besser raus und seh' nach, ob uns Bullwinkle nicht den Propeller geklaut hat.«

Als sie auf die Brücke trat, stellte sie fest, daß sich die beiden Schlepper vorsichtig an der Küste vorwärtsarbeiteten. Tugboat-Annie nahm ihre Position im Steuerhaus ein und lauschte gespannt hinaus, um festzustellen, ob die *Utgard* schon Antwort auf die ständigen heiseren Signale der *Narcissus* gab.

Schließlich hörte sie – gedämpft durch den Nebel – tatsächlich eine Antwort aus der vermuteten Position beim Indianerdorf La Push. Sie winkte Shiftless, ihrem Steuermann, der am Ruder stand, und der gab mehrere kräftige Signale mit dem Typhon. Sie wurden von der *Salamander* beantwortet, die etwa 200 Meter achteraus durch den schweren Seegang stampfte, nur als Schatten im Nebel sichtbar.

Beide Schlepper drehten zur Küste hin, und schon bald wurde der gestrandete Frachter im Schneetreiben sichtbar. Als die *Narcissus* sich an ihn heranschob, standen Heizer und Matrosen des Frachters mit gebeugten Schultern und tropfenden Nasen an der Reling, bliesen in ihre kalten Hände und blickten stumpfsinnig hinunter. Die beiden Schlepper gingen längsseits des Havaristen, und Annie wollte schon durch das Megaphon nach ihm rufen, als der Kapitän erschien. Er war ein hochgewachsener Mann mit schmalem Gesicht, und seine dunkel umrandeten, besorgten Augen ließen erkennen, daß er sich als Versager fühlte.

»Ich bin Captain Hall«, sagte er mit hoher, fast singender Stimme. »Sind Sie die Schlepper, die uns von der Versicherung geschickt wurden?«

»Genau die«, rief Annie hinauf. »Mir scheint, daß Sie da ein Problem haben. Wie schwer sind Ihre Beschädigungen?«

»Machen Sie mal, daß Sie wieder in Ihre Kombüse kommen«, antwortet der Captain. »Und dann schicken Sie mir den Kapitän.«

In diesem Moment schallte ein krächzendes Lachen von der *Salamander* herüber und lenkte Halls Aufmerksamkeit auf Mr. Bullwinkle. Der stand – einen flammend roten Schal um seinen Stiernacken und die kräftigen Beine auf den Planken gespreizt – auf dem Vordeck seines Schleppers. »Das war nicht schlecht, Annie! Ha, ha, ha!«

»Das war nur 'ne Stimme vom Schlachthof, dem brauchen Sie überhaupt keine Aufmerksamkeit zu schenken, Captain«, rief Annie dem überraschten Schiffsführer zu. »Ich bin der Captain dieses Schleppers, und der komische Apparat da drüben ist die *Salamander,* die ich nur mitgebracht habe, weil ich ihren Kapitän vor dem Verhungern bewahren wollte. Nun lassen Sie schon hören, was Sie für Schäden haben.«

»Um Himmels willen!« schrie Captain Hall wütend. »Sagen Sie bloß nicht, daß man mir *eine Frau* geschickt hat, um mein Schiff zu bergen!«

»Hat man«, erwiderte Annie grimmig. »Und Sie können sicher sein, daß ich meinen Job genausogut verstehe wie Sie. Nun lassen Sie endlich hören, was los ist!«

»Wir wären längst klargekommen, wenn sich das Wetter nicht so verschlechtert hätte«, gab der Kapitän immer noch skeptisch Auskunft. »Aber wir sitzen fest auf Fels. Die Pumpen schaffen das eindringende Wasser, sobald wir frei sind. Ich gebe Ihnen mit meinen Maschinen und meinen Ankern soviel Unterstützung, wie ich nur kann. Es sollte nicht zu schwierig werden.«

»Sie sind 'n rechter Optimist, Captain«, beschied ihn Tugboat-Annie. »Aber egal, wir ziehen Sie mit dem Heck voran runter.«

Noch eine Weile ging das Frage-und-Antwort-Spiel weiter, in dessen Verlauf der Kapitän des Havaristen schnell merkte, daß Annie ihr Geschäft verstand. Nachdem die wichtigsten Fragen geklärt waren, wurden auf den beiden Schleppern alle Vorbereitungen getroffen, um die *Utgard* beim höchsten Stand der Flut abbergen zu können.

Den ganzen Tag über mühten sie sich – unterstützt von den Maschinen des Frachters – geradezu herzzereißend ab, doch der Erfolg blieb ihnen versagt. Nach Einbruch der Nacht machte zunehmender Seegang das Arbeiten noch schwieriger. Schwere Stahltrossen brachen unter der starken Beanspruchung, und die Männer auf den Schleppern hatte alle Mühe, dieser tödlichen Bedrohung rechtzeitig auszuweichen. Trotzdem waren sie kurz darauf wieder dabei, mit vor Kälte tauben Händen, die aus vielen Rissen bluteten, neue Trossen auf den Havaristen zu übergeben. Doch als die Schlepper sich hart ins Zeug legten, rissen sie erneut. Auch nachdem die Tide gewechselt hatte, blieben die Schlepper beim Havaristen und kämpften mit der schweren See.

Tugboat-Annie stand bis Tagesanbruch auf der Brücke, und nur mit unbeugsamem Willen brachte sie es zustande, ihre schweren Augenlider überhaupt noch offenzuhalten. Sie war ausgelaugt. Das lag nicht nur an ihrer Erschöpfung, sondern auch an der bitteren Erkenntnis, daß es ihnen nie mehr gelingen würde, den Havaristen zu bergen, wenn sie es nicht mit der nächsten Flut schafften. Falls der Wind umsprang, war ihr ganzer Einsatz vergebens, und der Havarist mußte von den Sturzseen in Stücke geschlagen werden.

Schleichend wie ein feuchtes weißes Gespenst verdrängte der heraufziehende Morgen die Nacht. Während der ganzen folgenden Flut bemühten sich Annie und Bullwinkle, die ihre Abneigung über der gemeinsamen Aufgabe vergessen hatten, mit allen Tricks und ihrer langen Erfahrung um den Havaristen. Als es schon so aussah, als ob ihre ganzen Anstrengungen vergeblich seien, da bewegte sich die *Utgard* ganz leicht; ein Zittern ging durch ihren Rumpf. Eine große Welle schlug klatschend gegen die Bordwand des havarierten

Frachters und hob ihn an. Die beiden Schlepper, deren straff gespannte Trossen unter der Anspannung wie Dynamos summten, machten noch einmal eine gigantische Anstrengung, und die *Utgard* bewegte sich wieder ein Stück, als sei ihr Widerstand erlahmt. Die Platten ihres Rumpfes schrammten laut knirschend über das Felsplateau, auf dem sie festgesessen hatte. Schließlich bekam der Frachter wieder Wasser unter den Kiel und wurde sicher von der gefährlichen Leeküste fortgeschleppt.

Die *Narcissus* stampfte triumphierend durch die schwere See heran und ging längsseits an die *Utgard*. Von dort wurde eine Jakobsleiter heruntergelassen, und Tugboat-Annie, die im Schneesturm auf dem kurzen Vorschiff ihres Schleppers stand, paßte den richtigen Moment ab, um die Leiter zu packen. Sie kletterte hinauf – schwer, aber mit außerordentlicher Behendigkeit – und betrat das Deck des Frachters.

»Sie haben hervorragende Arbeit geleistet, Missus«, gab Captain Hall zu, und um seine schmalen Lippen spielte ein kleines Lächeln.

»Ich weiß«, meinte Annie mit zufriedenem Grinsen, das plötzlich zu einem Gähnen wurde. »Obwohl es auf Messers Schneide stand, nicht wahr? Und auch Bullwinkle hat einen nicht geringen Anteil am Erfolg, dieser schlitzohrige Pavian. Wie ist es: Soll ich Sie in den Hafen schleppen? Bei den Schäden, die Sie haben, könnte es gefährlich werden, wenn Sie die Fahrt mit eigener Kraft fortsetzen.«

»N-n-nein«, sagte Captain Hall unentschlossen. »Ich denke, ich werde es ohne Schlepperhilfe schaffen.«

»Ist verdammt tückisch, die Fuca-Straße, bei diesem rauhen Wetter und schlechter Sicht. Sagten Sie nicht, daß Sie mit diesen Gewässern nicht vertraut sind?«

»Ich bin sicherlich in der Lage, die Reise allein fortzusetzen.« Seit sein Schiff schwamm, schien der Kapitän wieder Selbstvertrauen gefaßt zu haben.

»Okay, Captain. Aber bitte geben Sie mir noch schriftlich, daß wir unsere Arbeit erfolgreich beendet haben.«

In seiner Kajüte stellte Captain Hall die Bestätigung aus, daß die Bergung erfolgreich verlaufen sei. Die *Utgard* sei – frei von den Felsen von La Push und imstande, die Weiterfahrt zum Hafen aus eigener Kraft fortzusetzen – von ihrem Kapitän wieder übernommen worden. Tugboat-Annie steckte die Bestätigung ein, dann brachte sie der Kapitän hinaus an Deck. Sie verhielt, blickte in den Nebel und das Schneetreiben und wandte sich noch einmal besorgt an Captain Hall:

»Ich will Sie wirklich nicht übers Ohr hauen, Captain, aber Sie sollten sich von mir in den Hafen schleppen lassen. Wenn die gerissenen Bodenplatten sich ganz lösen...«

Der Captain blickte unschlüssig drein.

»Hm... Was würde das kosten?«

»Zehntausend Dollar müßten Sie eigentlich dafür zahlen, aber da Sie ohnehin schon Pech hatten, mach' ich's für siebeneinhalb.«

Captain Hall überlegte einen Moment, dann nickte er und wollte schon zustimmen, als sie unterbrochen wurden. Sie wandten sich um und erblickten die schneebedeckte Öljacke und darüber das unverschämte Grinsen Horatio Bullwinkles.

»Unsere Annie geht wohl wieder mit ihrem großen Herzen hausieren«, sagte Mr. Bullwinkle heiser.

»Was willst du verdammter Tramp?« Annie ging sofort in die Verteidigung.

»Ich will nur verhindern, daß du mit den Goldplomben des Captains hier abhaust.«

»Die wären bestimmt sicherer ohne dich!«

»Aber ich bin offensichtlich gerade zur rechten Zeit gekommen, Captain. Zahlen Sie ihr auf keinen Fall siebeneinhalbtausend Dollar, damit sie Sie in den Hafen schleppt. Der Job ist höchstens sechstausend wert, und dafür mache ich ihn auch.«

»Du Affenarsch, halt' dich da raus!« schrie Annie wütend. »Reicht's dir noch nicht, daß du mich schon beim Bergungsvertrag beschissen hast?« Sie wandte sich mit entschuldigendem Lächeln an Captain Hall. »Nehmen Sie ihn nicht ernst, Captain, er ist nichts weiter als ein Schwätzer. Ich werde Sie selbst für...«

»Fünftausendfünfhundert?« Captain Hall war nicht auf den Kopf gefallen.

»Nein, Sir, fünftausend wäre *mein* Preis... Au, verdammt, Annie! Wie kannst du's wagen, mich derart zu treten!«

»Lieber hätte ich dir eine geschmiert«, sagte Annie bitter.

»Vielleicht werden Sie sich endlich mal einig, wer nun mein Schiff in den Hafen schleppt«, drängte Captain Hall.

»Nur um sicherzustellen, daß er Sie nicht noch mal stranden läßt«, begann Tugboat-Annie, »werde ich Sie ...«

»Vierfünf würden mir genügen, Captain!« unterbrach Bullwinkle hastig.

»Und mir wäre es ein Vergnügen, dich hängen zu sehen«, tobte Annie, der Müdigkeit und Empörung gleichermaßen zusetzten. »Soll er doch den Job haben. Ich fahre jetzt heim und nehme erst mal 'ne Mütze voll Schlaf!«

»Oh, Annie, du gibst auf?« rief Mr. Bullwinkle unschuldig. »Na, dann laß dich nicht aufhalten!«

Bebend vor Zorn kehrte Tugboat-Annie auf die *Narcissus* zurück, während Captain Hall und Mr. Bullwinkle ihre Vereinbarung schriftlich fixierten. Die *Narcissus* nahm Fahrt auf und war schon bald im wirbelnden Schnee verschwunden. Captain Hall, der dem ablaufenden Schlepper nachsah, fragte Bullwinkle stirnrunzelnd: »Es gibt doch in La Push keinen Hafen für ein Schiff mit ihrem Tiefgang, oder?«

»Nein.«

»Dann frage ich mich, wohin sie fährt. Sie hat direkten Kurs auf La Push genommen.«

»Weiß ich's?« fragte Bullwinkle zurück, immer noch in Hochstimmung, weil es ihm gelungen war, Annie aus dem Geschäft zu drängen. »Aber sie ist wohl schon so verrückt geboren worden, Captain. Also, dann halten Sie sich mal bereit, unsere Schlepptrosse zu übernehmen.«

Im Steuerhaus der *Narcissus* stand Tugboat-Annie an die Wand gelehnt, das bleiche Gesicht gezeichnet von Erschöpfung. Ihr Blick war leer und ausdruckslos, und während sie aus einem großen gelben Becher dampfenden Kaffee trank, seufzte sie von Zeit zu Zeit tief. Peter, der am Ruder stand, warf ihr betrübte Blicke zu, schwieg aber lange.

»Ich versteh' nicht, wieso du in La Push an Land gehen willst, Annie«, sagte er schließlich. »Wird verdammt nicht einfach sein, bei diesem Wetter überhaupt mit dem Boot durch die Brandung zu kommen. Warum gehst du nicht in deine Kammer und ruhst dich aus? Ich kann's nicht mehr mit ansehen, wie du dich kaputt machst.«

»Sei still, Peter«, sagte sie matt. »Ich weiß schon, was ich tue. Laß mich mal ans Ruder und mach zusammen mit Shiftless das Beiboot klar.«

Vorsichtig umfuhr sie die von der Brandung überspülten Felsen, die grau durch das gischtende Wasser schimmerten, und nahm Kurs auf den Strand südlich des Dorfes. Peter half ihr ins Boot, als der Schlepper vor Anker lag; Shiftless hatte bereits Platz genommen und hielt die Riemen bereit.

»Sieh dich vor, Annie, die Brandung ist gefährlich!« rief Peter ihr zu.

»Mach dir keine Sorgen. Warte so lange draußen, bis du mich rufen hörst. Ich bleibe nicht lange. Und danach geht's ab nach Hause.«

Es bedurfte aller Kraft von Shiftless und ihres gemeinsamen seemännischen Könnens, um das Boot an den Strand zu bringen. Beide waren völlig durchnäßt, und das Boot war halbvoll geschlagen, bevor sie es schließlich hochgezogen hatten. Annie half Shiftless, es zu leeren, unterstützt von zwei, drei schweigsamen indianischen Fischern, die ihre Landung interessiert beobachtet hatten. Dann stapfte Annie schweren Schritts den Strand hinauf und verschwand in Richtung Dorf. Sie blieb etwa eine halbe Stunde fort. Als sie zurückkam und auf den geduldig wartenden Shiftless zutrat, ließ ihn das Leben, das plötzlich wieder in ihr Gesicht zurückgekehrt war, und die Herzlichkeit ihrer Stimme fast einen Sprung machen.

»Los, mein Bonzo«, sagte sie fröhlich zu ihm, »jetzt geht's nach Hause!«

»Was hast du bloß hier gewollt, Annie?« fragte Shiftless, während er stöhnend das Dingi durch die Brandung zu *Narcissus* ruderte.

»Wenn du's unbedingt wissen mußt, dann will ich's dir sagen.« Sie lachte glucksend. »Ich habe im Büro angerufen, sie sollen mir einen Logenplatz in der Oper reservieren lassen.«

Wieder steckte die *Narcissus* ihre alte Nase in die schwere See. Aber jetzt ging es heimwärts. Der Wind war abgeflaut, doch sie hatten immer noch kaum Sicht, und die Nebelsignale der beiden unsichtbaren Schiffe vor ihr verrieten, daß der Frachter *Utgard* und sein triumphierender Schlepper *Salamander* mühsam einen Weg in den Hafen suchten.

»Macht mir überhaupt nichts aus, der unverschämte Hund«, murmelte Annie in ihrer Kajüte, die roten Augen mit den geschwollenen Lidern auf das Bild ihres verstorbenen Gatten gerichtet. »Ich hab' für die Firma mit der Bergung 'ne Menge Geld verdient, auch wenn's nur der kleinere Teil ist. Nun meint Bullwinkle, er müsse noch ein paar Extradollars machen, indem er ihn in den Hafen zieht. Soll er doch. Ich konnte ja auch nicht mehr.«

Sie stützte sich ab und zog ihre Seestiefel aus. Mit einem zufriedenen Gähnen wollte sie sich in ihre Koje rollen.

Ein Klopfen an der Tür hielt sie zurück.

»Wer ist da?«

»Ich bin's, Annie!« Peter steckte sein rotes, verschwitztes Gesicht zur Tür herein.

»Was'n los? Wird der Nebel dicker?«

»Kannst kaum noch die eigene Nase seh'n.«

»Okay, laß das Typhon heulen. Ich komme gleich.«

Wieder stieg sie in ihre kalten, feuchten Stiefel, zog sich einen dicken Mantel an und ihren alten Filzhut über die Augen und stieg hinaus auf das schwankende Deck. Der lange, harte Tag ging langsam in die Nacht über. Während der beklemmenden Stunden, in denen die *Narcissus* das unsichtbare Kap Flattery rundete und dann vorsichtig durch die Straße von Juan de Fuca auf den Puget-Sund zukroch, saß Tugboat-Annie vor sich hindösend auf einem Hocker im Steuerhaus und ging zwischendurch immer wieder hinaus, um ihre Erschöpfung mit frischer Luft zu bekämpfen.

Mittags forderte Shiftless sie erneut auf, sich doch endlich hinzulegen und etwas auszuruhen. Aber Tugboat-Annie schüttelte nur den Kopf. Immer noch stand ein Funkeln in ihren trüben Augen.

»Vielleicht ist es wirklich verrückt, daß ich mich so in die Sache verbeiße, und vielleicht hat Alec tatsächlich recht, wenn er sagt, daß ich alt werde. Aber solange ich den Stier noch bei den Hörnern packen kann, gebe ich nicht auf. Erst wenn sich der verdammte Nebel lichtet, lege ich mich aufs Ohr... He, hör mal!« Sie unterbrach sich abrupt und lauschte in den Nebel. »Irgendwo vor uns ist ein Schiff.«

Bewegungslos standen sie nebeneinander, aber außer dem Knarren des großen Ruderrades war kein Geräusch zu vernehmen. Doch dann drang eine Folge nervöser Schallsignale durch den Nebel zu ihnen. Sie klangen wie ein Alarmruf. Tugboat-Annie griff zur Leine der Dampfpfeife und schickte eine kräftige Antwort hinaus, dann läutete sie zum Maschinenraum durch. Sofort machte die *Narcissus* weniger Fahrt. Und wieder kamen die dringenden Signale von irgendwo voraus aus dem Nebel.

»Vielleicht ein Fischkutter aus Port Townsend, wir stehen querab davon«, vermutete Annie. »Andererseits muß man sich fragen, was der bei diesem Wetter jetzt hier zu suchen hat...«

Sie beugte sich vor und schob das Fenster auf. Und da ertönte aus der dicken, feuchten Waschküche ein gedämpfter Ruf durchs Megaphon: »*Narcissus* – ahoi!«

Annie und Shiftless blickten einander gespannt an, dann ergriff Annie das Megaphon und ging eilig hinaus.

»Hallo!« brüllte sie. »Wer da?«

Eine Minute verging, dann schälte sich die dunkelgraue Silhouette eines kleinen Motorschleppers aus dem Nebel und blieb querab von ihnen liegen.

»Darf ja nicht wahr sein!« rief Annie. »Das ist doch die *May Dillon* aus Port Townsend. Was...«

»Hey, Annie«, rief eine Stimme gedämpft vom Achterdeck des anderen herüber. »Könnt ihr mal eine Minute stoppen?«

»Natürlich! Oh, hallo, Harvey! Was ist los?«

»Du mußt umkehren, Annie. Wir liegen hier schon seit heute morgen um fünf und warten auf dich.«

»Weshalb?« fragte Annie bestürzt.

»Wir haben in Port Townsend einen Funkspruch der *Utgard* aufgefangen...«

»Ich hab's geahnt! Dieser blöde Bullwinkle!«

»Sie ist wieder aufgelaufen. Diesmal hat sie bei Clallam Bay einen Felsen gerammt.«

»Sitzt sie sehr fest?«

»Wahrscheinlich Totalverlust.«

Einen Augenblick kämpfte Annie mit sich. Tatsache war, sie hatte ihren Bergungsauftrag erfüllt und war im Besitz einer ordnungsgemäßen Bestätigung. Und sie hatte wahrhaftig eine Pause verdient. Was sie jetzt brauchte, waren einige Stunden Schlaf und eine anständige warme Mahlzeit. Und danach noch mehr Schlaf. In dieser Minute der Unentschlossenheit gruben sich die Falten um ihren Mund und ihre Augen noch tiefer ein. Dann preßte sie die Lippen fest zusammen und hieb schwer auf die Reling der *Narcissus*.

»Okay, Harvey!« rief sie dem Kapitän der *May Dillon* zu und verschwand im Ruderhaus. Das Klingeln des Telegrafen drang hinunter in den Maschinenraum, und der große Schlepper drehte in einem Schaumwirbel um. Mit weiß gischtendem Kielwasser fuhr das Schiff den Weg zurück, den es eben erst bewältigt hatte.

Die *Utgard* lag mit geborstenem Rumpf in der Bucht von Clallam. Wie ein graues, erlegtes Monster ragte sie aus dem Nebel, den Bug hoch auf dem Strand, wo ihn die ablaufende Flut liegengelassen hatte, das abgeknickte Achterschiff tief im Wasser; die Buchstaben ihres Heimathafens am Heck wurden bereits überspült. Tugboat-Annie brauchte nur einen Blick auf den Frachter zu werfen, um zu sehen, daß eine Bergung hier nicht mehr möglich war. In der Nähe der herabgelassenen Jakobsleiter hielt sich die *Salamander*, ihr fehlte nichts.

»Hallo, du Meisterschlepper!« versuchte Annie, Horatio Bullwinkle zu ärgern. Doch sie verschwendete ihren Sarkasmus, denn ihr Konkurrent stand auf der Brücke der *Utgard*, wie sie feststellte, als sie über die Jakobsleiter an Bord des Wracks geklettert war. Als sie näherkam, hörte sie schon Captain Hall und Bullwinkle sich gegenseitig beschuldigen. Sie standen vor dem Kartenhaus und warfen sich aus Gesichtern, die vor Kälte blau angelaufen waren, grimmige Blicke zu. Annies Erscheinen mit wildem Haar und nassem rotem Gesicht gab beiden Männern erneut Anstoß zu heftiger Diskussion.

»Hier, fragen Sie Annie!« rief Bullwinkle. »Wollen doch mal hören, was sie zu sagen hat!«

»Ich kenne meine Rechte, Mister«, gab Captain Hall erbost zurück. »Und ich werde sie durchsetzen!«

»Reicht's dir denn noch nicht, daß du das Schiff dieses armen Mannes auf den Strand gezogen hast? Mußt du jetzt noch mit ihm streiten, du ungeschickter Esel?« fuhr Tugboat-Annie ihren Rivalen an. »Diesmal hast du dich selbst ruiniert!«

»Halt dein dummes großes Maul! Schließlich war's nicht meine Schuld! Ich hatte ihn ja gar nicht mehr am Haken, als er auflief. Gegen meinen Rat hat er losgeworfen, nachdem wir die Einfahrt zur Straße erreicht hatten.«

»Ha – erst nachdem Sie mich gestoppt hatten und mir zweieinhalbtausend Dollar mehr als vereinbart abfordern wollten!« konterte der Kapitän zornig. »Wenn alle Schlepperkapitäne vom Puget-Sund solche Piraten sind...«

»Sind sie nicht!« gab Annie scharf zurück. »Aber er gehört zu der schlimmsten Sorte von Wildschweinen, die unseren Ruf besudeln, Captain. Was ist passiert?«

»Das will ich dir erzählen«, tobte Bullwinkle. »Er hat meine Forderung zurückgewiesen, die ich durchaus stellen konnte, als der Nebel immer dichter wurde, weil auch das Risiko damit höher wurde. Und dann hat er versucht, seinen Weg durch die Straße allein zu finden. Er hatte keine Ahnung, wie nahe die Küste war und wie gefährlich der Tidenstrom hier darauf zu setzt. Und das hat ihn auflaufen lassen.«

»Aber es ändert nichts an der Tatsache, daß diese Strandung hier und die von La Push eine zusammenhängende Bergungsaktion darstellen, die erst zu Ende wäre, wenn Sie mich wie vereinbart in den Hafen eingeschleppt hätten. Aber da die Bergung nun erfolglos war, kriegen Sie auch keinen Lohn.«

»Sie haben meine Leine losgeworfen...«

»Und Sie haben uns eine neue herübergegeben, als wir hier aufliefen. Also haben Sie versucht, die Bergung fortzusetzen. Und das bedeutet, daß die Bergung nicht erfolgreich abgeschlossen wurde.«

»Moment mal, Captain«, knurrte Annie. »Nicht Bullwinkle ist Vertragspartner der Versicherung und wurde mit der Bergung beauftragt, sondern wir. Nur die Schleppvereinbarung hat er auf eigene Rechnung getroffen. Als wir Ihr Schiff von den Felsen bei La Push geholt hatten, war das eine erfolgreiche, abgeschlossene Bergung. »Und«, sie griff in ihre Tasche, »so sagt ja auch die Bestätigung, die Sie mir ausgestellt haben.«

»Na, also!« triumphierte Bullwinkle. »Bei Gott, Annie, du bist ja doch nicht so dumm, wie du aussiehst!«

Captain Hall schüttelte den Kopf mit der fiebrigen Stumpfheit eines kranken Mannes, der sich zu Unrecht angegriffen fühlt.

»Die Bestätigung bedeutet hier überhaupt nichts, weil er uns eine Leine herübergegeben hat, um uns von La Push in den Hafen zu schleppen. Und ich kann es Ihnen mit einer einzigen Frage beweisen.«

»Mit welcher Frage?« wollte Annie besorgt wissen.

»Ist dieser Mann etwa nicht Ihr Assistent – Ihr Angestellter – bei der Bergungsaktion gewesen?«

Tugboat-Annie erkannte die fatale Bedeutung dieser Frage, aber da sie eine ehrliche Seele war, wies sie sie nicht zurück.

»Doch«, sagte sie einfach.

»Da haben wir's«, stellte Hall fest. »Als Vorgesetzte sind Sie im juristischen Sinne verantwortlich für die Handlungsweise Ihres Untergebenen. Da er die Bergung fortsetzte, nachdem Sie abgefahren waren, aber nicht in der Lage war, sie erfolgreich zu beenden, kann Ihre Gesellschaft keine Bergungsprämie beanspruchen.«

»Oh, das also, meinen Sie, sei der Stand der Dinge?« fragte Annie gelassen.

Es entstand eine Pause. Das schmale Gesicht Captain Halls war kalkweiß, seine tief in den Höhlen liegenden Augen wurden von dunklen Ringen eingerahmt, die den Streß erkennen ließen, unter dem er stand. Doch sein weicher Mund war zu einer harten Linie geworden. Der vierschrötige Bullwinkle, das Gesicht rot vor Wut, beobachtete ihn lauernd.

Die Stille wurde durch Captain Hall gebrochen, der Tugboat-Annie die Hand entgegenstreckte.

»Ich bitte Sie also, mir die Bestätigung zurückzugeben«, sagte er.

»Tu's nicht, Annie, tu's nicht!« rief Bullwinkle schnell.

Tugboat-Annie wandte sich wütend zu ihm um.

»Du hältst dich da raus! Du hast hier schon genug Unheil angerichtet, du behaartes Krokodil!« Sie wandte sich wieder an den Frachterkapitän. »Angenommen, ich gebe Ihnen die Bestätigung nicht zurück«, sagte sie ruhig, »was wird dann aus Ihnen? Ihr Patent sind Sie wohl in jedem Fall los, oder?«

»Natürlich«, antwortete er heiser. »Es geht aber nicht um mich persönlich. Ich werde meine Stellung verlieren und wahrscheinlich auch mein Patent. Dennoch ist es meine Pflicht, die Versicherung vor Schaden zu bewahren, soweit mir dies möglich ist. Mein Schiff ist jetzt ein Totalverlust, und sie wird meiner Reederei für Schiff und Ladung über eine Million Dollar zahlen müssen. Deshalb wäre es nicht fair, wenn man ihr zumuten würde, auch noch 110000 Dollar für eine erfolglose Bergung zu zahlen.«

Es war der tapfere Versuch eines aufrechten Mannes, und Annie bewunderte ihn dafür. Sie sah seinen hochgereckten Kopf und die entmutigten Augen, die so gern gebettelt hätten, es aber nicht fertig bekamen, und ihre eigenen Augen wurden vor Mitleid feucht.

»Nein«, sagte sie dumpf, »das wäre wirklich nicht fair. Aber nehmen Sie zur Kenntnis, daß ich diese Bestätigung behalten hätte, wenn sich Bullwinkle nicht wie ein Schweinehund benehmen würde. Doch wir Schlepperleute vom Puget-Sund machen unsere Geschäfte nicht auf diese schäbige Weise. Deshalb...«

Sie zog die Bestätigung aus ihrer Tasche, aber bevor der dankbare Frachterkapitän sie ergreifen konnte, sprang Bullwinkle erregt dazwischen.

»Bist du wahnsinnig geworden, Annie?« brüllte er. »Du wirfst 110000 Dollar weg! Und was ist mit *meinen* Ansprüchen?«

»Wenn du einen Anspruch hättest«, beschied sie ihn, »dann allenfalls den, im Hinterhof stinkende Knochen vergraben zu dürfen!«

»Annie, sei gescheit und hör mir zu«, jammerte er. »Du behältst die Bestätigung, und wir machen halbe-halbe beim Bergelohn statt sechzig-vierzig. Nein«, korrigierte er sich, als ihr Mund zu einem schmalen Strich wurde. »Ich bin sogar mit vierzig Prozent zufrieden, und du kannst sechzig haben!«

»Jetzt fängst du an zu kriechen, was? Hier, Captain...«

»Nicht doch!« schrie Bullwinkle. »Ich lasse es nicht zu, daß du ihm die Bestätigung zurückgibst.«

»Nun, in diesem Fall...« begann Annie. Sie machte zwei Schritte zurück, riß die Bestätigung bedächtig in kleine Stücke und warf sie mit geradezu eleganter Handbewegung in die Luft. Der unstete Wind wirbelte die Schnipsel fort, sie verschwanden im Schneetreiben.

Der nun folgende Temperamentsausbruch Mr. Bullwinkles hätte eigentlich ein größeres Auditorium verdient als nur die wenigen frierenden Seeleute des Frachters, denn dieser Ausbruch war von geradezu klassischem Format. Aber Tugboat-Annie und Captain Hall beachteten ihn überhaupt nicht.

»Sie dürfen sich darauf verlassen, daß die Versicherung Ihre Anständigkeit nicht vergißt. Sie werden bestimmt mit weiteren Aufträgen rechnen können«, meinte Captain Hall.

»Davon bin ich ausgegangen.« Annie verlor die praktischen Dinge nie aus den Augen.

»Das war verdammt nobel von Ihnen.«

»Halb so schlimm.« Annie grinste schwach.

»Halb so schlimm für wen?« Fordernd sah Bullwinkle Annie an. »Und was ist mit mir?«

»Richtig«, gab Annie zu bedenken. »Was ist mit dir?«

»Mit welchem Recht hast du die Bestätigung zerrissen?«

»Wenn du endlich deinen verdammten Mund hältst, erzähle ich's dir.«

»Du erzählst mir überhaupt nichts, du begriffsstutziger Clown...«

Annie reagierte mit ungewöhnlicher Ruhe auf seinen Ausbruch. Sie sagte:

»Du würdest dir selbst einen Gefallen tun, wenn du mir mal zuhören würdest.«

»Ich denke nicht daran! Du hast meinen Bergelohn für diesen Dummkopf geopfert, der sein Schiff nicht davor bewahren konnte, über Felder zu laufen. Du großherzige Kuh!« Sein Zorn war grenzenlos. »Betrügt ihre eigene Gesellschaft und hintergeht mich, um selbst das große Geschäft zu machen. Was meinst du, wie man im Hafen von Secoma noch darüber lachen wird!«

Annie blickte ihn an, in ihren Augen stand ein entschlossenes Glitzern.

»Kannst du deine Schimpfkanonade mal kurz unterbrechen?« fragte sie ruhig. »Du meinst also, in Secoma wird man über mich lachen? Na, dann wollen wir denen mal richtig was zum Lachen geben. Ich stelle dir jetzt einen Scheck über fünftausend Dollar aus, für eine Bergung, die dir nicht gelungen ist.«

»Wie bitte?« bellte Bullwinkle ungläubig. »Du zahlst mir fünftausend – ohne Bedingungen?«

»Tue ich – oder richtiger, meine Firma wird's tun. Alec Severn ist für eine Bestätigung gut, die ich dir ausstelle, das weißt du genau.«

Bullwinkle blieb argwöhnisch.

»Willst du mich aufs Kreuz legen?« brummte er zweifelnd.

»Ganz bestimmt nicht«, sagte sie sachlich. »Aber wenn du nicht möchtest...«

»Ich nehm's«, sagte er hastig.

Tugboat-Annie wandte sich an Captain Hall. »Können Sie mir was zu schreiben und 'n Bogen Papier geben?«

In seiner Kajüte setzte sie sich an den Tisch, nahm einen Federhalter in ihre kräftige Faust und schrieb mühevoll. Dann wedelte sie mit dem Papier durch die Luft, damit die Tinte trocknete, und sah Horatio Bullwinkle an.

»Hier, du O-beiniger Hai«, sagte sie. »Das kannst du Alec Severn überreichen, und er wird dir dafür einen Scheck über fünftausend Dollar geben. Augenblick«, sagte sie zu Bullwinkle, der schon die Hand ausstreckte. »Ich hab' was vergessen. Erst gibst du mir noch den Bergungsvertrag zurück, den du mir neulich abends abgeluchst hast.«

Bullwinkle zögerte.

»Okay«, sagte Annie gleichgültig. »Wenn du meinst, daß er für dich noch zu was nütze ist, kannst du ihn behalten, und ich behalt' meine fünftausend.«

Nun übergab er ihr ohne weiteres Zögern den Vertrag und bekam dafür das Papier, auf dem sie die Deep-Sea Towing and Salvage Company in Secoma anwies, H. Bullwinkle den Betrag von $ 5000 für seine Arbeit und seinen Zeitaufwand zu zahlen, und zwar beim Bergungsversuch des SS *Utgard*.

»Und nun wär' ich dir verbunden, wenn du mir endlich aus den Augen gehen würdest. Dein Anblick macht mich krank.«

»Annie, das ist...«

»Raus!« schrie sie, und Bullwinkle machte, daß er rauskam.

»Nun zu Ihnen, Captain Hall. Soll ich Sie und Ihre Crew nach Port Townsend bringen? Hier kann ich nichts mehr für Sie tun.«

Der Kapitän des Frachters schüttelte den Kopf.

»Ich habe einen Funkspruch erhalten, daß die Reederei ein Schiff schickt, um uns abzubergen. Es kommt von Anacortes.« Er zögerte einen Moment, dann fuhr er fort: »Sie machen einen so fröhlichen Eindruck. Auch ich fühle mich schon viel besser, und dafür möchte ich

Ihnen danken. Aber mir scheint, daß Sie bei diesem Job schlecht abgeschnitten haben.«

»Quatsch!« sagte Annie mit einem verlegenen Lächeln. »Ich komm' immer auf meine Kosten. Je schneller man so ein Pech vergißt, um so besser.« Sie legte ihm ihre kräftige Hand auf den Arm. »Regen Sie sich nicht unnütz auf. Wenn's zur Verhandlung um Ihr Patent kommt, werd' ich 'n gutes Wort für Sie einlegen.«

Sie stieg die Jakobsleiter hinunter. Als ihr Schlepper von der *Utgard* wegdrehte und auf Heimatkurs ging, machte sich auch die *Salamander* auf den Weg und lief nur wenige Meter von ihr entfernt. Bullwinkle steckte den ungeschlachten Kopf durchs Fenster seines Steuerhauses.

»He, Annie!« rief er.

Sie öffnete die Tür und trat an Deck.

»Was'n los? Bist du immer noch nicht tot?« begann sie, doch Bullwinkle unterbrach sie:

»Du bist wirklich eine dumme Kuh, Annie. Gibst mir fünftausend und...«

»Weiß ich«, erwiderte Annie beißend. »Aber wenn du bessere Manieren hättest und eine Weile deinen Mund gehalten und mir zugehört hättest, dann wärst du jetzt um 44 000 Dollar reicher statt um fünftausend – ohne Prämie, versteht sich.«

»Was willst du damit sagen?« Seine Stimme verriet Zweifel.

»Auf der *Utgard* da hinten habe ich versucht, es dir zu erklären«, erwiderte Tugboat-Annie selbstzufrieden. »Aber nein, du wolltest ja nicht zuhören. Ich hätte dir die vollen vierzig Prozent Anteil am Bergelohn für die *Utgard* gegeben, aber nun ist es zu spät.«

»Was soll das?« Bullwinkles Stimme klang nun wirklich alarmiert.

»Es ist so einfach, daß sogar du es begreifen wirst«, antwortete Annie gelassen. »Als du losgefahren bist, um die *Utgard* einzuschleppen, da bin ich in La Push an Land gegangen, habe mit Alec Severn telefoniert und ihn gebeten, den Bergelohn in voller Höhe zu versichern. So konnten wir sicher sein, daß wir unser Geld in jedem Fall bekommen würden. Deshalb konnte ich es mir durchaus leisten, dir fünftausend Dollar statt der sechzig Prozent zu geben, die du gekriegt hättest, wenn du auf unserem Vertrag bestanden hättest. Oder statt der vierzig Prozent, die du bekommen hättest, wärst du nur bereit gewesen, mir zuzuhören. Na, wie schmeckt dir das?«

Mr. Bullwinkle gab eine bemerkenswerte Antwort von sich, leider ist sie nicht druckreif.

»Mein Gott!« rief Annie und hielt sich in gespieltem Schrecken die

Ohren zu. »Schämst du dich nicht, unsere Sprache so zu mißbrauchen? Übrigens bin ich jetzt wirklich auf das Gelächter in Secoma gespannt. Mir scheint nur, sie werden über dich lachen!«

Sie schloß die Tür des Steuerhauses, streckte sich mit einem müden, aber glücklichen Seufzen auf dem Sofa aus und hob den schläfrigen Blick zu Shiftless.

»Nach Hause, James!« befahl sie knapp.

Originaltitel: The Last Laugh

Nicholas Monsarrat

Nachtgefecht

Nicholas Monsarrats Buch The Cruel Sea (Großer Atlantik), *das 1951 veröffentlicht wurde, ist wohl der berühmteste Seekriegsroman aus unseren Tagen, besonders aber aus der Zeit des Zweiten Weltkriegs. Die Kritiker vieler Länder haben dieses Buch hoch gelobt, es hat hohe Auflagen erlebt und wurde zur Vorlage für einen erfolgreichen Film. Aber nach Ansicht vieler Fachleute hat dieses Buch die anderen vorzüglichen Werke Monsarrats zu Unrecht in den Hintergrund gedrängt: Bücher mit Titeln wie* HMS Malborough Will Enter Harbour *(1952),* The Ship That Died of Shame *(1959) und der Doppelband* Der ewige Seemann, *der Ausgangspunkt für eine Trilogie war, von der sich Monsarrat den wohl größten literarischen Ruhm erhoffte. Doch ein früher Tod nahm ihm die Feder vor der Zeit aus der Hand.*

Nicholas Monsarrat (1910–1979) wurde als Sohn eines Arztes in Liverpool geboren und sollte eigentlich Rechtsanwalt werden. Aber er brach diese Karriere ab und wurde zu einem bedeutenden Marineschriftsteller. Während des Zweiten Weltkriegs diente er bei der Royal Navy und führte als Lieutenant-Commander* hintereinander drei Konvoibegleitschiffe, nämlich eine Korvette und zwei Fregatten. Wegen besonderer Tapferkeit wurde er mehrfach in Kriegsberichten namentlich erwähnt. Mit einem Buch über seine Erlebnisse, das 1943 unter dem Titel HM Corvette *veröffentlicht wurde, begann seine schriftstellerische Laufbahn. Dieses Buch wurde von der Zeitschrift* New Republic *sehr gelobt. Dort hieß es u. a.: »Über die Tätigkeit der Männer auf den Begleitschiffen, die Handelsschiffe vor Angriffen schützen und U-Boote jagen, ist schon vielfach geschrieben worden, doch noch nie so eindrucksvoll.« In dem folgenden Auszug aus* East Coast Corvette, *einem Buch, das im selben Jahr veröffentlicht wurde,*

---

* Kapitänleutnant/Korvettenkapitän

versteht es Monsarrat gleichermaßen meisterhaft, die nächtliche Unternehmung einer Korvette zu schildern. Auch dieser Bericht beruht auf eigenem Erleben.

Weit vor uns blinkte die Signallampe des führenden Zerstörers: »Schnellboote verlegen Angriff aufs Ende des Konvois.«

Das war unsere Ecke. Langsam wurde es auch Zeit, daß hier was geschah. In der Abenddämmerung hatten die deutschen Schnellboote einen Torpedoangriff gegen die an der Spitze des Geleits fahrenden Schiffe gestartet. Die ganze Nacht war das Gefecht weitergegangen, nur bei uns war bisher Ruhe gewesen. Und darüber waren wir keineswegs froh. Um uns herum hatten wir das Blitzen der Granatabschüsse gesehen, am Himmel waren Leuchtkugeln explodiert, dazwischen stiegen die Perlenschnüre von Leuchtspurmunition auf, die uns zeigten, daß vor uns allerhand los war. Doch alles spielte sich außerhalb unserer Reichweite ab. Jetzt aber schien unsere Chance gekommen zu sein, und unsere Korvette erwachte zum Leben.

Beim Kommando: »Klar Schiff zum Gefecht!«, das »Alle Mann auf Gefechtstationen!« ablöste, hatte ich die Brücke zu verlassen und nach achtern zu gehen. Dort oblag mir das Kommando über die leichten Waffen. Irgendwie ärgerte mich immer dieser Wechsel von der Brücke nach achtern. Während man auf der Brücke stets weiß, was rundherum los ist, werden einem achtern die Neuigkeiten in kleinen Portionen zugeteilt. Gerüchte und Vermutungen machen die Runde. Jedesmal, wenn ich die Brücke verlassen muß, sage ich den Zurückbleibenden, daß sie mich umgehend informieren sollen, und jedesmal versprechen sie's. Nur geschieht in der Hitzes des Gefechts überhaupt nichts in dieser Richtung. Wahrscheinlich könnten wir die *Tirpitz* rammen, ohne daß achtern jemand wüßte, was los ist. Und in dieser Nacht war es nicht anders als sonst, sah man mal davon ab, daß uns ein Teil des Gefechtes wie auf dem Tablett serviert wurde, weil wir auch mal drankamen. Der Rest beruht auf den Eintragungen des Brückenpersonals im Kriegstagebuch, die ich eingesehen habe.

Es war eine schöne Nacht, der Dreiviertelmond beschien die ruhige Wasserfläche und machte unsere Tarnung fast perfekt. Gleichzeitig gab uns das Mondlicht die nötige Sicht. Während wir noch warteten, was nun geschehen würde, kam das Signal: »Vier bis fünf S-Boote im Angriff!« Wenig später war starkes Geschützfeuer an Steuerbord zu vernehmen, dann blinkte ein weiteres Signal durch die Nacht: »Zwei Schnellboote beschädigt!«

»Bis wir drankommen, werden wohl kaum noch welche übrig sein«, sagte unser Kommandant mürrisch. Ein deprimierender Gedanke. In uns wuchs die Spannung. Das Schiff kroch nur langsam vorwärts, die Ausguckposten starrten über das Wasser, mit ihren Nachtgläsern den jeweils festgelegten Quadrant beobachtend. Über der Spitze des Geleitzugs explodierte hinter einer Wolke eine weitere Leuchtgranate, das sah aus wie ein Sonnenuntergang. Wir aber konnten nichts tun, als auf unsere Chance warten.

Dann, als wir schon glaubten, daß uns das Kriegsglück wieder verlassen hätte, hörten wir gedämpfte Rufe, die der Wind zu uns trug.

Sie kamen keineswegs unerwartet, denn erst kurz zuvor war ein Frachter unseres Geleits versenkt worden, und möglicherweise blieb das Aufnehmen der Überlebenden uns überlassen. Merkwürdig war nur die Richtung, aus der die Rufe kamen – nämlich eine ganze Ecke vom Generalkurs unseres Konvois entfernt und genau in der entgegengesetzten Richtung, in die Boote oder Schwimmer hätten driften können. Das bedurfte einer Erklärung, und die (oder wenigstens ein Teil davon) ließ nicht lange auf sich warten. Denn nur eine oder allenfalls zwei Minuten nach dem Angriff sahen wir in etwa zwei Meilen Entfernung ein Schnellboot die Lichtbahn des Mondes auf dem Wasser kreuzen. Und von dort waren auch die Rufe gekommen.

»Merkwürdige Sache«, knurrte der Kommandant, »geradezu unheimlich. Wir werden uns mal an den Kameraden von der anderen Feldpostnummer heranpirschen und sehen, was er vorhat.«

Doch das S-Boot war nun wieder unsichtbar. Trotzdem hatten wir eine ungefähre Ahnung vom Kurs des Deutschen gewonnen und legten unseren so, daß wir im spitzen Winkel auf ihn treffen mußten. Vorn und achtern waren die Geschützbedienungen bereit, ihn sofort mit einem Feuerstoß zu überschütten. Und dann sahen wir ihn wieder, diesmal nur noch eine Meile entfernt. Offensichtlich lag er gestoppt und wartete auf jemanden. Da wollten wir ihn doch nicht enttäuschen.

Wir drehten in seine Richtung, und die Entfernung wurde zusehends geringer. Das aber bedeutete, daß unser Achterschiff wieder stiefmütterlich behandelt wurde und wir nicht mehr wußten, was passierte; außer der blanken Wasserfläche sahen wir nichts. Wieder einmal kam mir der Gedanke, daß wir ein Westentaschen-Schlachtschiff* rammen könnten, ohne... Da endlich kam von der Brücke die langersehnte Meldung.

»Kommandant an Oberleutnant: Feind liegt recht voraus ein halbe Meile entfernt und hat immer noch gestoppt. In etwa einer Minute drehen wir nach Steuerbord, damit auch Ihre Geschütze zum Tragen kommen. Eröffnen Sie Feuer, sobald ich es tue.«

Das war fair vom Alten. Ich ging quer über Deck und blieb beim achteren Geschütz stehen, meine Hand berührte die Knöpfe für die Befehle »Feuer frei!« und »Feuer einstellen!« Neben mir stand die Geschützbedienung, alle Männer trugen ihre Stahlhelme und duckten sich hinter den Schutzschilden der Kanonen. Ihre Finger lagen auf den Richträdern, ihre Augen starrten auf die Stelle, wo das S-Boot auftauchen mußte. In der unheilschwangeren Stille klang ihr Atmen gepreßt und unnatürlich laut. Es war ein Moment höchster Spannung, und ich fühlte, wie meine Haut prickelte, während wir da so warteten, nur Sekunden vor dem Gefecht.

Als unser Schiff vielleicht noch hundert Meter vom Feind entfernt war, hörten wir die Rufe erneut. Und diesmal konnten wir sie sogar verstehen. Mit diesen Worten hatten wir nicht gerechnet. Die Besatzung des S-Bootes hoffte wohl auf leichte Beute, auf einen gutgläubigen Kommandanten, der Schiffbrüchige bergen wollte. Jedenfalls vernahmen wir deutlich die Rufe der S-Boot-Besatzung: »Hilfe! Hilfe! Wir sind Engländer!«

Neben mir hielt der Geschützführer den Atem an.

»Diese Schweine!« zischte er leise. »Erst versenken sie das eine Schiff, dann versuchen sie, dem nächsten eine Falle zu stellen... Wir werden euch helfen, darauf könnt ihr euch verlassen!«

Die angekündigte Wendung nach Steuerbord begann; ich merkte, wie das Achterschiff zitterte, als hart Ruder gelegt wurde. Die Korvette krängte leicht, dann schwang das Heck herum. Und dann hatten wir das S-Boot plötzlich in nur fünfzig Meter Entfernung vor uns. Es lag mit gestoppten Maschinen da, an der Reling waren schemenhaft einige Gestalten zu sehen, und jemand an Bord rief mit rauher Stimme: »Rettet uns! Wir sind britische Seeleute!«

Dieser heimtückische Trick, mit dem wir in die Falle gelockt werden sollten, war das auslösende Moment. Unmittelbar darauf passierte dreierlei: Das vordere Geschütz feuerte mit ohrenbetäubendem Kra-

---

* Englische Bezeichnung für die Panzerschiffe der *Admiral-Graf-Spee*-Klasse der deutschen Kriegsmarine

chen und erzielte drüben einen direkten Treffer, mittschiffs in der Wasserlinie; meine achteren Geschütze stimmten sofort mit ein und setzten eine Garbe Leuchtspurmunition nach der anderen ins Ziel. Und dann schrie ein Ausguck plötzlich gellend: »Weiteres Schnellboot an Steuerbord!«

Ich fuhr herum. Etwa hundert Meter querab stand ein zweites S-Boot, den Bug uns zugewandt, in der idealen Position, um einen Torpedo abzuschießen. Dafür, daß der Ausguck auf Posten geblieben war und sich nicht vom Kampf hatte ablenken lassen, nach Backbord zu blicken, dafür hätte der Mann einen Orden verdient.

Auf der Brücke mußte man das zweite Boot im selben Moment erkannt haben. Ich hörte den Maschinentelegraphen klingeln, und dann machte das Schiff förmlich einen Satz vorwärts, als wir auf »volle Kraft voraus!« gingen. Wir ließen das erste S-Boot getroffen und bewegungslos zurück. Von drüben hatte niemand zurückgeschossen, niemand versuchte mehr, sein Englisch an uns auszuprobieren; das Boot lag mit dem Heck schon tiefer im Wasser und schien zu sinken. Dann driftete ein grauweißer Rauchschleier, den das zweite S-Boot gelegt hatte, zwischen uns, und wir verloren den Havaristen außer Sicht.

Die folgenden drei Minuten der Verwirrung sind schwer zu beschreiben. In unserer Nähe waren mindestens zwei intakte S-Boote, und die begannen jetzt mit beträchtlichem Geschick, uns einzunebeln. Unsere Geschütze feuerten weiter, die Leuchtgarben bohrten sich hier und da, wo Motorengeräusch hörbar wurde, in den Nebel. Längst mußten alle an Bord krampfhaft husten, so stark legte sich uns der chemische Qualm auf die Lungen. Dann wurden wir selbst unter Feuer genommen. Prasselnd schlugen MG-Kugeln in die Aufbauten, und die Feuerwache auf dem Achterdeck suchte eilends Schutz vor den pfeifenden Metallsplittern. Wir sahen die Leuchtspurmunition wie Perlenschnüre auf uns zukommen und schossen sofort in dieselbe Richtung zurück. Zwar waren unsere Gegner im Nebel unsichtbar, doch zweifellos vorhanden. So spielten wir eine Art tödlichen Schlagball für Blinde.

In diesem Augenblick fuhr ein Leuchtspurgeschoß zwischen meinen Beinen hindurch. Ich sah es kommen, sah es immer größer werden, und würde jetzt gern auch behaupten, daß ich mich umwandte und ihm beim Davonfliegen nachsah, aber soviel Kaltblütigkeit darf ich mir nicht zuschreiben. Nein, mir reichte es zu sehen, daß das Leuchtding, ohne Schaden anzurichten, mit bösem Pfeifen zwischen meinen Beinen verschwand – ein Beispiel für exakt berechneten Terrorismus, das meiner Ansicht nach jede weitere Beobachtung ausschloß.

Und plötzlich waren wir allein inmitten der treibenden Rauchschwaden. Rundum herrschte Stille. Unsere Gegenspieler waren verschwunden, ohne eine Entscheidung erzielt zu haben. Wir begannen in großen Kreisen das Wasser abzusuchen und hielten Ausschau nach dem ersten Schnellboot, immer auf der Hut, um sofort die nächste Runde einläuten zu können, falls dies erforderlich sein sollte. Achtern schafften die Geschützbedienungen Munition heran und zählten die leeren Kartuschen. Als wir wieder feuerbereit waren, sah ich mich nach den Beschädigungen an Bord um. Trotz des Krachs, der in der letzten Viertelstunde geherrscht hatte, hielten sich die angerichteten Schäden in Grenzen. Eine Kugel war durch eine Lüfterhaube nach unten gedrungen und hatte – so wurde erzählt – einen Heizer durch den Maschinenraum gejagt. Der einzige Verwundete war ein Steward, der – obwohl er an Oberdeck nichts zu suchen gehabt hatte – den Kopf herausgestreckt hatte, um den Spaß nicht zu versäumen. Ein Streifschuß hatte ihn an der Stirn erwischt. Er war noch ganz in Ordnung, aber entrüstet.

Trotz intensiver Suche fanden wir keine Spur mehr von dem havarierten Schnellboot. Angesichts der Treffer, die wir erzielt hatten, hatten wir das auch nicht erwartet. Obwohl wir also keine Wrackstücke einsammeln konnten, sprach die Admiralität die Vernichtung des deutschen S-Bootes uns zu, und das Symbol dafür wurde auf dem Splitterschutz des achteren Geschützes eingraviert, wie es sich gehört, damit es alle sehen und wir die Story von der Versenkung erzählen konnten.

Natürlich veranstalteten wir eine tolle Siegesfeier. An die Stirnwand der Offiziersmesse hängten wir eine deutsche Hakenkreuzfahne, die wir uns heimlich von der Nachrichtenabteilung ausgeliehen hatten. Um unseren Erfolg zu illustrieren, schilderten wir den Anwesenden, wie wir die Flagge von dem deutschen Schnellboot heruntergeholt hatten, kurz bevor es in den Wellen verschwand.

Wie wir das eigentlich geschafft hätten? Kein Problem! Wir seien so nahe an das sinkende Schnellboot herangefahren, daß es einem Matrosen am Heck unseres Schiffes gelungen sei, die Flagge zu erreichen und herunterzureißen. Wie es dann komme, daß sie gar nicht eingerissen sei? Nun, die Flaggleine mußte wohl gebrochen sein, der Matrose war ja auch ein besonders kräftiger Bursche. Wieso wir überhaupt einen Mann für solche Gelegenheiten am Heck in Bereitschaft hielten? Nun (aus Angst, die Wahrheit bekennen zu müssen, stieß mich der Kommandant da heimlich an), wenn »Alle Mann auf Gefechtsstationen!« befohlen wurde, stellten wir stets auch einen Mann für derartige Fälle ab, der mit Bootshaken und Draggen ausgerüstet war und drei Pence Trophäengeld pro Tag erhielt.

Und so spann ich unser Garn weiter. Schließlich: »Die Deutschen müssen verdammt knapp an Rohstoffen werden«, sagte unser Ehrengast, nachdem er die Hakenkreuzfahne betastet hatte. »Der Stoff ist wirklich von schäbigster Qualität – läßt sich mit unserem bei weitem nicht vergleichen.«

Und da war es endgültig zu spät, noch mit der Wahrheit rauszurücken.

C. S. Forester

Angriff im Morgengrauen

Wie Nicholas Monsarrat ist auch C. S. Forester durch eine einzige Figur aus seiner Feder zu Weltruhm gekommen: den ehrenwerten Horatio Hornblower. Aber in Wirklichkeit hat Forester erheblich mehr und vielseitiger über Schiffe und die See geschrieben. Ehrlicherweise muß ich bekennen, daß ich zunächst vorhatte, in diese Sammlung eine der Hornblower-Geschichten aufzunehmen. Aber sie sind vielen Lesern bekannt und überdies leicht zu erwerben; deshalb wollte ich hier mit weniger Bekanntem beweisen, daß Forester mit großem Können auch über den modernen Seekrieg zu schreiben verstand.

Cecil Scott Forester (1899–1966) wurde in Ägypten geboren und bereiste Europa zusammen mit seinen Eltern, bevor sie sich in London niederließen, wo er zur Schule ging. Er begann ein Medizinstudium, gab es aber bald auf und widmete sich ganz dem Schreiben. Dann befiel ihn eine Wanderlust, die ihn sein ganzes Leben lang nicht mehr verließ. 1926 kaufte er sich eine kleine, knapp fünf Meter lange Segeljolle, die Annie Marble, *mit der er – begleitet von seiner Frau Katherine – die Flüsse Frankreichs und Deutschlands befuhr. Zwei Jahre später veröffentlichte er einen Erlebnisbericht über diese Reise. Er vertiefte sich in die Seekriegsgeschichte, weil er eine Reihe von Büchern über einen Mann plante, den er Captain Hornblower nannte. Das erste dieser Bücher erschien 1937 und wurde von Kritikern und Lesern gleich enthusiastisch aufgenommen. »Dieses Werk«, schrieb ein begeisterter Rezensent, »vereint das überragende Können eines Marryat mit dem psychologischen Format eines Kapitäns aus Conrads Feder.« Eine Reihe von Hornblower-Abenteuern folgte nun, aber auch der aufwühlende Roman* The Good Shepherd *(Der gute Hirte, 1955), in dem er über 48 verzweifelte Stunden in einem Nordatlantikkonvoi während des Zweiten Weltkriegs berichtet. Die hier wiedergegebene Geschichte ist ein ebenso spannendes Garn aus der gleichen Zeit.*

Captain George Crowe saß am Kopf eines vollbesetzten Tisches in einer Kajüte, die als »überfüllt« zu bezeichnen eine Untertreibung gewesen wäre. Zum ersten Mal seit seiner Beförderung zum Chef der 20. Zerstörerflottille hatte er Gelegenheit zu einer Konferenz mit dem größten Teil seiner Kommandanten.

Nach den Kämpfen um Kreta hatte er sich glücklich nach Alexandria durchgeschlagen. Nun blickte er in die Runde. Unter seinen Kommandanten waren nur wenige mit grauen Schläfen und älter als er, die er auf der Beförderungsleiter überholt hatte. Die meisten Gesichter waren jung und jetzt ungeduldig.

Captain Crowe hielt eine Seekarte, deren Kopien seine Untergebenen studierten. Diese Karte zeigte auch die Verteidigungsanlagen im italienischen Hafen Crotona.

Keine romantischen Geschichten rankten sich um die Karte wie etwa die, wonach eine schöne Spionin einen italienischen Offizier verführt hatte, um sie ihm zu entwenden. Nein, sie war das Ergebnis geduldiger, wochenlanger Arbeit. Jeder Aufklärer, der über Crotona hinweggeflogen war, hatte Luftaufnahmen vom Hafen gemacht, die Zufahrten fotografiert und natürlich auch Schiffe, die ein- und ausliefen.

In Auswertung dieser Fotos hatte der Marinestab die Gebiete identifizieren können, in denen Schiffe verkehrten, und jene, die niemals befahren wurden. Auf diese Weise wurde exakt die Ausdehnung der Minenfelder erkannt, die um den Hafen angelegt worden waren. Darüber hinaus war es möglich gewesen, das unverminte Fahrwasser in die Karte einzuzeichnen, indem man einfach die Positionen der fotografierten Schiffe aneinandergereiht hatte.

Die Aufnahmen der Stadt selbst zeigten jene Ziele, denen der Angriff der 20. Zerstörerflottille gelten würde. Die britische Kriegsmarine hatte sich zu einem Gegenschlag entschlossen. Die schweren Einheiten der Battle Fleet würden Genua beschießen, und die Zerstörer der 20. Flottille sollten sich in ihrem Schutz gleichzeitig an Crotona heranpirschen, um dieses Piratennest flachgehender Feindschiffe auszuräuchern.

Nickleby, der Waffenoffizier der Flottille und das Musterbeispiel eines Stabsoffiziers, erklärte den Zerstörerkommandanten die einzelnen Ziele, die man ihnen zugeteilt hatte.

»Ich habe die Positionen markiert, die jedes Ihrer Schiffe einzunehmen hat«, erläuterte er, »und auch die verschiedenen Peilungen für die Beschießung. So liegt die MAS-Basis* unterhalb des weißen Kliffs am Ostrand der Stadt. *Potawatomi* wird damit aufräumen. *Shoshone* dagegen kann die Masten des Radiosenders gut erkennen und vernichten.

Die Öltanks stehen unterhalb dieses Bergrückens – Sie finden den Hinweis darauf in Planquadrat G Neun. Es ist die Aufgabe von *Cheyenne* und *Navaho*, diese Tanks zu vernichten. Ein Winkel von neun Grad steuerbords der Linie vom Kirchturm zum Fabrikschornstein – das ist eine Ihrer Peilungen –, und zwar bei Entfernung 4200, sollte das gewährleisten. *Seminole* wird...«

Nickleby redete monoton weiter, erklärte den perfekten Einsatzplan in allen Einzelheiten. Es war unglaublich stickig in der Kajüte. Crowe rutschte nervös auf seinem Stuhl herum und studierte die ernsten Gesichter der jungen Männer, die seinem Kommando unterstellt waren. Er fühlte sich plötzlich unglaublich alt und weise. Nickleby kam ihm vor wie ein Enkel, der seinem Großvater ein Utopia beschrieb, das unbedingt geschaffen werden müsse: eine theoretisch begeisternde Idealwelt, die aber menschliche Unzulänglichkeiten und unvorhergesehene Ereignisse unberücksichtigt ließ.

Operationen verliefen im Krieg nur selten wie geplant. Nicht einmal bei Zeebrügge war es so gewesen, dieser wohl am besten geplanten Operation der Kriegsgeschichte. Als Nickleby mit diesem perfekten Einsatzplan zu ihm gekommen war, um seine Zustimmung einzuholen, hatte er sich erlaubt zu lächeln, was Nickleby offensichtlich geärgert hatte. Aber er hatte den Plan trotzdem gebilligt. Für seine Offiziere war es ganz nützlich, wenn sie sich mit den Problemen und Örtlichkeiten vertraut machten, besonders mit den Zielen dieser speziellen Operation. Die Methode war so gut wie jede andere, solange die Männer nur geistig beweglich genug blieben, um auch mit unerwarteten Zwischenfällen fertig zu werden.

Nickleby hatte seine Erklärungen beendet, nun blickten alle Crowe an und erwarteten seine Stellungnahme.

Der griff nach seiner Pfeife, was ihm erlaubte, seine Gedanken zu sammeln und zu überlegen. Während er sie füllte, den Tabak feststopfte und anzündete, lächelte er wohlwollend in den Kreis der jungen Offiziere. Seine Eröffnungsworte unterbrach er immer wieder, weil er Rauchwolken paffen und den brennenden Tabak festdrücken mußte. Es war schon ein seltsames Gefühl, 42 Jahre alt zu sein und sich

---

* Ital. *Motoscafi Anti Sommergibili* = Schnellboote

nicht anders vorzukommen als mit zwanzig. Die jungen Offiziere aber, die nun um ihn herumsaßen umd zu ihm aufblickten, behandelten ihn, als sei er sechzig, und er konnte ums Verrecken nicht verhindern, daß er sich selbst schon so alt zu fühlen begann.

»Nichts ist – paff – in einem Seegefecht so wichtig – paff – wie sein Schiff längsseits – paff – des Feindes zu legen. Paff. Wer hat das geschrieben, Rowles?«

»Nelson, Sir«, gab dieser prompt zur Antwort, und Crowe kam sich jetzt eher wie ein Lehrer als wie ein Großvater vor.

»Das drückt genau aus, was ich sagen möchte«, fuhr Crowe fort. »Und es drückt es zudem besser aus, als ich es könnte. Jedem von Ihnen ist klar, was er zu tun hat? Dann danke ich Ihnen, meine Herren. Das wär's.«

Er sah keinen Anlaß, irgendwelche Phrasen zu dreschen, anspornende Vergleiche zu ziehen oder unsterbliche Worte zu äußern. Nicht bei diesen Männern.

Ein Sommersturm wühlte das Mittelmeer auf, als sich die 20. Zerstörerflottille in dieser Nacht in Richtung Crotona kämpfte. Wie üblich, baute sich sofort ein bösartiger Seegang auf. Crowe, der mit seinem Stab beim Dinner saß, spürte die stärkeren Schiffsbewegungen. Die Schlingerleisten des Tisches waren bereits hochgeklappt und das Tischtuch war angefeuchtet, um Teller und Schüsseln auf ihren Plätzen zu halten, doch vergeblich.

Holby stammelte eilig eine Entschuldigung und verschwand – der arme Junge wurde beim geringsten Seegang schon krank. Crowe warf Rowles einen fragenden Blick zu.

»Barometer fällt schnell, Sir«, gab dieser Auskunft. »Also wird's noch sehr viel schlimmer, bevor's wieder besser wird.«

»Hätte uns wenigstens in Ruhe essen lassen können«, knurrte Crowe und bedauerte diese Worte gleich danach, denn ihm wurde klar, daß doch ein Unterschied zwischen dem 42jährigen und dem 20jährigen Crowe bestand: ersterem war das Dinner jetzt erheblich wichtiger. Damals hatte er leichten Herzens alles Eßbare verschlungen, das auf einem Zerstörer in schwerer See angeboten wurde.

Ein Zerstörer von 1800 Tonnen Verdrängung, der trotz groben Seegangs dreißig Knoten läuft, benimmt sich dabei genauso, wie es seine Konstrukteure erwartet haben. Je höher ein Geschütz über der Wasserlinie steht, um so besser kommt es zum Tragen. Deshalb werden die Geschütze auf einem Zerstörer so hoch oben moniert, wie es die Schwerkraft nur irgend erlaubt. Außerdem befinden sich an Deck noch vier schwergewichtige Torpedorohre, und auch der Feuerleitstand braucht den höchstmöglichen Standort. Das bedeutet, daß ein Zerstörer so stark rollt*, wie es aus Sicherheitsgründen eben noch vertretbar ist.

Apache arbeitete sich mit zäher Verbissenheit durch die steilen, kurzen Wellen des Mittelmeers. Die See brach sich mit solcher Kraft an Deck, daß die Gangways praktisch unpassierbar waren. Zuerst rollte der Zerstörer, dann wand er sich wie ein Korkenzieher und schließlich stampfte er – je nachdem, wie der Wind einkam. Die Wellen, die ihn vierkant von vorn trafen, sandten ständig so starke Stöße durch den Rumpf, als würde eine unsichtbare Bremse überraschend bedient; das konnte einen Unvorsichtigen schon von den Füßen reißen.

Es war wirklich ein Wunder, daß die Flottille bei alldem auch noch zusammenblieb. Crowe freute sich, daß er früh gelernt hatte, in einer Hängematte zu schlafen. Er ließ sich eine aufriggen und schlief darin mit stoischer Ruhe, obwohl sich das Ding wie eine verrückte Schaukel benahm. In einem normalen Bett hätte er sich unter diesen Umständen weniger erholt, als sei er überhaupt nicht zur Ruhe gegangen.

Während des Tages ließ der Wind nach, doch der Himmel dräute noch immer in düsterem Grau. Und der Sturm, der nun vor ihnen das Mittelmeer aufrollte, schickte ihnen immer noch bösartige Seen, die mit harten Schlägen an dem zerbrechlichen Rumpf der *Apache* nagten.

Und sie taten noch mehr. Die moderne Navigation mit ihren empfindlichen Instrumenten und präzisen Meßverfahren kapituliert vor der Macht der aufgewühlten Natur. Genaue Berechnungen zeigten Rowles zwar an, wie viele Umdrehungen jede Schraube gemacht hatte und wie weit das Schiff durchs Wasser vorangekommen war. Aber kein noch so genaues Instrument hätte ihm mitteilen können, wie viele Meter das Schiff durch Strom, Seegang und Wind zurückgehalten wurde.

Der Kreiselkompaß konnte Rowles genaue Auskunft darüber geben, welchen Kurs er steuerte, aber er konnte ihm keine Angaben darüber machen, wie weit die *Apache* dabei über Grund abgetrieben wurde.

Mit Hilfe des Peilfunks wäre es ihm möglich gewesen, seine Position

---

* Rollen = Bewegung um die Längsachse

festzustellen, doch in Kriegszeiten hielten die Schiffe Funkstille, und das galt besonders für diesen Einsatz der 20. Zerstörerflottille. Hinzu kam, daß die Schiffe sich mit jeder Meile weiter von den landgestützten britischen Funkstationen entfernten. Um so größer wurden die Fehlerquellen.

Rowles war ein ausgezeichneter Navigator, sonst wäre er wohl auch kaum Navigationsoffizier der Flottille geworden. Doch selbst der beste Navigator konnte in Kriegszeiten nicht einen Verband durch einen hartnäckigen Sturm führen und am Ende sicher sein, daß seine Abweichung allenfalls zehn Meilen betrug. Im Krieg und schon gar bei einem Angriff im Morgengrauen, der auf Überraschung basierte, konnte eine solche Abweichung über Erfolg oder Mißerfolg des Unternehmens entscheiden, über Leben und Tod.

Das alles wußten sie, als sie sich eine Stunde vor Sonnenaufgang auf der Brücke versammelten. Holby war immer noch bleich wegen seiner Seekrankheit, Rowles war es auch, aber bei ihm war es die nervöse Anspannung.

Er versuchte immer wieder seine Kalkulationen zu überprüfen – ein völlig unmögliches Unterfangen. Auch Nickleby war nervös. Er fragte sich, ob er bei der Zuteilung der Ziele auch wirklich keinen Fehler gemacht hatte – und wenn ja, ob es noch möglich sein würde, ihn zu korrigieren.

Crowe blickte in die angespannten Gesichter der jungen Offiziere. Für ihn war es eine interessante Studie der menschlichen Natur. Unter dem Eindruck der Gefahr dachten sie nur darüber nach, ob sie keinen Fehler gemacht hatten. Der Gedanke, daß sie jede Minute sterben konnten, kam ihnen überhaupt nicht.

Einen Augenblick mußte er lächeln, doch er unterdrückte es sofort. Er erinnerte sich an so manches Frühstück in der Offiziersmesse, wo offene Feindschaft ausgebrochen war, bloß weil ein lächelnder Optimist strahlend hereinkam.

Das Tageslicht nahm immer weiter zu, und die See war ruhiger geworden. Längst mußten sie sich nicht mehr mit beiden Händen festhalten, während sie auf der Brücke standen. Jetzt konnten sie schon wieder die Hände um das Fernglas legen, um möglichst früh das noch unsichtbare Land voraus zu erkennen.

Sub-Lieutenant* Lord Edward Mortimer, RNR, war ebenfalls nervös. Er kannte diesen Küstenabschnitt ganz genau und stand nun

---

* Sub-Lieutenant entspricht dem deutschen Leutnant z. S.

als Berater bereit. Er hatte sein Wissen aus der Zeit vor dem Krieg. Oft genug hatte er mit seiner privaten Yacht in Crotona geankert und so manche kurze Kreuzfahrt von hier aus unternommen. Er erinnerte sich an sonnendurchglühte Strände und gebräunte Körper auf goldenem Sand, an wunderschöne Frauen in herrlichen Kleidern und an historische Ruinen auf den graugrünen Hügeln, von wo aus der Blick aufs blaue Meer schier unbegrenzt war.

»Ist das dort Land?« fragte Holby scharf. Möglicherweise hatte die Seekrankheit seine Sinne geschärft. So etwas erlebte man öfter.

Alle blickten angestrengt in den grauen Morgen. Langsam nahm das, was Holby gesehen hatte, Formen an.

»Das ist nicht Crotona«, sagte Rowles heiser.

»Können Sie's erkennen, Mortimer?« wollte Crowe wissen.

»Es ist wirklich nicht Crotona«, bestätigte Lord Edward.

»Es ist...« Er ließ seine Erinnerungen im Geist vorüberziehen. Da war die junge Wienerin, deren Namen ihm nicht einfallen wollte; in jenen unglaublich friedlichen Jahren waren sie auf zwei Mauleseln zu einem Picknick in diesen Hügeln aufgebrochen. Kaltes Huhn und eine Flasche Wein, dazu Schafskäse. Noch heute hatte er den Geruch der *Macchia* in der Nase...

»Wir sind sieben Meilen nördlich davon«, sagte Lord Edward, »allenfalls acht.«

Der acht Meilen lange Ritt zurück auf dem watschelnden Maulesel war eine vergnügliche Sache gewesen.

»Sind Sie ganz sicher, Mortimer?« fragte Crowe.

»Ja«, sagte Lord Edward. Es gab für ihn keinen Zweifel. Nur an den Namen der jungen Wienerin erinnerte er sich nicht mehr.

Die Männer von Crowes Stab blickten erst einander und dann den Kommandanten an.

»Man hat uns bestimmt schon gesehen«, sagte Holby.

»Keine Chance mehr für eine Überraschung«, ergänzte Rowles und stach damit in seine eigene Wunde.

Crowe sagte zunächst einmal gar nichts, sein Gehirn arbeitete.

»Wir könnten nach dem anderen Plan vorgehen«, sagte Nickleby. »Nach dem, den wir zuerst ausgearbeitet und dann verworfen haben: Wir bleiben außerhalb der Minenfelder und schießen über die Landenge der Halbinsel hinweg.«

»Wahrscheinlich das beste«, stimmte Rowles zu.

»Mortimer hat recht«, unterbrach Holby. »Auf dem Hügel dort liegt das griechische Amphitheater.«

Lord Edward erinnerte sich gut an jenes Amphitheater. Er hatte es zuletzt im Mondschein gesehen, zusammen mit der schönen Namenlosen.

»Geben Sie das Signal ›Folgen Sie mir!‹« sagte Crowe zum Signalmeister, dann wandte er sich an Hammett: »Vier Grad Backbord, bitte.«

Wie ein Schwarm Möwen drehte die 20. Zerstörerflottille nach Süden.

»Wir haben immer noch eine Chance, in Crotona Zerstörungen anzurichten. Wir brauchen doch nur die anderen Kommandanten zu verständigen, daß sie die ihnen zugeteilten Ziele aus der neuen Position beschießen sollen.« Es war Nickleby, der diesen Vorschlag machte.

Die Offiziere um Crowe waren sofort bereit, aus dem Stegreif zu handeln.

»Wenn wir sofort losschlagen, können wir das Überraschungsmoment noch nutzen«, sagte Holby. Ihm schossen eine Reihe von Aussprüchen Napoleons durch den Kopf, die ihm eingehämmert worden waren, als er sein Stabstraining absolvierte: »Schlagt hart zu und schnell!« – »Die Moral verhält sich zum Körper wie drei zu eins!« – »Der Sieg wird an jene Seite fallen, die in der Lage ist, schnell eine beeindruckende Zahl von Geschützen zu präsentieren.«

»Wir laufen durch das Minenfeld ein«, sagte Crowe, und das traf sie wie ein Blitz aus heiterem Himmel. »Bringen Sie uns durch, Rowles.«

Seine Männer starrten ihn überrascht an. Nicht einen Augenblick hatten sie daran geglaubt, daß Crowe noch nach dem ursprünglichen Plan vorgehen würde, nachdem der Feind zwanzig Minuten Zeit gehabt hatte, sich auf ihre Ankunft vorzubereiten. Es kostete Rowles beachtliche Anstrengung, sein Erstaunen zu verbergen und ein gleichmütiges Gesicht zu machen.

»Aye, aye, Sir«, sagte er und wandte sich an den Rudergänger, um die nötigen Anweisungen zu geben.

Die Flottille schlich an der schlafenden Küste entlang auf das Fahrwasser zwischen den Minenfeldern zu.

Das Vibrieren der Maschinen unter ihren Füßen änderte sich, als Rowles Anweisung nach unten gab, die Fahrt für die komplizierten Wendemanöver zu reduzieren.

Seine Nerven ließen ihn nicht im Stich, wie Crowe zufrieden feststellte. Trotz des Zeitdrucks ließ sich Rowles nicht zu übereilten

Aktionen hinreißen. Die anderen Zerstörer folgten dem Führerschiff wie Perlen auf einer Kette und wanden sich vorsichtig durch den schmalen Kanal, den unsichtbaren Tod auf jeder Seite.

»Geben Sie das Signal ›Feuer frei!‹« befahl Crowe und blickte Nickleby an, der ihm zunickte.

Es war dann Nicklebys Sache, die Flaggen niederholen zu lassen – in der britischen Kriegsmarine von alters her das Ausführungssignal.

Auf der Brücke warteten alle gespannt darauf, daß die Küste in einem Granatenhagel explodierte. Doch noch fiel kein Schuß. Die Stadt Crotona wurde zunehmend deutlicher erkennbar, je näher sie kamen, einzelne Häuser lagen wie Zuckerwürfel über die Hügel verstreut.

Nun konnten sie schon die Kirche sehen und den Turm von Saint Eufemia, die Masten der Sendestation und das Gaswerk – alles Ziele, die endlich vor den Geschützen der Flottille auftauchten –, und noch immer gab es nicht die mindeste Aktivität auf der anderen Seite.

Nachdem die Schiffe den minenfreien Kanal sicher passiert hatten, scherten die Zerstörer der 2. Abteilung aus dem Kielwasser der anderen aus und nahmen ihre Positionen für die Beschließung ein. Die langen Rohre der 12-cm-Geschütze schwenkten herum, und als der Ausführungsbefehl kam, begann ein Granathagel von ungeheurer Wucht. Die neun Zerstörer hatten zusammen 72 Geschütze, und jedes schoß alle vier Sekunden eine 20 kg schwere Granate ab.

Crowe stand auf der Brücke, unbeeindruckt von dem ohrenbetäubenden Lärm, und beobachtete grimmig das Vernichtungswerk seiner Zerstörer. Er sah, wie der erste Sendemast wankte und umfiel, dann der zweite. Und er war sehr zufrieden, als die britischen Granaten in die dicht zusammenliegenden MAS-Boote einschlugen – jene Motortorpedoboote, die stets der besondere Stolz der italienischen Kriegsmarine gewesen waren.

Der Fabrikschornstein kippte nach einer Seite und verschwand dann in einem Stück wie ein gefällter Baum. Und schließlich quollen über dem Bergkamm dicke schwarze Rauchwolken empor. Die Mischung aus hochexplosiver und Brandmunition, abgefeuert von den Zerstörern *Cheyenne* und *Navaho*, besorgte den Rest.

So eine Beschießung von See her war doch erheblich wirksamer als alles, was aus der Luft angerichtet werden konnte, dachte er. Zugegeben, Kampfflugzeuge konnten vielleicht größere Bomben abwerfen, aber ihre Trefferquote betrug nicht einmal ein Zehntel von der, die ein Schiffsgeschütz erzielen konnte. Und im Gegensatz zum Schiff hatte ein Bomber nicht die Chance, den Beschußwinkel schnell zu korrigieren.

Die Geschütze der *Apache* schwiegen einen Augenblick, die Richtschützen faßten neue Ziele auf; wenig später flogen die Frachter am Kai mit riesigem Getöse in die Luft.

Doch in dieser kurzen Pause hörte Crowe plötzlich das Grummeln von Granaten, die über ihr Schiff hinwegflogen. Nun hatte die Küstenbatterie also doch noch Feuer eröffnet, aber offensichtlich war sie nicht darauf vorbereitet, Schiffe zu beschießen, die mitten in den Minenfeldern standen. Die aufgeschreckten italienischen Kanoniere waren entweder nicht fähig oder nicht willens, den Richtwinkel ihrer Geschütze so zu senken, daß sie die Zerstörer treffen konnten.

»Signalisieren Sie der zweiten Abteilung: ›Feuer einstellen!‹« sagte Crowe. Er war erstaunt über den rauhen Ton seiner Stimme – ein Beweis, wie sehr er sich in diese Spannung hineingesteigert hatte –, und einen Moment fragte er sich, wie hoch wohl sein Blutdruck war.

Doch jetzt hatte er keine Zeit für geistige Seitensprünge. Die zweite Abteilung zog sich durch die Minenfelder zurück, und die erste folgte ihr, wobei *Apache* die Nachhut übernommen hatte.

Es kostete mehr Nerven, durch die Windungen des Fahrwassers auszulaufen, denn im Gegensatz zum Einlaufen lagen sie nun im Feuer der Küstenbatterie. Nach der Feuereinstellung auf *Apache* war die Ruhe geradezu bedrückend. Doch Crowe blickte sich voller Stolz auf seinem Schiff um, sah die Bedienung der Flakgeschütze wachsam bei ihren Waffen lauern, sah die Ausgucks mit ihren Gläsern den Himmel absuchen und hörte Rowles mit ruhiger Stimme dem Rudergänger Anweisungen geben.

Die Granaten orgelten über ihnen durch die Luft und warfen beim Einschlag riesige Wasserfontänen auf, mal auf dieser, mal auf jener Seite der Zerstörer. Eine Granate erzeugte beim Einschlag einen besonders gewaltigen Wasservulkan, dessen Ausbruch die *Apache* durchschüttelte; nach einer weiteren Explosion stieg eine schwarze Rauchsäule empor.

»Granate zündet Mine«, sagte Crowe zu Nickleby. »Interessante Sache, das.«

Besonders interessant für sie war, wie dicht die Mine unter der Wasserfläche gelauert hatte. Sie hätte also auch einen Zerstörer mit seinem relativ geringen Tiefgang vernichten können, nicht nur ein sehr viel tiefer gehendes Schlachtschiff. Crowe hatte mit dieser Möglichkeit gerechnet.

Sie hatten nun das Labyrinth der Minenfelder hinter sich, und die Maschinen der *Apache* pulsierten jetzt wieder schneller, denn Rowles hatte »volle Fahrt voraus!« signalisiert, damit sie möglichst schnell aus der Gefahrenzone kamen. Eine Explosion in ihrem Kielwasser, nicht weit vom Heck, zeigte ihnen, daß ihr Glück sie wieder einmal vor einem Treffer bewahrt hatte.

Und dann passierte es doch noch. Eine Granate schlug zwischen den beiden Geschützen auf dem Achterdeck ein und explodierte. Der verwundete Zerstörer legte sich so stark über, daß Crowe nur mit Mühe auf den Beinen blieb.

Er ging in die Brückennock, um festzustellen, wie schwer die Schäden achtern waren, aber die beiden Schornsteine versperrten ihm den Blick auf den Granattrichter. Doch in dem Winkel, den er einsehen konnte, waren keine Beschädigungen zu entdecken. Nur die Sanitäter und die Leckwehr eilten nach hinten, Löschschläuche wurden entrollt, und er sah, daß die *Apache* eine schwarze Rauchwolke hinter sich herzog. Doch die Tourenzahl blieb unverändert, Maschinenanlage und Ruder hatten demnach keine Schäden davongetragen.

Er spürte, wie *Apache* krängte, als Hammett den Zerstörer Haken schlagen ließ, um den italienischen Richtschützen das Zielen zu erschweren. Ein ganzes Bündel Wassersäulen stieg plötzlich dort empor, wo sie eben noch gewesen waren, ihre Gischt ergoß sich sogar über die Brücke; wieder kippte das Deck weg, als das Ruder hart übergelegt wurde.

Nervös warteten die Männer auf jede Salve, während die Meldungen über die Schäden auf dem Achterdeck eingingen. Die beiden hinteren Geschütze waren zerstört, der Munitionsaufzug war nicht mehr zu gebrauchen, auch der achtere Feuerleitstand war vernichtet worden.

Damit war der Preis für ihren Sieg vergleichsweise gering. Denn er reichte bei weitem nicht an die schweren Schäden heran, die sie den Italienern zugefügt hatten – die zerstörten Öltanks, deren dicker Rauch als riesiger Schmutzfleck über der jetzt weit entfernten Küste hing, die vernichteten Schnellboote und Frachter, die zerstörten Sendemasten. Der Erfolg ihres Angriffs bedeutete aber auch, daß die Italiener nun an unzähligen Plätzen entlang der Küste ihre Verteidigung verstärken und neu aufbauen mußten. Geschützstellungen und Minenfelder mußten angelegt und Truppen herangeführt werden, die ständig in Alarmbereitschaft zu halten waren. Das alles würde die

Kampfkraft einer Nation schwächen, die ohnehin schon fast am Ende war.

»Danke, Gentlemen«, sagte Crowe zu seinem Stab, nachdem die letzten Salven der Italiener verklungen waren.

Das waren ausgezeichnete Männer, jeder verstand seine Arbeit und wußte, was er zu tun hatte. Manchmal blieben sie etwas zu theoretisch, aber auch das konnte im richtigen Moment ganz nützlich sein. Am Ende würden sie es vielleicht sogar schaffen, auch die Feinheiten ihres Berufs zu meistern und sich in die Situation des Feindes zu versetzen, um zu denken wie er.

In jenem schrecklichen Augenblick, als sie sich an die zehn Meilen von ihrem Bestimmungsort entfernt wiedergefunden hatten, waren sie nur zu theoretisch an das Problem herangegangen.

Sie hatten nicht bedacht, daß ein überraschter Feind nach einem anfänglichen Schock durchaus noch viele Minuten gelähmt sein kann. Daß die im Morgengrauen verschwommene Küste ein Anblick war, den sie erwartet hatten, während ein schläfriger italienischer Ausguckposten nicht im Traum daran dachte, daß eine britische Flottille am Horizont erscheinen könnte. Und die jungen Offiziere vermochten sich noch nicht in die Lage der erstaunten Italiener zu versetzen, die plötzlich britische Zerstörer durch ihre Minenfelder dampfen sahen. Sein Stab mußte eben noch lernen, mit dem Feind zu fühlen.

Crowes Gedanken begannen zu schweifen. Eigentlich war wieder einmal ein Brief an Susan fällig. Sie war ein liebes Mädchen, und er bedauerte, daß er sich auf Andeutungen beschränken mußte und ihr diesen Einsatz im Morgengrauen und seinen Erfolg nicht genau schildern konnte. Susan gehörte zu den Frauen, die das zu würdigen wußten und ihn verstanden hätten.

Was sich Crowe nicht klarmachte: daß sein telepathisches Einfühlungsvermögen, sein Instinkt für die Gefühle des anderen der Grund für seine Erfolge war, bei Frauen ebenso wie im Krieg.

Alexander Kent

Die lästige Prise

Es dürfte kaum einen Liebhaber von Seekriegsliteratur geben, der die Feststellung der Sunday Times *in Zweifel zieht, wonach Douglas Reeman alias Alexander Kent einer der hervorragendsten Marineschriftsteller der Gegenwart ist. Seine erregenden modernen Seekriegsromane und die so vorzügliche historische Serie um Richard Bolitho, den Fähnrich, der zum Admiral aufsteigt, haben ihm Millionen begeisterter Leser und zustimmende Kritiken in großer Zahl eingebracht. An der Zusammenstellung dieser Anthologie hat er großen Anteil gehabt, und es versteht sich beinahe von selbst, daß auch ihm darin ein Platz zusteht. Das allerdings war keineswegs einfach, denn Reeman hat nur sehr wenige Kurzgeschichten geschrieben.* Die lästige Prise *ist eine dieser wenigen und seit 1956, als sie in dem Magazin* Wide World *erschien, noch nicht wieder veröffentlicht worden. Tatsächlich war diese Geschichte der zweite schriftstellerische Versuch Douglas Reemans, und er erinnert sich noch heute, daß das Honorar dafür ganze zehneinhalb Pfund Sterling (damals rund hundert Mark) betrug. Eigenartigerweise wurde sie mit dem Vermerk gedruckt: »Die Schilderung beruht auf tatsächlichen Begebenheiten, nur die Namen wurden geändert.« Doch der Autor bekennt heute offen, daß die ganze Geschichte erfunden ist.*

Douglas Edward Reeman, 1924 geboren, diente als Oberleutnant in der Freiwilligen-Reserve der Royal Navy und erwies sich als ein Schriftsteller mit dem richtigen Auge für seemännische Zusammenhänge. Sein erstes Buch wurde 1958 veröffentlicht und trug den Titel A Prayer for the Ship *(Schnellbootpatrouille). Ihm folgte* High Water *1959 und 1960 das besonders erfolgreiche* Send a Gun Boat *(Finale mit Granaten). Das erste Buch der Richard-Bolitho-Serie schrieb er 1968 unter dem Titel* To Glory We Steer *(Bruderkampf)*, und die Bücher*

---

* In Deutsch bei Ullstein, siehe Seite 4

dieser Reihe stellten ihn neben C. S. Forester mit seinen Hornblower-
Geschichten. Reeman hat gute Freunde in der Royal Navy wie in der
britischen Handelsmarine und erhält unzählige Briefe aus der ganzen
Welt. Oft bekommt er darin Anregungen für ein weiteres seiner peinlich
genau recherchierten Bücher und auch viele Hintergrundinformatio-
nen. Mit der folgenden Story schließe ich den Teil der Geschichten ab,
die sich mit dem Zweiten Weltkrieg beschäftigen. Ihr folgt dann noch
eine Erzählung von Alan J. Villiers, der auch nach Reemans Einschät-
zung zu den ganz großen Marineschriftstellern gehört.

In einer Tiefe von knapp 25 Metern fuhr Seiner Majestät Untersee-
boot *Tigress* zügig durch die Adria. Es war auf einem Routine-Einsatz,
auf der Suche nach Beute.

In der lähmenden Enge der Zentrale ging es zu wie schon auf ein
paar Dutzend Feindfahrten zuvor. Der Wachoffizier lehnte an dem
schmalen Kartentisch und beobachtete die Tiefenrudergänger, die vor
ihren Anzeigen saßen und die Nadeln der Instrumente aufmerksam
überwachten. Ihre Gesichter waren ausdruckslos, aber ihnen entging
keine Schwankung.

Alle Mann an Bord waren an diesem Morgen auf ihren Gefechtssta-
tionen, und so hörte man über dem Pulsieren der E-Motoren und dem
Surren der Ventilatoren nur hier und dort Stimmen, während die
Besatzung ihrem Borddienst nachging.

Der grüne Vorhang, der die Messe abteilte, wurde zur Seite
geschoben. Der Kommandant und hinter ihm der Navigationsoffizier
erschienen in der Zentrale und traten beide etwas steifbeinig an den
Kartentisch.

Der Kommandant warf einen Blick in die Runde, um sich zu überzeugen, daß alles in Ordnung war. Dann wandte er sich an den Wachoffizier: »Also gut, Nummer eins, fertigmachen zum Auftauchen!«

Der Oberleutnant drückte auf einen Knopf, die Hupe schrillte
durch das ganze Boot und rief die Männer auf ihre Stationen. Als es
wieder ruhig geworden war, meldete der Erste: »Alle Mann auf
Tauchstation, Sir!«

»Gut, lassen Sie auftauchen.«

Das Boot erzitterte, als die Tanks mit Preßluft angeblasen wurden,
und die Zeiger der Tiefenmesser liefen langsam zurück.

»Seerohr ausfahren!« befahl der Kommandant. Mit einem Zischen
glitt das Periskop nach oben. Er hielt es an, drückte seine Augen gegen
die Optik und wartete darauf, daß es die Wasseroberfläche durchstieß.

Er sah, wie es heller wurde, aus dunklem Nichts wurde ein blasses Grün; dann ließ ihn strahlender Sonnenschein zurückzucken und trieb ihm die Tränen in die Augen. Doch er hielt sie fest gegen die Gummiummantelung der Optik gepreßt und drehte das Sehrohr schnell um 360 Grad.

Plötzlich hörten ihn die anderen Männer hastig einatmen. Er hielt das Sehrohr an und blickte konzentriert hinaus. Dort lag in einer Entfernung von nur fünfhundert Metern ein weißer Schoner, der leicht in der Dünung rollte. Wegen der Flaute hingen seine bräunlichen Segel schlaff herunter.

»Sehrohr einfahren!« rief der Kommandant, und noch bevor es zischend verschwand, wandte er sich zu den anderen um. »Nicht sehr viel, Gentlemen, aber besser als nichts. Ein Schoner, etwa vierzig Meter lang. Soweit ich sehen konnte, ein Italiener. Ich frage mich bloß, was er hier, an die hundert Meilen von zu Hause, eigentlich macht.«

Ohne abzuwarten, welche Vermutungen die anderen Männer äußern würden, befahl er: »Wir tauchen auf, Nummer eins. Geschützbedienung fertigmachen. An den will ich keinen Torpedo verschwenden.«

Der Waffenoffizier und seine Männer warteten unter der Luke des Geschützes und gingen noch einmal schnell alle Handgriffe durch.

»Auftauchen!« rief der Kommandant, und wieder wurde Preßluft in die Tanks geblasen.

»Drei Meter, Sir«, meldete der Oberleutnant, und als sich das Turmluk öffnen ließ, hangelte sich der Kommandant die schmale Leiter empor und richtete sein Glas auf das kleine Segelschiff, noch bevor die *Tigress* ganz aus dem Wasser heraus war.

Mit einem metallischen Klicken öffnete sich die vordere Luke, die Geschützbedienung erschien, und innerhalb von zehn Sekunden schwenkte das Rohr der Kanone herum und richtete sich auf das Ziel. Der Verschluß klickte, und der Waffenoffizier meldete: »Feuerbereit, Sir!«

Ohne den Blick vom Ziel zu wenden, beugte sich der Kommandant über das Mundstück des Sprachrohrs und rief hinunter: »Kommen Sie rauf, Nummer eins, und bringen Sie unseren neuen Prisenoffizier mit nach oben!« Dem Signalgast gab er Anweisung: »Setzen Sie die Kriegsflagge!«

Bald darauf hing sie am kurzen Mast des U-Bootes, doch in der stehenden Hitze bot sie nur einen schlaffen Eindruck. Kaum waren die beiden anderen Offiziere auf der bedrückenden Enge der kleinen Brücke, da richteten sie bereits ihre Gläser auf den Schoner.

»Sieh an, sie hissen die weiße Fahne«, sagte der Kommandant. »Signalgast, geben Sie ihnen Bescheid, daß sie uns ein Boot senden. Wir wollen ihnen einen Besuch machen.«

Während die Signallampe klapperte, aber im gleißenden Licht der Sonne kaum zu sehen war, wandte sich der Kommandant an den jungen Sub-Lieutenant, der nach ihm auf die Brücke gekommen war.

»Hören Sie zu, Melville«, begann er, »dies ist Ihre erste Aufgabe als Prisenoffizier, und deshalb möchte ich Sie genau ins Bild setzen. Sie fahren jetzt hinüber, und ich hoffe, daß alles bestens klappt. Nehmen Sie die Schiffspapiere an sich und alles, was irgendwie wertvoll ist. Dann sagen Sie allen, sie sollen das Schiff verlassen, nehmen den Kapitän mit und kommen zurück an Bord. Und sobald Sie zurück sind, gebe ich den Befehl zur Versenkung des Schoners.«

Sub-Lieutenant Melville machte, daß er wieder hinunter ins Boot kam, und stellte sein Prisenkommando zusammen. Sein Kopf schwirrte von all den Instruktionen, seine Brust war von der bedeutenden Aufgabe, die ihm übertragen worden war, stolzgeschwellt. In kürzester Frist hatte er seine Leute gemustert: zwei Matrosen, einen Mechaniker und einen Signalgast. Als das Boot des Schoners längsseits kam, hatte er auch seine Pistole umgegürtet. Nach einem Schlag auf den Rücken, den ihm der Oberleutnant verpaßte, sprang er ins Boot und setzte sich auf die Heckbank. Seine Männer folgten ihm. Eigentlich wurde ihm erst jetzt richtig klar, daß die Männer, die das Boot herangerudert hatten, Feinde waren.

So sehen sie also aus, dachte er, doch ein Trio, das weniger den Anblick grimmiger Krieger bot, hätte man sich kaum vorstellen können. Alle drei waren alte, runzelige Männer, deren Haut tiefbraun gebrannt war von unzähligen Jahren auf See. Eigentlich sehen sie eher aus wie jene Fischer auf den Plakaten vor dem Krieg, überlegte er.

Ob alt oder nicht, sie ruderten das Boot mit schnellen Schlägen hinüber zum Schoner. Dabei sprachen sie kein Wort, betrachteten die Männer vom U-Boot aber mit verstohlenen, furchtsamen Blicken. Mitten im Boot saßen die vier englischen Seeleute, kräftig und zuverlässig, und hielten ihre Sten-Maschinenpistolen vor sich auf den Knien.

Als sie den Schoner erreichten, sah Melville erst, wie schön dieses Schiff mit seinen hohen, graziösen Masten, dem langen Bugspriet und den goldfarbenen Verzierungen am Steven tatsächlich war. Viele

Augen blickten zu ihnen hinunter, und ein Gewirr von Stimmen war zu vernehmen, als er sich vom Boot aus auf die kurze Jakobsleiter schwang.

Er schnappte nach Luft angesichts des Anblicks, der sich ihm an Deck bot. Unzählige Menschen drängten sich an ihn heran, riefen und versuchten ganz offensichtlich, sich verständlich zu machen. In der Mehrzahl waren es Frauen.

Er wurde ganz wirr im Kopf, aber die Zeit, die ihm zur Verfügung stand, war bemessen. »Maat!« rief er über die Köpfe der Menschen hinweg, »schaffen Sie diese Horde nach vorn und sehen Sie, ob der Kapitän dabei ist. Den will ich sehen!«

In diesem Augenblick schob sich ein großer, kahlköpfiger Mann in einem schmierigen, ehemals weißen Hemd und einer Segeltuchhose durch die Menge und trat an ihn heran.

»Sir!« brüllte er. »Ich bin der Kapitän dieses Schiffes. Bitte folgen Sie mir in die Kajüte, damit ich Ihnen erklären kann, weshalb all diese Leute auf meinem Schiff sind.«

Er sagte das mit einer so selbstbewußten, befehlsgewohnten Stimme, daß Melville sich verpflichtet fühlte, ihm zu folgen. In der kühlen, holzgetäfelten Kajüte des Schoners präsentierte ihm der Kapitän die Schiffspapiere.

»Bevor Sie irgend etwas untenehmen, will ich Ihnen eine Erklärung geben«, sagte der Kapitän. »Wie Sie wissen, befindet sich Ihre Armee im Vormarsch durch unser Land. Die Deutschen«, hier machte er eine Pause und spuckte zielsicher in eine alte Tabakdose, offensichtlich eigens zu diesem Zweck aufgestellt, »haben mir befohlen, mein ganzes Dorf zu evakuieren, und deshalb habe ich so viele alte Männer, Frauen und Kinder an Bord genommen, wie mein Schiff nur trägt. Die deutschen Truppen haben in meinem Dorf eine Verteidigungsstellung eingerichtet. Außerdem habe ich alle Einlagen der örtlichen Bank an Bord. Zur Bewachung waren Polizeibeamte vorgesehen, doch«, er lachte glucksend, »die habe ich entwaffnet, nachdem ich Ihr schönes Schiff sichtete. Schließlich will ich keinen Ärger mit Ihnen, verstehen Sie?«

Melville ergriff die Gelegenheit, auch etwas zu sagen. »Ja, ich verstehe. Aber was machen Sie hier, so weit draußen auf See?«

»Wir sind in einen Sturm geraten«, war die Antwort. »Der kam ganz plötzlich über uns, und wir gerieten völlig vom Kurs ab. Obendrein haben wir einen Maschinenschaden. Da die Deutschen unseren Ingenieur von Bord geholt haben, waren wir hilflos.«

Melville ging wieder an Deck, der Skipper folgte ihm. Er informierte den Signalgast und trug ihm auf, dem Kommandanten der *Tigress* die neue Entwicklung zu berichten.

Auf dem U-Boot wurde die Information sorgfältig bedacht. Der Kommandant faßte schließlich zusammen, was eigentlich alle an Bord dachten: »Ich kann die Frauen und Kinder nicht in die Boote gehen lassen, damit sie allein nach Hause fahren. Außerdem haben sie wahrscheinlich gar nicht genug Boote. Ich kann nicht verantworten, daß das Bankvermögen auf den Meeresgrund geschickt wird, aber ich kann es hier auch nicht umladen. Aber ich habe schon gar keine Lust, alles Gold und Geld den Deutschen zu überlassen.

Melville soll also die Maschine des Schoners reparieren lassen, dann geben Sie ihm seine Position und dazu den Kurs nach Otranto in Süditalien; dieser Hafen befindet sich ja bereits in unserer Hand. In ein paar Tagen sollte er es dorthin schaffen können, unsere Patrouillenboote werden ihn dann in Empfang nehmen. Aber er wird noch ein paar Leute benötigen, und schließlich wollen wir ihn mit ausreichend Treibstoff versorgen.«

Der Erste grinste. »Armer Melville! Ich wette, er hat nicht geahnt, was ihm bei seinem ersten Einsatz als Prisenoffizier bevorsteht.«

An Bord der *Maddalena*, so hieß der Schoner, begann der junge Sub-Lieutenant erst mal Ordnung zu schaffen. Die zehn faschistischen Polizisten blieben in eine Kabine eingesperrt, alle Zivilisten brachte er unter Deck in den Besatzungsunterkünften und den Laderäumen unter.

Der italienische Kapitän war nur zu willig, dem jungen englischen Offizier in jeder Weise behilflich zu sein, und er versicherte Melville immer wieder, daß er und seine Besatzung alles tun würden, damit das Schiff nicht in die Hände der »verdammten Deutschen« falle.

Trotz alledem, dachte Melville, darf ich den Burschen nicht aus den Augen lassen.

Der Mechaniker meldete, daß er den alten Diesel wieder zum Laufen gebracht habe, und nachdem zwei weitere Matrosen des U-Boots an Bord gekommen waren, brannte Melville darauf, die Reise anzutreten.

»Melden Sie *Tigress*, daß wir uns auf den Weg machen«, befahl er seinem Signalgast. »Wir werden sie rechtzeitig zu Weihnachten wiedersehen.« Er bemerkte, daß die Signallampe des U-Boots eine Antwort klapperte. »Sie wünschen uns eine gute Reise«, erklärte der Signalgast.

»Soll der Mechaniker die Maschine anwerfen, Sir?« wollte Matrose Robbins wissen.

Mit einem Ruck kehrte Melville in die Realität zurück. »Jawohl. Stellen Sie einen unserer Männer ans Ruder und einen an die große Luke, damit er ein Auge auf die Passagiere hat. Außerdem möchte ich, daß ein guter Ausguck aufzieht. Wenn die Männer auf Posten sind, kommen Sie zurück zu mir.«

Während der Mann davoneilte, wandte sich Melville an den Kapitän, der sich respektvoll im Hintergrund hielt. »Sagen Sie Ihrem Koch, er möchte eine Mahlzeit für alle richten, einige Frauen können ihm dabei helfen. Und vergessen Sie nicht, auch den eingeschlossenen Polizisten Essen bringen zu lassen.«

Sieben Stunden später war die *Maddalena* bereits auf ihrem neuen Kurs Südsüdost gut vorangekommen, und Melville hatte das Gefühl, daß alles recht glatt lief. Der Schoner machte sechs Knoten Fahrt, und der italienische Kapitän hatte zwei kleine Segel zur Stabilisierung setzen lassen.

Die Dunkelheit fiel wie ein dicker Samtvorhang auf die See, und obwohl das Mondlicht fehlte, war es eine wunderschöne, klare Nacht von jener Art, die man eigentlich nur in der Nähe italienischer Küsten findet.

Nachdem er die Wachen für die Nacht eingeteilt und sich persönlich davon überzeugt hatte, daß kein Licht nach draußen fiel, beschloß Melville, sich für ein paar Stunden aufs Ohr zu hauen. Plötzlich wurde ihm klar, wie müde er war. Er hatte das Gefühl, eine ganze Woche schlafen zu können.

Später konnte er nicht sagen, wie lange er wirklich geschlafen hatte, doch er fand sich plötzlich aufrecht und alarmiert in der Koje sitzen. Er hörte einen Schuß, einen dumpfen Aufschlag an Deck und dann laufende Füße direkt über seinem Kopf.

Er packte seinen Revolver und sprang den Niedergang empor, wobei er mit Robbins zusammenstieß, der ebenfalls achtern geschlafen hatte. Einen Moment konnte er überhaupt nichts sehen, doch als sich seine Augen an die Dunkelheit gewöhnt hatten, entdeckte er zwei seiner Männer, die sich über einen an Deck Liegenden beugten, direkt neben dem Ruderrad. Dicht vor ihm, wo die Poop begann, sah er die uniformierten zehn Polizisten, die mit Waffengewalt von den anderen britischen Seeleuten an der Reling festgehalten wurden.

»Was ist passiert?« rief er. »Und wer ist da verletzt worden?«

»Es ist der Kapitän, Sir«, sagte einer seiner Männer. »Er ist tot. Er wollte nachsehen, wie es den Polizisten ging. Einer von ihnen hatte ein Messer«, fuhr der Matrose fort, »damit hat er den Kapitän erstochen. Dann haben sie sich seines Schlüssels bemächtigt und sind nach achtern gekommen. Einer von ihnen hat Bill hier angegriffen, währenddessen haben die anderen den Kompaß zerstört. Außerdem sind einige in den Maschinenraum gedrungen. Ich war zu dieser Zeit auf dem Vorschiff und machte, daß ich herkam. Ich habe einen Warnschuß abgefeuert, da haben sie aufgegeben.«

Melvilles erste Sorge galt dem alten Kapitän. Doch dann packte ihn eine Woge blinder Wut. Er wandte sich zu den Seeleuten um und sagte: »Schmeißt diese Schweine ins Kabelgatt und achtet darauf, daß sie fest eingeschlossen sind. Sie werden später dafür büßen.«

Zu Robbins sagte er: »Sehen Sie zu, daß der alte Kapitän ordentlich in Segeltuch eingenäht wird. Wir wollen ihn sobald wie möglich der See übergeben. Ich gehe nachsehen, was an Schäden angerichtet worden ist.«

Der Kompaß war völlig unbrauchbar, und auch die alte Maschine hatte nun endgültig ihren Geist aufgegeben. »Um die wieder in Ordnung zu bringen, müßten wir ins Dock«, meinte der Mechaniker düster.

Melville war eher ärgerlich als bestürzt und nur noch entschlossener, das Schiff in den rettenden Hafen zu bringen. »Dann werden wir eben segeln«, dachte er laut. »Hoffentlich sehen uns die Patrouillenboote bald. Ich wünschte nur, wir hätten ein Funkgerät an Bord.«

In den folgenden Stunden wurden seine Besonnenheit und Intelligenz auf eine harte Probe gestellt. Irgendwie gelang es ihm, den italienischen Seeleuten klarzumachen, welche Segel er gesetzt haben wollte. Während sie seine Befehle ausführten, konnten die britischen Matrosen mit der ihnen eigenen Überzeugungskunst Frauen und Kinder beruhigen.

Das kleine Schiff legte sich in der aufkommenden Brise leicht über und glitt fast lautlos durch die Nacht. Anscheinend war es richtig froh, wieder einmal segeln zu können, auch wenn es nur von einem Amateur geführt wurde. Immerhin stellte Melville fest, als er zunächst die Sterne und dann die abgegriffenen Karten des Schiffes studierte: »Wenn wir diesen Kurs beibehalten, werden wir ganz in der Nähe von Otranto auf Land stoßen.« Jedenfalls nicht mehr als zwanzig Meilen davon entfernt, sagte er sich.

Die Morgendämmerung kam mit wäßrigtrübem, grauem Licht, der Wind stand durch, und sie schienen gute Fahrt zu machen, während der Rumpf durch die kurzen, von weißen Kämmen gekrönten Seen glitt.

Die Frauen und ihre lärmenden Kinder schwärmten an Deck aus, Nahrungsmittel wurden verteilt, und sofort waren sie laut redend mit Essen und Trinken beschäftigt. Niemand schien über den Tod des Kapitäns zu trauern, den Melville kurz vor Tagesanbruch mit einem schnellen Gebet der See übergeben hatte.

Als er so das Deck musterte, fiel ihm auf, wie sorgenvoll Robbins bei der Essensausgabe war. »Für heute reichen die Vorräte noch, Sir«, sagte er. »Und auch Wasser für einen Tag steht noch zur Verfügung.«

»Das sollte genügen«, antwortete Melville, »ich hoffe, daß wir im Lauf des Tages Land sichten. Dann werden wir den nächsten Hafen anlaufen. Sobald wir festgemacht haben, können wir all diese Menschen dem Heer übergeben. Die Kameraden werden sowieso glauben, daß wir ziemlich knapp an Schiffen sind, wenn sie sehen, daß wir unter Segeln einlaufen.«

Tatsächlich erblickten sie im Lauf des Nachmittags Land. An Steuerbord wuchs eine dunkle Hügelkette über den Horizont. Daraufhin wurde Kurs geändert, die Segel wurden gewissenhaft neu getrimmt, und das Schiff begann, auf die Küste zuzujagen.

Soweit das Auge reichte, erstreckte sich eine Kette von Hügeln; davor lagen Felsen, die von der Brandung blankgescheuert waren, blaßgelbe Strände wurden von grünen Bäumen eingerahmt. Zwischen den Bäumen lugten kleine weiße Häuser hervor, ganz offensichtlich lag ein Dorf vor ihnen. Und zuletzt erkannten sie hinter einer schmalen Landspitze eine lange steinerne Pier.

»Das Fischerdorf laufen wir an«, bestimmte Melville. »Ohne Kompaß ist es mir zu riskant, noch weiter zu segeln. In wenigen Stunden wird es Nacht, und angesichts der alten Karten und der vielen Menschen an Bord scheint mir eine Weiterfahrt einfach zu gefährlich.«

Als sie der Küste näher kamen, ließ er Segel kürzen, denn nachdem er das Schiff so weit gebracht hatte, wollte er es am Schluß nicht noch auf die Steine setzen.

»Hißt Kriegsflagge!« rief er. »Wir wollen doch Haltung bewahren für den Fall, daß uns jemand vom Heer zusieht!« Seine Männer lachten, die Italiener blickten weiterhin verständnislos drein.

Die Pier kam immer näher, die Festmacherleinen wurden klargelegt. Von einem Empfangskomitee war indessen nichts zu sehen. Lediglich ein einsamer Hund stand auf den glitschigen Steinstufen und bellte sie fürchterlich an.

Mit einem leichten Stoß glitt die *Maddalena* an die Pier, und einige Matrosen sprangen hinüber, um die Leinen durch die rostigen Festmacherringe zu ziehen. Da rief plötzlich einer der Männer: »Sehen Sie nur, Sir, die vielen Panzer!«

Als Melville in die angegebene Richtung sah, zählte er erst vier, dann sechs, acht und schließlich elf große Panzer, die rumpelnd in Richtung Pier fuhren; dahinter kam ein halbes Dutzend Lastkraftwagen voller Soldaten.

Melvilles fröhliches Lächeln verblaßte, eisige Finger schienen nach seinem Herzen zu greifen. »Verdammt!« stieß er hervor. »Das sind Italiener. Dieses Dorf scheint hinter den feindlichen Linien zu liegen.«

Die martialische Prozession dröhnte über die steinerne Pier, der Führungspanzer stoppte direkt vor dem Schoner.

Seine stählerne Turmluke wurde geöffnet, zwei Offiziere kletterten heraus, gefolgt von einem Feldwebel mit Maschinenpistole. Langsam marschierten sie auf die *Maddalena* zu und sprangen an Deck, wo Melville steif und bleich stand, um sie zu empfangen.

Der größere der beiden Offiziere – tadellos gekleidet, mit vielen Ordensbändern – sagte in stockendem Englisch: »Wie Sie wissen, Captain, hat mein Land vor dem Ihren heute morgen kapituliert. Es ist mir eine Ehre, Ihnen mein Bataillon und diese Garnison zu übergeben . . .«

Alan J. Villiers

Der Windjammerfilm

Von allen Seeschriftstellern, die Anspruch auf einen Platz in diesem Buch hätten, gibt es kaum einen mit größerer Berechtigung als Alan J. Villiers, von dem der Kritiker Lincoln Colcord schrieb: »Niemand liebt ein Segelschiff mehr als er, und keiner vermag darüber so glaubwürdig zu schreiben.« Und es dürfte in England kaum einen Seemann geben, der nicht schon daran gedacht hat, ihm nachzueifern und eine jener großen Reisen zu unternehmen, die Villiers gemacht hat und die so großartig in seinen Büchern beschrieben sind. Er ist wirklich der Prototyp eines Seemannes.

Alan John Villiers wurde 1903 im australischen Melbourne geboren. Bereits mit fünfzehn Jahren ging er als Kadett auf der Bark Rothesay Bay *zur See. Fünf Jahre lang fuhr er auf verschiedenen Rahseglern in der Salpeterfahrt. 1923 nahm er an einer Walfangexpedition in die Antarktis teil. Im Anschluß daran lieferte er zum ersten Mal journalistische Beiträge. Es folgte eine Periode, in der er bewies, daß er mit der Feder ebensogut umgehen konnte wie mit dem Spinnaker, doch der Ruf der See war stärker. Er unternahm einige Reisen auf Viermastbarken, darunter auch auf der berühmten* Parma, *die er mit einem anderen Parteneigner von der Hamburger Reederei F. Laeisz erworben hatte. Seine überragende Seemannschaft wurde deutlich, als er 1932 die Weizenregatta der Rahsegler mit einer Reise von 103 Tagen von Südaustralien bis in den Englischen Kanal gewann. 1933 verbesserte er diese Zeit auf 83 Tage und kam unter 721 Konkurrenten auf den zweiten Platz. Und als ob dieser Erfolg noch nicht ausreiche, segelte er 1934 als Kapitän der* Joseph Conrad *60 000 Meilen rund um die Welt mit einer Besatzung, die hauptsächlich aus Kadetten bestand.*

Villiers' Leben war wirklich eine lange Kette von Seereisen, die er in Büchern wie Falmouth for Orders *(1929),* Last of the Windships *(1934),* Sons of Sindbad/Die Söhne Sindbads *(1940) und* The Set of

Sails *(1949) beschrieb. Das letzte Buch wurde von der Kritik als »Tribut an ein Leben zur See – frei, unreglementiert und unkommerziell« bezeichnet. Während des Zweiten Weltkriegs wurde ihm für besondere Leistungen bei der Invasion in der Normandie das DSC* verliehen. Als Treuhänder des* National Maritime Museum *hat er sich außerdem große Verdienste erworben. Viele Werke dieses Mannes, der so zahlreiche Segelschiffe als Kapitän geführt hat, würden sich für dieses Buch eignen, doch ich kann mir keine interessantere – oder ungewöhnlichere – Geschichte vorstellen als die folgende.*

Ronald Gregory Walker war Zeitungsreporter und arbeitete im Redaktionsstab des *Mercury* in Hobart/Australien. Zu seinen Aufgaben gehörte es, über die Schiffe zu schreiben, die den tasmanischen Hafen anliefen. Die Kolumne, die er dafür zur Verfügung hatte, trug den Titel »Shipping Intelligence«, und Walker machte sich einen Spaß daraus, bei jeder Gelegenheit zu behaupten, er verstehe überhaupt nicht, was Schiffahrt mit Intelligenz zu tun habe. Und ganz bestimmt sei keinerlei Intelligenz erforderlich, um Nachrichten über die Schiffahrt zusammenzustellen.

Das nur nebenbei.

Ronald Walker war nämlich außerordentlich interessiert an Schiffen und allem, was mit ihnen zusammenhing. Außerdem liebte er seinen Job bei der Zeitung und fand, daß es keinen besseren Arbeitsplatz in der Stadt geben könne als seinen. Sein ganzes Leben lang hatte er sich für alles begeistert, was mit der See, der Schiffahrt, mit Reisen, Luftfahrt und Flugzeugen zu tun hatte. Er selbst besaß ein kleines Segelboot namens *Murmur* und verbrachte darauf manches glückliche Wochenende. Deshalb schrieb er für seine Zeitung auch über alles, was mit Segelsport zu tun hatte, und war mit seinem Leben vollauf zufrieden.

Hobart war zwar nicht sonderlich groß, hatte aber einen recht hübschen Hafen, und der sah häufig außergewöhnliche Schiffe: große Schiffe mit grünem Wasserpaß und Heckaufschleppen für Boote; das waren Walfang-Mutterschiffe, unterwegs zu den Fanggebieten in der Antarktis. Oder große Frachter, die sich vor den Stürmen der Roaring Forties** in den Hafen geflüchtet hatten. Auch schmucke, zähe Fischkutter oder große Rahsegler, beladen mit Holz aus Skandinavien.

---

* D(istinguished) S(ervice) C(ross) = britische Tapferkeitsauszeichnung
** Gebiet besonders starker Stürme im Bereich der 40. Breitengrade

Die großen Passagierschiffe der Orient Line und der P & O Line** kümmerten ihn nicht besonders. Mit ihnen fuhren die Töchter der reichen Herdenbesitzer nach England, um dort Geld auszugeben, das sie seiner Ansicht nach besser in Australien unter die Leute gebracht hätten. Die großen Frachter fand er bemerkenswert, wenn auch nicht sonderlich erregend.

Bekam er indessen eines jener großen Segelschiffe zu Gesicht, die in der Salpeterfahrt von Chile her eingesetzt waren und zu deren Alltag die Umrundung von Kap Hoorn gehörte, dann bewegte ihn dieser Anblick. Leider kamen sie nur selten nach Hobart; aber wenn eines von ihnen einlief, konnte er sich kaum entschließen, nach Hause zu gehen. Dann kreuzte er gern über den breiten Derwent mit seinem Boot, lag auf den Klippen von Bellerive in der Sonne, freute sich an der schönen Silhouette Hobarts am Fuß des Berges, am Anblick des Hafens mit dem lebhaften Schiffsverkehr oder an der Werft. Dann träumte er. Viele Ideen gingen ihm im Kopf herum, aber er war keineswegs zufrieden damit, nur Ideen zu haben, von Abenteuern in den Zeitungen zu lesen, in den Erzählungen anderer Menschen zu hören oder im Kino.

Tief drinnen war er ruhelos. Einerseits liebte er Hobart und seine schöne Umgebung, andererseits wollte er endlich die große Welt da draußen sehen.

Eines Tages kam er auf den Gedanken, einen Film über die Reise eines Rahseglers rund Kap Hoorn zu drehen. Er erzählte mir von dieser Idee – damals war ich Reporter bei derselben Zeitung–, und ich sagte ihm, daß ich sie für undurchführbar hielte. Wie sollten wir ohne das nötige Geld einen Film drehen? Obendrein verstanden wir nichts von der Arbeit mit Kamera und Mikrophon. Eine Chance, all das zu lernen, gab es für uns nicht. Ich stimmte ihm zu, daß das Projekt an sich aufregend sei und daß ein solcher Film unbedingt gedreht werden müsse, aber ich sah keine Möglichkeit, wie wir es realisieren konnten.

Doch er meinte, wir würden das schon schaffen. Es sei eine fast narrensichere Filmkamera auf den Markt gekommen. Wir wurden uns einig, daß wir sie erwerben und damit im kommenden Jahr – 1930 – erste Erfahrungen sammeln wollten, indem wir auf einem Rahsegler anheuerten, der Kap Hoorn runden sollte.

Noch bevor wir die Kamera erwarben, entdeckten wir in der in London erscheinenden *Daily Mail* den Leserbrief eines gewissen

* Britische Reedereien

C. J. Greene, der meinte, es müsse – ganz gleich von wem – ein echter Windjammerfilm gedreht werden, solange überhaupt noch die Chance dazu bestand. Diesen Brief nahmen wir sehr ernst; denn er bedeutete schließlich, daß unsere Idee weltweit verbreitet war, mochte auch sein dringender Appell nicht gleich aufgegriffen werden. Wir waren der Meinung, daß wir umgehend ans Werk gehen sollten, damit uns niemand zuvorkam.

Aber es gab eine ganze Reihe von Schwierigkeiten. Uns blieben nur wenige Tage, um nach Wallaroo in Südaustralien zu reisen, wo wir an Bord der *Grace Harwar* aus Finnland gehen wollten, die dort Weizen für England lud.

Damals besaßen wir weder eine Kamera, noch hatten wir Geld oder irgend jemanden, der unser Vorhaben unterstützte. Obendrein hatten wir nicht die mindeste Erfahrung in der Kunst der Filmproduktion.

Wir erzählten dem Nachrichtenchef unserer Zeitung von unserem Plan. Walker brachte die Hälfte des benötigten Geldes (rund 1500 Dollar) auf, indem er eine Versicherungspolice belieh. Ich beschaffte die andere Hälfte, indem ich mein Haus verkaufte. Wir bestellten Kamera und Filmmaterial in Sydney und ließen uns alles nach Melbourne schicken.

Sechs Tage, nachdem wir den Leserbrief in der *Daily Mail* entdeckt hatten, schifften wir uns in Wallaroo auf der *Grace Harwar* ein.

Wir gingen erst spät in der Nacht an Bord. Kamera und Filme hatten wir in unseren Seesäcken verstaut. Und wir sagten niemandem etwas von unserem Vorhaben. Als ganz gewöhnliche Seeleute musterten wir an, die ihre Arbeit tun würden. Was wir außerdem machen wollten, das ging niemanden auf dem Segler etwas an. Wir kannten beide zahlreiche Segelschiffskapitäne und fürchteten, daß wir – sollte etwas über unser Vorhaben verlauten – unseren Job umgehend wieder verlieren würden. Denn Seeleute gab es genug. Außerdem bestand die Möglichkeit, daß unser Kapitän einen Funkspruch an seinen Reeder absetzte, in dem er die Frage nach den Rechten an dem Film und noch andere Dinge aufwerfen konnte. Bei Filmproduzenten glaubt schließlich jedermann, es sei notwendig und geradezu ein Zeitvertreib, sie wie eine Goldmine auszunehmen. Aber wir waren weder gewöhnliche Filmproduzenten noch hatten wir Geld.

So heuerten wir an, machten unsere Arbeit wie die anderen Seeleute und hielten unseren Mund. Schon bald lief die *Grace Harwar* aus. Sie war ein schönes Vollschiff von 1749 Tonnen und schien uns für den Windjammerfilm geradezu ideal. Über vierzig Jahre alt, war sie am Clyde gebaut worden und verfügte über einen offenen Ruder-stand. Dafür mangelte es ihr an allen arbeitserleichternden Einrich-tungen späterer Jahre. Sie war ein echter Kap-Albatros aus der Zeit vor vier Jahrzehnten – eines der letzten Vollschiffe, wenn nicht das letzte überhaupt, das um die Hoorn fuhr.

In Wallaroo löschten wir den Ballast, in dem die *Grace Harwar* von Wilmington, North Carolina, nach Australien gesegelt war, nachdem sie Ende 1928 eine Ladung Guano aus Peru dorthin gebracht hatte. Sowie der Ballast draußen war, übernahmen wir den Weizen. Die halbe Besatzung machte sich hier aus dem Staub, und andere Männer traten an ihre Stelle. Die Polizei brachte uns einen seltsamen Neger aus Westindien an Bord, der schwedisch sprach und von der Bark *Penang* der Erikson-Reederei desertiert war. Er war unerwünschter Immigrant in Australien, und um eine 500-Dollar-Strafe zu vermei-den, sollten wir ihn an Bord nehmen und außer Landes bringen. Er war Koch an Bord der *Penang* gewesen, aber da wir einen eigenen Koch hatten, blieb er mehr oder weniger Passagier.

Die Weizenladung wurde an Bord genommen, und die Lukendek-kel wurden verschalkt und wasserdicht abgedeckt; die Segel waren angeschlagen, die Wassertanks gefüllt und die Lebensmittel verstaut; das Rudergestänge war geölt und unser Neger an Bord. Als schließlich auch noch die Rettungsboote fest verzurrt waren, warfen wir am 17. April 1929 die Leinen los und legten ab. Erst 138 Tage später, am 3. September, sollten wir unseren Bestimmungshafen erreichen. Bis dahin war einer von unserer Mannschaft tot, einer geistig verwirrt und ein anderer über Bord gefallen. Unser Proviant war ausgegangen, und das Schiff hatte ein Leck. Wir hatten versucht, Kapstadt als Nothafen anzulaufen, aber das war uns nicht gelungen. Wir sahen schwarze Albatrosse und litten fürchterlich unter der Winterkälte vor Kap Hoorn.

Wir hätten eigentlich damit rechnen sollen, daß so etwas passieren würde. Schließlich bestand unsere Besatzung aus dreizehn Mann – dreizehn vor dem Mast. Als wir in Wallaroo lossegelten, wurde uns das gar nicht bewußt. Aber später sollte es sich uns sehr tief ins Gedächtnis einprägen.

Zu unserer Besatzung gehörten ein Franzose, ein Brite aus London und vier Australier. Der Rest waren Finnen, schwedisch sprechende Finnen meist von den Aland-Inseln, wo das Schiff registriert war. Nur zwei Mann waren zuvor schon einmal um Kap Hoorn gefahren – der Londoner und ich. Wir beide hatten auch schon die Planken von mehr finnischen Schiffen unter den Füßen gehabt als irgendeiner von den Finnen an Bord. Der Londoner war schon auf der *Olivebank* gesegelt, ich auf *Lawhill* und *Herzogin Cecilie*. Die Finnen fuhren alle zum ersten Mal; einige waren Deserteure von anderen Schiffen, zwei oder drei Mitglieder der ursprünglichen Besatzung, die zwei Jahre zuvor in Swansea an Bord der *Grace Harwar* gekommen waren. Das Durchschnittsalter der Besatzung betrug neunzehn Jahre, und im Grunde waren sie alle anständige Kerle. Sie lebten sich tapfer ein, waren stark und willig, und das ist schon eine Menge wert. An Bord fehlte völlig jenes kleinliche Gezänk, das früher auf Segelschiffen an der Tagesordnung war, als jede Focsle* ihren Anführer hatte, als es ständig Blutvergießen gab und Cliquen das Leben bestimmten. Wir erlebten auf der ganzen Reise nicht einen einzigen Streit mit blutigem Ausgang, und das hatte ich auf finnischen Schiffen noch nie erlebt.

Die Reise ließ sich zunächst gut an. Wir wußten, daß der Winter heraufzog, und beteten deshalb um eine schnelle Umrundung des Kaps. Die Hoorn ist schon im Sommer schlimm genug, und wir legten absolut keinen Wert darauf, daß unsere Passage durch die Westwinde dort übermäßig verlängert wurde. Nach sechs Tagen lag die Südspitze Tasmaniens hinter uns, und das war eine gute Leistung. Wir hatten während der ganzen Zeit starken Westwind, die See ging hoch, und es war beißend kalt. Unsere kleine *Grace Harwar* nahm eine Menge Wasser über, und wir verloren ein oder zwei Segel. Schon in der ersten Nacht flog das Besanmarssegel aus seinen Lieken, und wir konnten kein neues setzen, weil wir keins hatten. Es gab einfach keine Ersatzsegel. Deshalb blieb die Besanmarsrah so lange leer, bis ein neues geschnitten und genäht war, und das dauerte eben seine Zeit.

Wir machten uns nichts aus der Kälte. Wir machten uns auch nichts aus der ständigen Nässe am Ruder, aus dem salzigen Spritzwasser, das unsere Kleider nie mehr trocknen ließ, aus der haarsträubenden Gefahr bei der Arbeit in den Toppen. Wir lachten über die Seen, die sich so hoch auftürmten, und glaubten noch, es sei ein Scherz, wenn schwere Brecher auf unser Schiff eindroschen, bis es erzitterte und schwere Beschädigungen drohten. Uns machte das alles nichts aus, solange nur der Wind ordentlich durchstand und wir möglichst schnell zur Hoorn kamen.

Grob gerechnet sind es von Wallaroo bis Kap Hoorn rund sechstausend Seemeilen. Wenn wir mit dem starken Westwind neun Knoten

---

* Mannschaftslogis im Vorschiff (forecastle)

pro Stunde liefen, dann konnten wir es in dreißig Tagen – aber eher in 35 bis 38 – schaffen. Eingerechnet waren Tage, an denen der Wind abflaute, und auch ein paar Sturmtage, an denen wir beigedreht würden warten müssen. Wir zogen unseres Wegs wie alle Segelschiffe und hofften auf möglichst starke Westwinde, denn wenn wir schon unter zuviel Arbeit und ständigen Entbehrungen leiden mußten, unter Kälte und Nässe, dann wollten wir es wenigstens schnell hinter uns bringen. Einem Segelschiff macht auch der Sturm nichts aus, wenn er nur aus günstigen Richtungen kommt. Die Stürme aus West brauchten wir deshalb überhaupt nicht zu fürchten, im Gegenteil, sie würden uns helfen. Was wir fürchteten, war Wind aus Ost.

Und der Wind kam aus Ost. Er steigerte sich bei der Drehung auf Südost und drosch auf uns mit der ganzen Kälte ein, die er aus der Antarktis mitgebracht hatte. Mit starkem Ostwind war uns überhaupt nicht gedient. Also kürzten wir die Segel und drehten bei. Das war in der südlichen Tasman-See zwischen Tasmanien und Neuseeland. Dort mußten wir durch, um südlich an Neuseeland vorbei unseren Weg zur Hoorn zu nehmen. Die Tasman-See ist während des Winters wegen ihrer Stürme besonders gefürchtet. Das war uns durchaus bekannt, aber wir hatten erwartet, sie bei Westwind überqueren zu können.

Doch der Wind machte nicht die mindesten Anstalten, auch nur einen Strich auf West zu drehen. Wir hielten dagegen und setzten das ungereffte Großsegel in der Hoffnung, daß wir unser Schiff wenigstens ungefähr auf Kurs halten und ein Abtreiben verhindern konnten.

Die Neuen unter der Besatzung waren seekrank und litten schwer daran. Sie waren baß erstaunt, daß es noch Schiffe gab, deren Kapitäne tollkühn genug waren, immer wieder diese Route zu fahren, obwohl sie doch schon Bekanntschaft mit dieser Hölle gemacht hatten.

Wo das kalte Wasser die Reling berührte, hinterließ es Eis; eines unserer Schweine ertrank; eisiger Graupelregen setzte sich in die Webeleinen, und das Aufentern war die reine Hölle. »Man braucht Mut für dieses Spiel, weiß Gott, den braucht man!« schrieb Ronald Walker. *Er* hatte Mut, wurde aber dennoch getötet...

Wir taten wirklich unser Bestes, um mit dem Ostwind fertig zu werden, hofften inständig, daß er endlich abflauen würde, daß der Gott der Stürme ein Einsehen mit uns haben und uns schließlich die Hoorn sehen lassen würde, ganz gleich, welche Qualen er uns sonst noch zugedacht hatte. Denn es war nicht anständig, uns in diesem verdammten Wind verhungern zu lassen. Aber der Ostwind blieb uns erhalten. Es gab nicht das mindeste Anzeichen für eine Änderung. Sturm folgte auf Sturm, ständig waren die Decks des alten Vollschiffs überspült, und es wurde lebenswichtig, sich anzuleinen, wenn man hinaus ans Ruder mußte. Nachts war die Wache nicht in der Lage, auf dem Vorschiff Ausguck zu gehen. Es kam ständig grünes Wasser über den Bug, Ausguckposten wären dort ertrunken. Jetzt erst fiel uns auf, wie wenig Leute wir eigentlich waren. Sechs in der einen Wache und sieben in der anderen...

Schließlich hatte Kapitän Svensson genug von dem Ostwind, er ließ uns Kurs auf die Cook-Straße nehmen, die Neuseelands zwei Inseln voneinander trennt. Seine Absicht war es, wenigstens auf diesem Weg in den Südpazifik zu gelangen, wenn uns der Ostwind schon nicht erlaubte, südlich des Dominions vorbeizulaufen. Als wir drei Wochen auf See waren, erreichten wir die Cook-Straße. Dann blieb der Wind weg, und wir kamen nicht durch die Enge. Vier Tage lagen wir dort und dümpelten ohne Fahrt im Schiff, sahen auf der einen Seite den Mount Egmont und die felsige Nordküste der Südinsel auf der anderen. Wir waren bereits im Begriff, die Segel erneut zu trimmen, um die äußerste Nordspitze Neuseelands zu runden, da kam endlich Westwind auf und schob uns durch die Straße.

Wir sahen die Lichter von Wellington, der Hauptstadt Neuseelands, und meldeten das Schiff in gutem Zustand. Ein, zwei Tage nahm uns der Westwind noch mit, und wir kamen an den Chatham Islands vorbei. Schon glaubten wir, der Wind würde nun durchstehen, und wir würden das Kap ohne weitere Schrecken erreichen.

Doch dann ließ er erneut nach, und schließlich lagen wir in einer Totenflaute. Als es wieder aufbriste, kam der Wind aus Ost und brachte Nebel, Regen und Sturm der schlimmsten Sorte mit sich. Tag für Tag verging in durchnäßter, elender Verfassung und bei eisigem Sturm. Jedesmal, wenn wir nach kurzem Schlaf wieder auf Wache gingen, hofften wir, daß der Wind umgesprungen war, und jedesmal wurden wir enttäuscht. Schließlich gaben wir alle Hoffnung auf. Mit mürrischer Gleichgültigkeit nahmen wir hin, was uns offensichtlich bestimmt war. Längst hatten sich Ölmäntel und Südwester als zwecklos erwiesen. Es gab nicht einen trockenen Faden mehr an Bord. Das Vorschiff war immer wieder von den Brechern überspült worden, die geradezu mit Freude durch die jetzt völlig nutzlosen Türen schwappten. Wurden sie geschlossen, dann war die Luft unten stickig. Ließen wir sie offen, klatschte das Wasser herein. Schließlich hielten wir sie dennoch geschlossen, weil wir lieber ersticken als erfrieren wollten.

Wir bekamen kaum noch warme Mahlzeiten. Spritzwasser löschte das Feuer in der Kombüse, und die See überspülte unablässig das Hauptdeck, wo sich die Frischwasserpumpe befand. Um nicht kostbares Frischwasser beim Pumpen mit Salzwasser zu mischen, ließen wir das Pumpen sein und blieben durstig. Wir froren Stein und Bein, waren naß bis auf die Haut und hatten Hunger. Auf einem Vollschiff gibt es keine Heizung; selbst die Küchenschaben und die Wanzen in den Kojen überstanden es nicht; wir sahen nur tote.

Um diesen Teil der Reise zu beschreiben, lasse ich ein, zwei Kapitel aus dem Tagebuch Walkers folgen, das dieser bis zu seinem Tod gewissenhaft geführt hat. Er sah die Dinge mit unverbrauchten Augen und frischem Sinn. Ich war ja schon vorher auf Rahsegler gefahren und beschrieb die Ereignisse so, wie ich sie verstand. Aber er sah sie eben auf neue Weise.

»16. Mai. Wir sind jetzt 29 Tage auf See. Wenn ich zurückblicke, dann kommen mir diese 29 Tage vor wie eine Ewigkeit. Viel ist seitdem geschehen, manches war sehr seltsam... Heute morgen sind der Franzose und ich zusammen aufgeentert, bei steifer Brise, die sich immer mehr zu einem richtigen Sturm auswuchs. Der Morgen war pechrabenschwarz, als wir um sechs Uhr mit dem Aufstieg begannen. Es regnete hartnäckig, und unser Schiff wurde ständig von schweren Seen überspült. Die Kälte drang uns durch Mark und Bein, obwohl wir neben dicker Kleidung unsere Ölmäntel und schwere Seestiefel trugen. Wir waren an die zwei Stunden oben beschäftigt, während ein kalter, gnadenloser Morgen über der aufgewühlten See dämmerte. Und wir kämpften mit dem durchweichten Tauwerk bis zu Erschöpfung. Ständig trommelte der kalte Regen auf uns nieder, durchtränkte unsere Südwester und unser Ölzeug. Unsere Finger waren steif und blaugefroren, außerdem blutig wegen der Fleischhaken in den Drähten...

Mochten wir zuerst noch schaudern, wenn ein eisiges Rinnsal seinen Weg am Hals entlang auf Brust und Rücken fand oder uns in die Ärmel kroch, so waren wir bald so kalt und naß, daß auch das uns nicht mehr kümmerte. Ein altes Sprichwort auf Segelschiffen sagt: ›Werd' naß und bleib naß!‹ Schlimm wird es erst, wenn man in einen vergleichsweise trockenen Raum kommt und genau weiß, daß alles wieder von vorn beginnt, sobald man wieder raus muß...«

»19. Mai. Wir sind jetzt 32 Tage auf See. Ich stehe auf meinem verdammten Ausguckposten seit Stunden auf dem Vorschiff und habe viel Zeit zum Nachdenken. Aber mein Antidepressivum ragt hinter mir auf, turmhoch in der Dunkelheit, stürmt immer schneller über die schwankende Straße, hebt sich und senkt sich zitternd, wenn es auf Brecher trifft, prescht wieder vorwärts, unbezähmbar und unüberwindlich wie das Schicksal selbst. Riesige Seen rollen heran, stürzen sich auf dieses Schiff, donnern darauf nieder, bahnen sich einen Weg wie Footballspieler im dichten Getümmel. Immer höher türmen sie sich auf, um dann dröhnend zuzuschlagen. Du drehst dich um, sie zu beobachten. Da peitscht dir der Wind um die Ohren, und die See überschüttet dich mit Tonnen von Wasser; überall schäumt es um dich herum. Eine riesige Wasserwand hängt wie ein flüssiger Berg drohend über dem Schiff. Immer höher wird sie, schiebt ihre kleineren Kinder unwillig zu Seite, der Wellenkamm glimmt weiß, wo er bricht, dann leuchtet er auf wie die Feder am Helm eines Kriegers.

Hunderte kleinerer Schläge hat das Schiff schon eingesteckt, doch diesen gewaltigen Schlag kann es nicht ertragen. Es windet sich wie ein lebendiges Wesen vor Furcht. Schwer legt es sich über und schwankt furchterregend. Der Schlag erwischt das Schiff voll, der Rumpf erzittert in allen Spanten. Doch der zerschmetterte Wellenkamm hat den Kampf verloren, die Feder des Kriegers liegt am Boden. Das Schiff erhebt sich wieder, schüttelt hunderte Tonnen brüllenden, schäumenden Wassers ab. Immer wieder greift die See an, reißt alles weg, was beweglich ist, und versucht mit wütender Kraft, die Luken zu zerstören. Doch das Schiff siegt schließlich. Unter kochendem Wasser richtet es sich auf, gewinnt seine Stabilität zurück und steckt die kommenden Schläge ebenso weg – immer und immer wieder. Seit vierzig Jahren macht dieses wunderbare Schiff das nun schon!«

Am 38. Tag auf See wurde Walker getötet, während er in der Takelage arbeitete.

Es war einer jener alltäglichen Unfälle, bei denen neunhundert Mal niemand zu Tode kommt, und dann wird beim neunhundertsten Mal ein Unschuldiger das Opfer – als Rache dafür, daß zuvor nichts passiert ist.

Wir waren damit beschäftigt, das vordere Oberbramsegel zu setzen, das aufgegeit gewesen war, seit Walker wie beschrieben aufgeentert hatte. Der Wind hatte nun doch auf westlichere Richtungen gedreht, und wir wollten dem Schiff etwas mehr Segelfläche geben, um ihm weiterzuhelfen. Mochten die Oberbramsegel auch nicht gerade viel bringen, so war doch die psychologische Wirkung nicht zu unterschätzen.

Walker ging zusammen mit einem dünnen Jungen namens Finila

nach oben. Es war kurz nach vier Uhr morgens, sicherlich die schlechteste Tageszeit. Wir hatten so wenig Leute in den einzelnen Wachen, daß es eigentlich gar nicht zu verantworten war, zwei Männer nach oben zu schicken, aber es gab Gründe dafür. Um halb fünf Uhr morgens gab es Kaffee, und es ist Tradition an Bord, daß Zeit für eine Arbeit, die bis dahin nicht beendet ist, nicht angerechnet wird. Nur weil jemand mit seiner Arbeit nicht rechtzeitig fertig ist, wird die Kaffeepause nicht verlängert. Deshalb achtet ein guter Vorgesetzter immer darauf, daß seine Leute ihre Kaffeepause ohne Abzüge machen können.

Aus diesem Grund hatte unser Offizier an jenem unheilvollen Morgen Walker zusammen mit dem jungen Finila in die Takelage geschickt, damit sie das vordere Oberbramsegel lösten. Es war sehr sorgfältig festgemacht, mit vielen Zeisingen*, um dem Sturm vor Kap Hoorn trotzen zu können. Seither hatte es sich mit Regen vollgesogen und war gequollen. Eis hatte die Zeisinge überzogen, und jeder Seemann weiß, daß es eine Stunde und mehr dauern kann, bevor man unter solchen Bedingungen ein Segel losbekommt. Die beiden zusammen schafften es tatsächlich in einer halben Stunde, und dann machten wir an Deck – fünf Matrosen und der Zweite Offizier – uns daran, die Rah in mühseliger Arbeit mit dem Gangspill zu hieven.

Als sie auf halber Höhe war, bemerkte der Zweite, daß ein Zeising in Luv unklar gekommen war. So konnte das Segel nicht ordentlich gehißt werden. Er rief zu Walker hinauf und befahl ihm, auf das Unterbramsegel zu klettern und den Zeising zu klarieren. Der tat es und rief zu uns hinunter, nun sei alles klar. Wieder begannen wir, die Rah zu hieven. Da rutschte das Fall* ab, und die Rah kam herunter.

Sie fiel auf Walker, der darunter stand, und tötete ihn auf der Stelle.

Das war uns zunächst noch nicht klar, als wir sofort aufenterten und ihn zwischen den Rahen reglos fanden. Wir dachten wirklich, er sei nur bewußtlos. Abgesehen von etwas Blut, das langsam aus seinem Mund sickerte, gab es keinerlei Anzeichen für eine Verletzung. Wir konnten uns überhaupt nicht vorstellen, daß er tot war. Wir waren viel zu sehr mit dem Gedanken beschäftigt, wie wir ihn hinunterschaffen sollten, als daß wir gesehen hätten, welcher Art seine Verletzungen waren. Verzweifelt versuchte ich, ihn mit kaltem Wasser wieder zu sich zu bringen. Woher hätte ich wissen sollen, daß jede Mühe

---

* Zeising = ein Stück Tau zum Befestigen der Segel
** Tau zum Setzen eines Segels oder einer Rah

vergebens war? Unsere einzige Sorge war, ihn zu Bewußtsein zu bringen, damit er uns bei der schwierigen Arbeit behilflich sein konnte, ihn vom schwankenden Mast an Deck hinunterzubringen. Bei einem Bewußtlosen war das wahrlich keine einfache Sache.

Aber er kam nicht wieder zu sich. Wir riggten ein Jolltau* auf, hängten ihn ein und ließen ihn vorsichtig nach unten.

Als wir ihn schließlich an Deck hatten, warf Captain Svensson nur einen Blick auf ihn.

»Er ist tot«, sagte er.

Tot! Das war niederschmetternd. Wir konnten und wollten es einfach nicht glauben. Nirgendwo wird der Schrecken des Todes so stark empfunden wie auf See. An Land ist das ganz anders, da gibt es Abwechslung, man vergißt, trifft andere Menschen, mit denen man reden kann, hat Zeitungen und vieles mehr. Und man wird auch nicht so stark vermißt. Ganz anders auf See.

Da gibt es nur eine kleine Mannschaft, ständig stöhnt der Wind in der Takelage, und die See greift nach dem Segler. Wenn einer dahingeht, kommt kein Neuer, um seinen Platz einzunehmen; es gibt keine Ablenkung, nichts sorgt dafür, daß die Gedanken an den Verlust schwächer werden.

Vom Achterschiff aus übergaben wir Walkers Leiche am nächsten Tag der See. Die finnische Flagge war auf Halbmast gesetzt, und die fahlen Gesichter der Besatzung wirkten sehr bewegt. Ich kann mir nichts Ergreifenderes vorstellen als eine Bestattung auf See. Das ist nicht mit der Übergabe der Leiche eines Passagiers vom Promenadendeck aus zu vergleichen, die in der Nacht erfolgt und bei der allenfalls für einen Moment der Ball im Salon unterbrochen wird. Nein, es gibt nichts Bewegenderes als die letzten Riten auf einem Windjammer, wenn ein toter Kamerad der See übergeben wird. Wir hatten ihn alle so gut gekannt! Auf einem Schiff wie dem unseren zeigt ein Mann seinen wahren Charakter, hier kann er nichts verbergen, sich nicht verstellen – hier wird der Wert des Menschen offenkundig. Wir hatten den armen Walker gekannt und gerngehabt. Und das war nun sein Ende...

Der Kapitän sprach einige Gebete, wir sangen schwedische und englische Kirchenlieder, dann gab es eine kurze Ansprache. Das Schiff lag beigedreht, der Wind jaulte nun weniger stark in der Takelage, selbst die Wellen schienen besänftigt. Wir trugen Walker

---

* Eine Art Flaschenzug

zur Reling, senkten das Brett ab, auf dem er lag, ein dumpfes Platschen, dann war alles vorüber.

Wir legten das Schiff wieder vor den Wind und setzten unsere Fahrt fort.

Erst am 57. Tag erreichten wir Kap Hoorn. Es war inzwischen Juni geworden, und der Juni ist die Hölle am Hoorn, hat Masefield geschrieben. Für uns aber schien es nicht so schlimm zu werden. Wir hatten zwar kräftigen Sturm aus West, aber obwohl die See hochging und die Kälte manchmal unerträglich wurde, kamen wir gut voran und waren glücklich.

Wir wollten so schnell wie möglich um das verdammte Kap, um vergessen zu können, was sich auf der anderen Seite ereignet hatte. Der Tod auf See ist schon eine schlimme Sache. Das trifft ganz besonders dann zu, wenn er durch Materialfehler verursacht wurde, die ebenso jeden von uns hätten treffen können. Ob wir am Steuer standen oder auf Ausguck, ob wir oben in den Wanten hingen oder in den feuchten Kojen lagen – stets erinnerten wir uns an den toten Bordgenossen, überlegten immer wieder, wie es hatte geschehen können, bis es einfach schädlich für uns war, noch länger in dieser Gegend des wilden Pazifik zu bleiben. Ein Junge schrie im Schlaf, er hatte Walkers Geist gesehen, der ins Logis kam, um uns zu rufen.

Auf dem Höhepunkt eines schweren Sturms schlug das Schiff leck. Die Pumpen fielen aus, Wasser drang ein, und wir konnten nichts dagegen tun. Während der stürmischen Nacht drängten wir uns, gepeitscht von Schneeschauern, auf der Poop zusammen und waren keineswegs sicher, daß die *Grace Harwar* am Morgen noch schwimmen würde. Als es dann endlich dämmerte, wurde einer der Jungs von einem schweren Brecher über Bord gerissen. Was sollten wir tun? Schon viele waren auf diese Weise umgekommen, und ein Windjammer konnte immer nur weitersegeln...

Doch inzwischen hatte der Wind etwas nachgelassen. Wir drehten bei, auch wenn ein Rettungsversuch sinnlos schien. Wir zurrten das Ruder fest, nachdem wir das Schiff schüttelnd und ächzend an den Wind gelegt hatten. Mit irrsinniger Geschwindigkeit schoren wir neue Leinen in die Taljen des Rettungsboots; einer war schon in den Besantopp geklettert, um zu beobachten, in welche Richtung der Junge abgetrieben wurde. Wir stellten fest, daß es ihm gelungen war, einen zugeworfenen Rettungsring zu packen, und daß er noch lebte. Die Frage war nur: wie lange?

Wir ließen das Boot zu Wasser, sechs Freiwillige sprangen hinein, der Erste hatte das Kommando. Niemand war abkommandiert worden, niemand hatte auch nur eine Sekunde gezögert.

Das Boot fiel zurück und schien sich in eine völlig hilflose Nußschale zu verwandeln. Wild stieg es auf die Wellenkämme und fiel dann wieder tief hinunter. Es war schon seltsam, den grünen Boden des alten Schiffes zu erblicken, als wir so in die Höhe gehoben wurden. Dann sanken wir wieder in ein Wellental und erkannten gerade noch eine Royalrah, die wilde Bögen vor dem grauen Himmel beschrieb. Bald sahen wir gar nichts mehr vom Schiff, wenn wir tief in einem Tal zwischen zwei Wellen lagen, und verloren die Orientierung. Wir wußten überhaupt nicht mehr, wo der Junge treiben mochte. Wie hätten wir ihn auch finden sollen? Wir sahen ja nicht einmal mehr das Schiff. Vielleicht war es ohnehin verrückt gewesen, nach ihm zu suchen.

Trotzdem ruderten wir hierhin und dorthin – hoffnungslos, aber wir konnten schließlich nicht einfach aufgeben. Dann begann es heftig zu regnen. Niemand von uns trug Ölzeug. Der Franzose war in Unterhosen, so wie er gerade aus seiner Koje gesprungen war. Sjoberg aus Helsingfors hatte mit Nervenschmerzen darniedergelegen, doch jetzt pullte er wie ein Besessener, ohne Mantel, durch und durch naß, dazu hungrig und müde; doch das kümmerte ihn überhaupt nicht. Ihm ging es nur darum, das Leben des Jungen zu retten. Wir wollten nicht noch einen Mann verlieren. Ein Opfer war genug für das Kap – mehr als genug.

Der Erste, der an der Pinne saß, ließ die scharfen Augen immer wieder übers Wasser gleiten. Denn möglicherweise fanden wir unser Schiff nicht wieder, falls die Böen zu stark und die Sichtverhältnisse zu schlecht wurden. Das war der schwedischen Bark *Staut* unter ganz ähnlichen Umständen so passiert. Auch sie hatte ein Boot ausgesetzt, um einen Mann zu retten, der über Bord gegangen war. Dann fiel plötzlich eine starke Bö ein, und alle gingen verloren – das Opfer, nach dem gesucht worden war, und die Männer mit dem Boot. Wir hatten das durchaus in Erinnerung. Und es gab nichts im Boot, das uns ein längeres Überleben ermöglicht hätte, denn wir hatten die Wasserfässer und die Blechdose mit dem Dauerbrot hinausgeworfen, um mehr Platz zu haben und Gewicht zu reduzieren.

Dann, im letzten Licht, sahen wir ihn! Es war ein Wunder, wenn es auf See so etwas überhaupt gab. Drei Wellenkämme von uns entfernt, trieb er im Wasser. Und wir waren fast schon bereit gewesen aufzugeben. Wir legten uns noch einmal kräftig in die Riemen, und wenig später hatten wir den Jungen im Boot. Wir zogen ihn übers Heck herein und machten dann, daß wir zum Schiff zurückkamen, wo man uns nicht aus den Augen verloren hatte. Der Junge war besinnungslos und halb erfroren, aber er lebte. Er hatte wirklich Glück gehabt.

Wenige Tage später hatten wir das Kap gerundet, und gleich stiegen die Temperaturen an. Mit ihnen stieg auch unsere Stimmung, obwohl wir bald in einen ganz üblen Schneesturm vor den Falkland-Inseln gerieten, der um keinen Deut besser war als alles, was wir auf der anderen Seite hinter uns gebracht hatten. Aber immerhin waren wir schon im Atlantik, deshalb kümmerte es uns nicht sonderlich. Nur zu, verdammter Sturm, nur zu! Wir wußten ja, daß wir schnell in wärmere Breitengrade kommen würden, erst in den südöstlichen Passatgürtel, dann in den nordöstlichen, zu den Azoren und schließlich nach Hause. Aber noch wagte niemand, allzusehr an zu Hause zu denken.

Wir benutzten den Kap-Hoorn-Strom, um zwischen den Falklands und dem südamerikanischen Festland durchzugehen, für Segelschiffe eine eher ungewöhnliche Route. Doch nachdem wir erst die Hoorn hinter uns gelassen hatten, machten wir gute Fahrt. Es schien, als habe der Pazifik seine Wut an uns ausgelassen und uns dem Atlantik mit der schroffen Bemerkung übergeben: »Hier hast du die Hunde, sie haben genug ertragen, behandle sie anständig!«

Während die Tage und Wochen vergingen, verblaßte allmählich die Erinnerung an das Schlimme, das sich auf dieser Reise ereignet hatte. Doch die See war mit uns noch längst nicht fertig.

Plötzlich verwirrte sich der Verstand unseres Zweiten. Es geschah ohne Vorwarnung, und niemand von uns hatte damit gerechnet.

Wir wußten, daß er sich schwere Vorwürfe wegen Walkers Tod machte, denn schließlich war er der Wachhabende gewesen. Aber er hatte doch keine Schuld! Niemand war schuld. Es war einfach einer jener furchtbaren Unfälle gewesen, die niemand vorhersehen konnte, die immer wieder passierten und stets die besten Kameraden trafen. Im Logis hatten wir sehr häufig darüber geredet, aber dort waren wir nicht allein. Dagegen ist niemand so allein wie ein Offizier auf einem Segelschiff. Wir hatten ja nur zwei davon, den Ersten und den Zweiten, und sie leisteten einander kaum Gesellschaft. Wenn nämlich der eine Wache hatte, versuchte der andere, eine Mütze voll Schlaf zu kriegen. Der Kapitän aber hielt sich wie üblich ganz für sich. Wenn er mit jemandem redete, dann höchstens mit dem Segelmacher. Die Offiziere führten also ein sehr einsames Leben, und sie mußten sich selbst genug sein. Deshalb erkannte niemand, wie gefährlich nahe unser Zweiter am Zusammenbruch war. Niemand nahm es zur Kenntnis, bis es zu spät war.

Wir hatten eine fürchterliche Zeit mit ihm, doch kann ich darüber nicht viel sagen. Es war ja nicht die Schuld dieses armen Teufels. Wir alle waren sehr besorgt um ihn, und damit er sich nicht selbst etwas antat, übernahmen wir seine Wache bis zum Ende der Reise mit. Dreimal versuchte er, Selbstmord zu begehen. Schon hatten wir beschlossen, Kapstadt anzulaufen, damit wir ihn einem Dampfer übergeben konnten, doch der Wind drehte und drängte uns vom Kurs ab. Und andere Schiffe begegneten uns nicht. Als wir das erste Anzeichen eines Dampfers sahen, waren wir bereits 104 Tage auf See gewesen. Und auch dieses Zeichen war nicht mehr als eine Rauchfahne am Horizont. Segelschiffe haben ihre eigenen Routen, weit ab von den üblichen Schiffahrtswegen. Wenn man viel Glück hat, trifft man ein anderes Segelschiff, aber das kommt nur höchst selten vor, und erst wenn man den Nordatlantik erreicht hat, sieht man mal einen Dampfer.

Wir fanden den Südostpassat und hielten auf den Äquator zu. Nun waren die Tage wunderbar. Die Sonne schien, fliegende Fische sprangen aus Furcht vor unserer Bugwelle aus dem Wasser; wir sahen auch Wale, einer begleitete uns volle drei Tage. Er zeigte überhaupt keine Furcht. Wir hatten ja auch keine Schrauben oder stampfende Maschinen, die ihm Angst gemacht hätten. Er spielte um uns herum, und als ich versuchte, ihn zu fotografieren, blies er seinen Atemstrahl in die Luft, der die Kameralinse besprühte.

Am 100. Tag überquerten wir den Äquator. Da blieb der Wind total weg, und wir kamen kaum noch vorwärts. Trotzdem hatten wir noch Glück. Ich hatte hier einmal auf einem großen Viermaster, der von Melbourne kam und nach St. Nazaire bestimmt war, drei Wochen lang bekalmt gelegen. Die *Grace Harwar* brauchte nur vier Tage zu dümpeln. Dann kam wieder Wind auf, und wir segelten langsam weiter.

Mittlerweile war das Unterwasserschiff so stark bewachsen, daß wir selbst bei starkem Wind nur sieben Knoten schafften. Allenfalls unter besonders guten Bedingungen wurden es etwas mehr. Aber die *Grace Harwar* war ja auch über zwei Jahre lang nicht im Dock gewesen. Lange Zeit hatte sie in den Häfen der amerikanischen Westküste vor Anker gelegen, auch in der Lüderitzbucht in Südwestafrika. Warmes Wasser fördert den Bewuchs am Unterwasserschiff, und mit Algen und Muscheln bewachsene Schiffe segeln nicht schnell.

Und noch etwas machte uns langsam Sorge: Unser Proviant ging zu Ende. Besonders reich ausgestattet waren wir ohnehin nicht gewesen. Nun aber ging Tag für Tag etwas anderes aus – mal war es der letzte Reis, dann die letzte Margarine, der letzte Zucker, das letzte Rauchfleisch, die letzten Trockenerbsen. Schon bald hatten wir nur noch wenige, obendrein faulige Kartoffeln, tranken schwarzen Kaffee ohne Milch und Zucker und rationierten das Brot. Wir hatten noch ein kleines Schwein an Bord aufgehoben, um es erst in der letzten Not zu schlachten. Nun ging es ihm ans Leben, aber dann stellte sich heraus, daß sein Fleisch von Parasiten befallen war. Diese Entdeckung deprimierte uns vollends. Einige aßen dennoch davon und wurden prompt fürchterlich krank. Wir salzten den Rest in einem Faß ein und verstauten es im Vorschiff, denn wir hatten Angst, den Kadaver einfach über Bord zu werfen und dann ohne alles dazustehen.

Es wurde nun wirklich dringend notwendig, daß wir einen Dampfer trafen, der uns aushalf. Aber eine Woche lang sahen wir kein einziges Schiff, obwohl wir immer weiter in den Nordatlantik vordrangen, der ja schließlich besonders stark befahren wird. Dann sichteten wir ein paar Schiffe: einen großen Passagierdampfer mit Kurs Südamerika, der bald wieder im Dunst des frühen Morgens verschwand. Ich glaube nicht, daß uns auch nur eine Seele an Bord gesehen hat. Er war sehr weit entfernt und kam auch nicht einen Strich näher. Später sahen wir andere Schiffe und setzten eiligst die entsprechenden Signalflaggen, um ihnen zu zeigen, daß wir dringend Proviant benötigten und sie zu stoppen baten. Sie nahmen keine Notiz von uns. Aber sie konnten wohl unsere Signalflaggen nicht sehen, weil die in der Flaute völlig schlaff herabhingen.

Erst vier Monate nach unserer Ausreise, am 123. Tag, bekamen wir wieder Lebensmittel. In der Nacht sichteten wir den schottischen Dampfer *Orange Leaf*, der nach Trinidad bestimmt war. Mit der Taschenlampe signalisierten wir hinüber, der Dampfer stoppte und teilte uns mit, wir sollten ein Boot aussetzen und den Proviant holen. Wir pullten in schwerer See eine halbe Meile weit, bis wir den beigedrehten Frachter erreichten.

Für Schotten gaben sie uns sehr reichlich. Was Wunder, daß wir den Namen *Orange Leaf* priesen!

Sie überließen uns Fässer mit Pökelfleisch, ein halbes Rind aus ihrem Kühlraum, eine Kiste Milchpulver, Mehl und frisches Gemüse, einen Sack Zucker und viele andere Dinge. Sie überließen uns sogar Tabak, doch der war so stark, daß ihn unsere Jungen nicht vertrugen.

Bald nachdem wir uns von der *Orange Leaf* getrennt hatten, erreichten wir die Azoren, immer noch mit sehr launischem Wind. Fünfzehn Tage später lagen wir im Hafen von Queenstown in Irland vor Anker. Noch nie war ich über das Ende einer Seereise so froh gewesen.

Jetzt konnte ich wenigstens den Eltern des armen Walker ein Telegramm schicken und ihnen mitteilen, daß ihr Sohn auf See umgekommen war. Er war nun schon an die hundert Tage tot, mehr als drei Monate, und sie wußten noch nichts davon. Doch die Zeitungen übermittelten die Geschichte schneller nach Australien, als es mir möglich war. So erfuhren sie grausamerweise zuerst durch einen Zeitungsbericht vom Tod ihres Jungen.

Von Queenstown wurden wir nach Glasgow geschleppt, und dort ging ich von Bord. Niemand blieb auf dem Schiff, der Reeder mußte eine neue Besatzung aus jungen Männern von Finnland schicken. Zu ihr gehörte auch ein junger Kapitän, mit dem ich vor acht Jahren auf der *Lawhill* gefahren war. Damals war er Vollmatrose gewesen.

Der Weizen wurde gelöscht, dann ging das Schiff den Bristol Channel hinunter und nahm Kohle für La Guaira in Britisch-Guyana ein. Nach einer Reise von fünfundvierzig Tagen erreichte es sein Ziel und sollte anschließend entweder durch den Panamakanal nach Peru laufen, um von dort Guano zu holen, oder durch den Südatlantik nach Australien um Getreide. Doch die Weltwirtschaft brach zusammen, und damit auch die Märkte für Frachten, und so mußte die *Grace Harwar* in Ballast nach Mariehamm in Finnland zurückkehren. Dort wurde sie aufgelegt. Statt der Besatzung war nur noch ein Wachmann an Bord. So wartete sie ab, bis sich entweder der Markt für die Getreidefahrt bessern oder eine Abwrackwerft ein akzeptables Angebot machen würde. Und letzteres war dann ihr Ende…

Der Dokumentarfilm über die Reise um Kap Hoorn wurde fertig. Dieser Teil des Abenteuers war absolut zufriedenstellend verlaufen. Daß es mir gelungen war, viele Meter Film mit gutem Ergebnis zu belichten, dafür konnte ich nur Gott danken, denn bei meiner Unwissenheit hatte ich nicht viel beisteuern können. Aber ein blindes Huhn… Als Ronald starb, hatten wir bereits die ersten 1800 Meter Film im Kasten gehabt. Damals hätte ich beinahe Kamera und Filme über Bord geschmissen.

Dann hatte ich doch weitergemacht, zwar ohne Hoffnung, daß etwas dabei herauskommen würde, aber ich wollte es wenigstens versuchen. Ich brachte mir das Nötigste selbst bei und hatte auch eine gewisse Ahnung vom Entwickeln, weil ich Walker bei der Arbeit zugesehen hatte. Auch konnte ich ungefähr beurteilen, was einen guten Bildausschnitt ergab. Dabei war mir das Schiff sogar behilflich gewesen. Wo immer ich die Kamera laufen ließ, es war stets ein guter Blickwinkel. Der Windjammer war von allen Seiten wunderschön, und die See half mir mit ihrem Licht. Kurz gesagt: Der Film entstand unter guten Voraussetzungen.

So hatte ich hundert Tage lang weitergemacht. Ich wußte nicht, ob die Kamera ordnungsgemäß arbeitete, fürchtete ständig, daß der Film nicht richtig belichtet wurde, und besaß weder ein Labor noch eine Dunkelkammer oder einen kühlen Filmbehälter für die Tropen.

Als ich in Glasgow ankam, spielte ich mit dem Gedanken, das ganze Filmmaterial einfach ins Hafenwasser zu werfen. Denn am ersten Abend an Land mußte ich feststellen, daß es nun Tonfilme gab. Die Tage des Stummfilms – durchaus noch üblich, als die *Grace Harwar* auslief – waren gezählt. Mein Material war stumm, und ich wußte damals noch nicht, was man an Ton dazumischen konnte. Ich hatte alles Geld ausgegeben, das ich besaß und mir geborgt hatte. Walker hatte ebenfalls alles riskiert und sogar sein Leben verloren.

Ich wußte, daß ich noch 250 Dollar Honorar von einem Verleger in London zu bekommen hatte; dieser Betrag würde gerade die Kosten für die Entwicklung des Filmmaterials decken. Aber danach war ich pleite. Ich hatte keinen Job. Der Film war womöglich nicht gut. Was dann? Ich wußte nicht, woher ich weiteres Geld bekommen sollte.

Aber ich riskierte die 250 Dollar und ließ das Filmmaterial entwickeln. Wie man mir sagte, sollte eine Kopie 500 Dollar kosten. Ich besaß keine 500 Dollar und sah deshalb nie eine Kopie, doch das Negativ war gut. Ich machte mich an die aussichtslose Aufgabe, eine Produktionsfirma zu finden, die interessiert daran war, aus dem Negativmaterial einen vollständigen Film zusammenzuschneiden – den Film, für den Ronald Walker und ich zu dieser Reise aufgebrochen waren. Es war ein ganz einfacher, aber realistischer Film über Segelschiffe und die See geworden, ohne Sex, ohne Verfälschungen. Wir hatten geglaubt, allein schon dieses Thema müsse die Zuschauer bewegen, auch ohne daß es gestellte Szenen gab. Schließlich existierten genügend Filme mit gestellten Szenen.

Unser Film wurde nie fertig. Ich ging in London monatelang mit dem Material hausieren, vergeblich.

Ganz offensichtlich gab es – das war jedenfalls mein Eindruck – keinen Markt für einen Film, wie ich ihn anzubieten hatte. Die großen Produktionsfirmen wollten mit Außenseitern nichts zu tun haben – das waren schließlich Amateure. Sie wollten nicht das komplette Negativmaterial geliefert bekommen, ganz gleich, wie gut es sein mochte, sondern ihre Filme selbst drehen, mochte dabei auch noch soviel »frisiert« werden.

Ziemlich niedergeschlagen klapperte ich die Wardour Street ab. Ich dachte daran, mit meinem Film nach Amerika zu gehen, aber mir fehlte das Geld dazu. Die britischen Zeitungen veröffentlichten lange Artikel über die gute Qualität der englischen Filme, die in der Welt eine Vormachtstellung einnähmen. Ich aber machte keinerlei Erfahrungen, die diese optimistischen Berichte gestützt hätten. Ich erfuhr nur, daß die alteingesessenen Produktionsfirmen das Neue, das Ungewöhnliche fürchteten, weil es noch nie versucht worden war. Hartnäckig kämpften sie gegen alles, das nicht in die Mode der Zeit paßte. Wenn aber eine Gesellschaft einen erfolgreichen Kriminalfilm herstellte, dann beeilten sich alle anderen, ebenfalls ähnliche »Meisterwerke« zu produzieren, derer das Publikum bald überdrüssig wurde. Nicht anders war es mit Filmen über historische Themen oder aktuelle Helden.

Meine Abenteuer bei dem Versuch, den Film unterzubringen, waren aufregender als jene auf der *Grace Harwar*.

Ich geriet in die Hände einiger Promoter, die viel redeten und nichts sagten, ein Riesenbüro hatten und nichts taten. Sie versprachen, sich für den Film einzusetzen. Sie ließen ihn zu einer Vorführkopie zusammenschneiden, und so bekam ich zum ersten Mal zu sehen, was Ronald Walker und ich geschaffen hatten. Das war Rohmaterial für einen wirklich realistischen Film! Aber niemand wollte es sehen. Mit Gottes Hilfe und viel Glück war uns ein großartiger Film über die See gelungen, aber durch die Dummheit der Produzenten bekam ihn das Publikum zunächst nicht zu sehen.

Nach geraumer Zeit bekamen meine Promoter Streit miteinander und trennten sich. Mein Film blieb bei der einen Firmenhälfte, und für einige Zeit verlor ich seine Spur. Das machte mir nicht viel aus, ich hatte sowieso die Nase voll. Ich kannte niemanden in der Filmwelt. Unser Projekt war in der Wardour Street sozusagen auf Grund gelaufen, und es sah keineswegs so aus, als ob es wieder in Fahrt kommen würde.

Doch schließlich interessierte sich eine britische Produktionsfirma doch noch dafür. Ihr gefiel das Negativmaterial mit den schönen Seeszenen. Die Firma erwarb es und schickte sich an, einen »Kassenschlager« daraus zu machen. Sie luden Englands Hofpoeten, John Masefield, in ihr Studio ein. Er war sehr beeindruckt und meinte, man hätte daraus eine vorzügliche Filmversion zu einem seiner Gedichte machen können.

Nach längerer Zeit entschloß sich die Firma, unsere Aufnahmen in eine Episode einzubauen. Sie machten Studio-Aufnahmen vom Inneren eines Mannschaftslogis und einer Kajüte und stellten die Dialoge zusammen. Sie machten ihre Sache nicht einmal schlecht. Sie nannten den Film, der auf diese Weise entstand – ein Drittel waren echte Aufnahmen, zwei Drittel nachgestellte –, *Windjammer*. Der Direktor der Firma, der bis zur Vorführung nichts von dem Film gewußt hatte, ließ seinen Namen in riesigen Buchstaben im Vorspann erscheinen. Walkers Name erschien – mit falschen Initialen – zusammen mit meinem in kleinen Buchstaben bei den Leuten, die die Studioaufnahmen gemacht hatten. Wir wurden als »Fotografen« zwischen all den anderen Personen im Vorspann genannt. Aber der Direktor sollte meinetwegen seinen Ruhm haben...

Später wurde der Film an die Kinos verliehen, doch zahlreiche Filmtheater hatten Bedenken, ihn zu buchen, weil er keine Titelmusik hatte und weil keine Frauen mitspielten.

QUELLENNACHWEIS

Herausgeber und Verlag danken den folgenden Autoren, Verlegern und Agenten für die Erlaubnis, urheberrechtlich geschütztes Material in diese Anthologie aufzunehmen. Obwohl wir uns bemüht haben, die Inhaber der Urheberrechte für alle in dieser Sammlung enthaltenen Geschichten festzustellen, bitten wir eventuell betroffene Parteien, sich im Falle einer unbeabsichtigten Verletzung ihrer Rechte über den Verlag mit dem Herausgeber in Verbindung zu setzen.

Unser Dank gilt im einzelnen: der Society of Authors für W. W. Jacobs: *Ausgesegelt* aus dem Sammelband »Many Cargoes« und für C. J. Cutcliffe Hyne: *Der Passagierdampfer und der Eisberg* aus »The Adventures of Captain Kettle«; den Nachlaßverwaltern von Morley Roberts für *Käpt'n Spink hat eine Idee*; Rupert Hart Davis Ltd. für John Masefield: *Don Alfonsos Schatzsuche* aus »A Mainsail Haul«; A. P. Watt Ltd. für Rafael Sabatini: *Der Warnschuß* und für Norman Reilly Raine: *Wer zuletzt lacht...*; Longman Group Ltd. für Commander H. T. Dorling: *Das Glück der Tavy*; Century Hutchinson Ltd. für Albert Richard Wetjen: *Pflichterfüllung*; Campbell, Thomson & Mc Laughlin Ltd. für Nicholas Monsarrat: *Nachtgefecht*; A. D. Peters & Co. Ltd. für C. S. Forester: *Angriff im Morgengrauen*; und Harrap Ltd. für Alan J. Villiers: *Der Windjammerfilm*.